المؤلف: جوزيه ساراماغو
عنوان الكتاب: العمى
ترجمة: محمدحبيب
تصميم الغلاف: ماجد الماجدي
الناشر: دار المدى
الطبعة الأولى: 2002
الطبعة الرابعة: 2015
الطبعة الخامسة: 2016

Author: José Saramago
Title: Ensaio sobre a cegueira
Translator: Muhammed Habib
cover designed by: **Majed Al-Majedy**
P.C. : Al-Mada
First Edition: **2002**
Fourth Edition: **2015**
Fifth Edition: **2016**

للإعلام والثقافة والفنون
Al-mada for media, culture and arts

بغداد : حي ابو نؤاس - محلة 102 - شارع 13 - بناية 141
Iraq/ Baghdad- Abu Nawas-neigh. 102 - 13 Street - Building 141
www.almada-group.com info@almada-group.com
+ 964 (0) 770 2799 999
+ 964 (0) 770 8080 800
+ 964 (0) 790 1919 290

بيروت: الحمرا- شارع ليون- بناية منصور- الطابق الاول
www.daralmada.com info@daralmada.com
+ 961 175 2616
+ 961 175 2617

دمشق: شارع كرجية حداد- متفرع من شارع 29 أيار
ص.ب: 8272
+ 963 11 232 2276
+ 963 11 232 2275
+ 963 11 232 2289

جوزيه ساراماغو

العمى

ترجمة : محمد حبيب

إهداء المؤلف:

إلى ابنتي فيولانتي

إهداء المترجم

إلى

الشامخة كالحَوْرِ

القويّة كالسنديان

العطرة كالنارنج

النقيّة كالياسمين

العميقة كالسماء

الوديعة كغزالة

الغيور كلبوة

الهادرة كالموج

والرقيقة كالماء

حبيبتي...

نوال

إذا كنت تستطيع أن ترى، فانظر
إذا كنت تستطيع أن تنظر، فراقب

من كتاب المواعظ

أضاءت الشارة الكهرمانية. أسرعت اثنتان من السيارات التي في المقدمة قبل أن تضيء الشارة الحمراء. أضاءت الشارة الخضراء عند ممر المشاة وبدأ المارة الذين كانوا ينتظرونها يعبرون الشارع فوق الخطوط البيضاء المرسومة فوق الإسفلت الأسود. تلك الخطوط التي تشبه حمار الوحش إلى حدٍ كبير، وعلى أيٍّ حال هكذا كانت تسمى. أبقى السائقون أقدامهم المتعجلة فوق "الدبرياج" تاركين سياراتهم على أهبة الاستعداد، تتقدم وتتراجع كأحصنة تشعر بالسوط الذي يوشك أن يسوطها. عَبَر المارّة جميعاً إلا أن الشارة الخضراء لانطلاق السيارات ستتأخر بضع ثوانٍ.. ويتضاعف هذا التأخير رغم عدم أهميته الواضحة، كما يؤكد البعض، بفعل آلاف شارات المرور الموجودة في شوارع المدينة، وبفعل تغير ألوانها الثلاثة المتعاقبة الذي يخلق واحداً من أكثر أسباب ازدحام المرور جدّيةً، أو الاختناقات المرورية، إذا استخدمنا التعبير السائد.

أضاءت الشارة الخضراء أخيراً، فانطلقت السيارات بسرعة، تبيّن في

ما بعد أنها ليست جميعاً على القدر نفسه من السرعة، فالسيارة الأمامية في منتصف المضمار لا تزال واقفةً. لا بد أن هناك عطلاً ميكانيكياً.. عطلاً في دواسة البنزين، أو مبدّل السرعة.. عطلاً في الأماتسورات[1]، أو الكوابح.. عطلاً في الدارة الكهربائية، هذا إن لم يكن وقودها قد نفد، وليست هذه المرة الأولى التي يحدث فيها أمر كهذا. رأت مجموعة المارّة الجدد الذين احتشدوا عند ممر المشاة سائق السيارة المتوقفة يلوّح بيديه من خلف زجاج السيارة الأمامي، بينما السيارات المتوقفة خلف سيارته تطلق العنان لأبواقها الغاضبة. خرج بعض السائقين من سياراتهم وقد استعدوا لدفع السيارة الجانحة إلى مكان لا تعوق فيه حركة المرور. خبطوا غاضبين على زجاج نوافذها المغلقة، والرجل في داخل السيارة يتلفت برأسه ذات اليمين وذات الشمال. من الواضح أنه كان يصرخ بشيء ما، ومن حركة شفتيه بدا أنه يكرّر بضع كلمات، ثلاث كلمات تحديداً، أنا أعمى[2]، كما اتضح لاحقاً عندما نجح شخص ما بفتح باب السيارة أخيراً.

مَنْ سيصدّق ذلك؟! فبالاعتماد على المشاهدة فقط، إن عيني الرجل سليمتان. القدحيتان رائعتان، منيرتان، الصلبتان بيضاوان، مدمّجتان كالبورسلين. بيد أن عينيه المفتوحتبن على اتساعهما، وتجاعيد وجهه، وحاجبيه اللذين قطّبا فجأة، هذا كله يشير إلى أنه قد خبّله الكرب، كما يستطيع أي امرئ أن يرى. بحركة سريعة، اختفى ما كان مرئياً خلف قبضتي الرجل المغلقتين بإحكام، وكأنه لايزال يحاول أن يستعيد في ذهنه آخر صورةٍ كانت أمام ناظريه، ضوءاً أحمر

---

(١) النوابض التي تحمل هيكل العربة فوق محاور العجلات.

(٢) I am blind.

دائريا في شارة المرور. أنا أعمى، أنا أعمى، كان يردد يائساً وهم يساعدونه على الخروج من السيارة والدموع الطافرة من عينيه اللتين يدّعي مواتهما جعلتهما تظهران أكثر تألقاً. تحدث أمورٌ كهذه، أزمةُ وتمرّ، يحدث ذلك لأسباب عصبية أحيانا، قالت امرأة. تغيّرت أضواءُ الشارة ثانيةً، تجمّع بعض المارّة الفضوليين حول سابقيهم، احتجّ السائقون الذين في المؤخرة، ولم يعرفوا ماذا يجري، على ما اعتقدوه حادثاً عادياً، كتحطّم ضوء أمامي، انبعاج جنب السيارة.. لا شيء يسوّغ كل هذا الهيجان، اطلبوا الشرطة، صاحوا، وأخرجوا هذا الخردة من الطريق. توسل الأعمى، أرجوكم، ليأخذني أحدكم إلى بيتي. ارتأت المرأة التي اعتقدت أن عماه مسألة أعصابٍ أنه من الضروري استدعاء سيارة إسعاف لنقل الرجل المسكين إلى المشفى، إلا أن الأعمى رفض سماع الاقتراح، لا ضرورة لذلك. إن كل ما يريده هو أن يرافقه أحد ما إلى مدخل البناية التي يقطن فيها. إنها قريبة جداً، وتلك أعظم خدمة تقدمونها لي. وماذا عن السيارة، سأل شخص ما. أجابه آخر، المفاتيح في السيارة، قدها إلى الرصيف. لا حاجة لذلك، تدخّل صوت ثالث، سأقود السيارة وأرافق هذا الرجل إلى بيته. تعالت همهمات الموافقة. شعر الأعمى بيد تمسك بذراعه، تعال، تعال معي، كان الصوت نفسه يخاطبه. أجلسوه في مقعد السيارة الأمامي، ووضعوا له حزام الأمان. لا أستطيع أن أرى.. لا أستطيع أن أرى، همس والدموع ما زالت تنهمر من عينيه. أخبرني أين تقطن، سأله الرجل. وعبر نوافذ السيارة تطلعت وجوه نهمة، تواقة إلى معلومات إضافية. رفع الرجل الأعمى يديه إلى عينيه وأومأ، لا شيء، يبدو أني قد غطست في ضباب أو سقطت في بحر حليبي. لكن العمى مختلف عما تقول، قال الشخص الآخر، يقولون إن العمى أسود. حسن لكنني أرى كلَّ شيءٍ أبيض، الأرجح أن تلك المرأة الصغيرة كانت على صوابٍ. قد تكون مسألة أعصابٍ، فالأعصاب شيء

شديد التعقيد. لا أحتاج لتشرح لي عنها، إنها كارثة، نعم كارثة. قل لي، من فضلك، أين تقطن. وأقلع المحرك في اللحظة نفسها. أخبره الأعمى بعنوانه متلعثماً وكأن فقدانه بصره قد أضعف ذاكرته. ثم أضاف، لا أملك الكلمات لأشكرك. فردّ عليه الرجل الآخر لا تفكر في شكري إذاً، فاليوم دورك وغداً دوري، إننا لا ندري ما يخبئه الغد لنا. أنت محق.. مَنْ كان يعتقد، عندما غادرت بيتي صباحاً، أن شيئاً فظيعاً كهذا سيحدث لي. تحيَّر من أنهما لا يزالان متوقفين في المكان نفسه، فسأل، لماذا لا نتحرك. لأن الشارة حمراء، أجاب الآخر. من الآن فصاعداً لن يُعرف متى تكون الشارة حمراء.

كما قال الأعمى، فقد كان بيته قريباً. غير أن الأرصفة كانت مكتظةً بالعربات، لم يستطيعا إيجاد مكان لصف السيارة فاضطرا للبحث عن مكانٍ في أحد الشوارع الجانبية. وبسبب ضيق الأرصفة هناك لن يتمكن من فتح الباب، بما يكفي ليترجّل عبره، وكي يتجنب مشقّة جرّ نفسه فوق المقعد إلى باب السائق، والارتطام بالكوابح وعجلة القيادة، فقد ترجّل الأعمى من السيارة أولاً، قبل أن يصفّها الآخر. وقف وحيداً في منتصف الطريق، يحس الأرض تنزلق من تحت قدميه، حاول أن يخمد الإحساس بالهلع الذي كان يتعاظم داخله. لوّح بيديه أمام وجهه، بحركة عصبية، وكأنه كان يسبح في ما وصفه ببحر حليبي، كان قد فتح فمه للتو ليطلق صرخة استغاثة عندما شعر في اللحظة الأخيرة بيد تلمس ذراعيه بلطف -إهدأ ها قد عدت إليك. تقدما ببطء شديد، والأعمى يجر قدميه جرّاً خشية أن يسقط، وهذا ما جعله يتعثر بالرصيف غير المستوي. اصبر، كدنا نصل، غمغم الرجل الآخر، وبعد خطوات عدّة سأله، هل في البيت أحد ليهتمّ بك. لا أعرف أجابه الأعمى، فزوجتي لا تزال في عملها، وقد اتفق أني غادرت البيت مبكراً اليوم،

فقط كي يصيبني ما أصابني. سترى أنّه ليس بالأمر الخطير، فلم أسمع البتة بأحد عَميَ فجأة. تعرف طالما تبجحت أني لا أستخدم نظارة. حسن، ذلك يدعم رأيي. وصلا مدخل البناية التي يقطن فيها، تطلعت اثنتان من الجيران بفضول إلى منظر جارهما يُقاد من ذراعه، لكن لم تفكر إحداهما في أن تسأل، هل تعاني من شيء ما في عينيك؟. لم يخطر لهما ذلك ولا كان هو قادراً على الرد، نعم، فيهما بحر حليبي، ما إن دخلا البناية حتى قال الأعمى شكراً جزيلاً، آسف لإزعاجك، بوسعي أن أكمل وحدي الآن. لا داعي للاعتذار، سأصعد معك إلى باب الشقة، لن يهون علي أن أتركك هنا. واجها صعوبة في دخول المصعد الضيق. في أي طابق تسكن. في الثالث، لو تستطيع أن تتخيل مقدار امتناني لك. لا تشكرني، فاليوم دورك. نعم أنت على حق، قد يكون دورك غداً. توقف المصعد، خرجا إلى قرص الدرج أمام باب الشقة. أتود أن أساعدك في فتح الباب. شكراً، أعتقد أني قادر على فعل ذلك بنفسي. أخرج من جيبه مجموعة مفاتيح، تحسّسها واحداً بعد الآخر من الحافة المسننة، وقال، هذا هو على ما أعتقد. تحسس بأصابع يديه اليسرى ثقب المفتاح، وحاول فتح الباب. ليس هذا المفتاح. دعني أرى، سأساعدك، نجح الآخر بفتح الباب في المحاولة الثالثة. عندئذٍ صاح الأعمى نحو الداخل، أنتِ هنا. لا جواب. أردف، كما كنت أقول لك، لم تعد بعد. مدّ يديه وراح يتلمس طريقه على طول الكوريدور، ثم عاد بحذر. أدار رأسه إلى الجهة التي حسب أن الشخص الآخر يقف فيها وقال، كيف بوسعي أن أشكرك. ذلك أقل ما استطعت فعله، قال السامري الطيب، لا داعي لأن تشكرني، وأضاف، أتريد أن أساعدك على الدخول وأمكث برفقتك حتى تصل زوجتك. أثار هذا الحماس ريبة الأعمى فجأة، من الواضح أنه لن يدعو غريباً لدخول بيته، لأنه، في نهاية المطاف، ربما يخطط في اللحظة نفسها للتغلب على الأعمى المسكين الأعزل، ثم يسطو على

اي شيء ذي قيمة. لا داعي لذلك، أرجو ألا تنزعج، قال له، أنا بخير، كرَر وهو يغلق الباب ببطء، لا داعي لذلك، لا داعي لذلك.

تنفس الصعداء عندما سمع جلبة هبوط المصعد. وبحركة آلية، ناسياً حالته الآن، رفع غطاء العين الساحرة في الباب ونظر عبرها، بدا كأن هناك جداراً أبيض في الجهة الأخرى. شعر باحتكاك إطار العين المعدني بحاجبه، فرمش جفناه أمام العدسة الصغيرة، بيد أنه لم يستطع أن يرى شيئاً في الخارج. بياض كتيم يغطي كل شيء. عرف أنه موجود في بيته، ميّز رائحته، جوّه، هدوءه، بوسعه معرفة أثاثه وموجوداته بمجرّد تمرير أصابعه عليها بخفّة، لكن في الوقت نفسه بدا كأن هذا كله قد استحال إلى بُعدٍ غريب، من دون اتجاه أو بدايات مرجعية، بلا شمال أو جنوب، فوق، أو تحت. طالما لعب، مثل الناس جميعاً، وهو صغير لعبة الأعمى، وبعد خمس ثوانٍ من إغماضة عينيه توصل إلى نتيجة مفادها أن العمى، بلا شك، بلوة مرعبة، وقد تبقى محتملة نسبياً إذا ما احتفظ الضحية التعِس بذاكرة جيّدة، ليس فقط في ما يخص الألوان، إنما أيضاً في ما يخص الصور والخطط، الوجوه والأشكال، مفترضاً بالطبع أن ذلك الشخص لم يولد أعمى. حتى إنه وصل بتفكيره إلى حد الاعتقاد بأن الظلمة التي يعيشها الأعمى ليست ببساطة أكثر من غياب الضوء، إن ما نسميه عمى هو ببساطة شيء ما يغطي مظهر وكينونة الأشياء، يتركها سليمةً خلف حجاب أسود. ها هو ذا الآن، وعلى العكس، غارق في بياض مبهر، مطبق، بياض يبتلع بدلاً من أن يمتص، لا الألوان فقط وإنما كذلك كل الأشياء والكائنات كلها، وهكذا يجعلها غير مرئية مرتين.

عندما تحرّك باتجاه غرفة الجلوس، رغم الحذر الشديد في تقدّمه، مرّر يداً مترددةً على الحائط ولم يكن يتوقّع وجود أي عائق، طوّح

مزهريةً فتحطمت على الأرض. لقد نسي وجود شيءٍ كهذا، أو ربما تكون زوجته قد وضعتها هناك قبل أن تغادر البيت إلى عملها، بقصد أن تجد لها مكانا أنسب في ما بعد. حاول تجميع الورود، ونسي أمر الزجاج المحطّم، فدخلت نثرة زجاج طويلة في إصبعه، وعندما شعر بالألم، طفرت من عينيه دموعُ يأسٍ صبيانية. أعمى مع البياض وسط شقته التي تظلم مع هبوط المساء. لا تزال الورود في يده، ولا يزال يشعر بالدم ينزف.. تلوّى ليخرج منديلاً من جيبه ليضمّد إصبعه النازف، بأفضل ما يسعه، ثم راح يدور حول الأثاث، متخبّطاً، متعثراً، ينقل خطواته بقلقٍ خشيةَ أن يدوس على السجادة.. نجح، أخيراً، في بلوغ الأريكة حيث يجلس هو وزوجته ويشاهدان التلفزيون، جلس، وضع الورود في حضنه، ثم وبكل حرص ممكن، فك المنديل. كان ملمس الدم كثيفاً. أقلقه ذلك، وفكّر أن دمه، وبسبب عجزه عن رؤيته، قد تحوّل إلى مادة لدنة لا لون لها، إلى شيء ما أكثر غرابةً لا ينتمي إليه، لكنه أشبه بتهديد موجّه -ذاتياً إليه هو نفسه. ببطءٍ شديدٍ، وبرفق تلمّس بيده السليمة، حاول تحديد موضع نثرة الزجاج، حادة كخنجر صغير، انتزعها بمساعدة ظفري إبهامه وسبابته، ثم ربط المنديل حول الجرح بقوة أكبر ليوقف نزف الدم، وأسند ظهره إلى الأريكة، ضعيفاً منهكاً. بعد دقيقةٍ، وبسبب واحد من تنازلات الجسد الشائعة التي تختار الاستسلام في لحظات معيّنة من الألم المبرح أو اليأس، بينما لو انقاد الجسد للنطق وحده لكانت كل أعصابه قد تنبّهت وتوترت، اجتاح جسده نوعٌ من التعب، كان نعاساً أكثر منه تعباً حقيقياً، لكنه لا يقل ثقلاً عنه. وفي الحال راح يحلم أنه كان يدّعي العماء.. حلم أنه كان وإلى الأبد يغمض عينيه ويفتحهما، وأنه مع كل اغماضة عينين وفتحهما يجد بانتظاره، كمن عاد من رحلة طويلة، كلَّ صور وألوان العالم كما عرفها، ثابتة ولا تغيير فيها. لاحظ أيضاً، تحت إعادة توكيد

اليقين هذه، التذمّر الواهن من اللا يقين. ربما كان حلماً مخادعاً.. حلماً يجب أن يخرج منه عاجلاً أو آجلاً، بدون أن يعرف أي حقيقة تنتظره في هذه اللحظة. ليس هناك تعبير أنسب منه لوصف ذلك التعب الذي يدوم بضعَ ثوانٍ فقط، حالة شبه يقظة تهيّئ المرء للاستيقاظ.. الآن، فكّر جدّياً أنه من الحماقة بمكان البقاء في حالة التردّد هذه، أستيقظ لا أستيقظ.. هناك لحظات لا خيار للمرء فيها سوى ركوب المخاطرة. ما الذي أفعله هنا وفي حضني هذه الورود، وعيناي مغمضتان وكأني خائف من فتحهما. ما الذي تفعله هناك، نائم وتلك الورود في حضنك، سألته زوجته.

لم تنتظر الردَّ، شرعت تجمع حطام المزهرية وتحاول تجفيف الأرضية، وهي تغمغم من حين لآخر بغضب تعمّدت عدم إخفائه.. كان بوسعك تنظيف المكان بدلاً من النوم هناك وكأن الأمر لا يعنيك. لم يقل شيئاً، واكتفى بستر عينيه خلف جفون مغمضة بقوةٍ. وفجأة لمعت في رأسه فكرةٌ، ماذا لو فتحت عيني وأبصرت، سأل نفسه وقد سيطر عليه أملٌ قلقٌ. اقتربت منه المرأة، لاحظت المنديل المدمّى، فتلاشى غضبها للتو. أيّها المسكين، كيف حدث ذلك، سألته برقة وهي تحلّ الضماد الذي لفّه كيفما اتفق. عندئذٍ رغب وبكل جوارحه أن يرى زوجته راكعةً عند قدميه، حيث يعرف أنها راكعةٌ هناك، ثم فتح عينيه وهو واثق انه لن يراها. استيقظت أخيراً إذاً، أيها النوّام، قالت مبتسمةً -صمتاً هنيهةً، ثم قال، أنا أعمى، لا أستطيع أن أرى. نفد صبر المرأة. كفَّ عن هذه الألاعيب الصبيانية السخيفة، هناك أشياء معينة ينبغي ألا نمزح بها. كم أتمنى لو أنها كانت مزحَة، فالحقيقة أني أعمى، لا أستطيع أن أبصر شيئاً. أرجوك، لا تخفني، انظر إليَّ هنا. أنا هنا، المصباح مضاء. أعرف أنكِ هنا، بوسعي أن ألمسك، أسمعك، أستطيع أن أتخيّل أنكِ أضأت

المصباح، غير أني أعمى. احتضنته وبدأت تبكي، ليس صحيحاً، قل لي إن ذلك ليس صحيحاً. سقطت الورود على الأرض فوق المنديل المدمى. بدأ الدم ينزّ ثانية من الإصبع المجروح. كان ذلك النزف هو آخر ما يشغل باله.. غمغم، إني أرى كلّ شيء أبيض، وابتسم ابتسامةً حزينةً. جلست المرأة قربه، احتضنته بقوة، ثم قبّلته بلطف على جبينه، وعلى خدّه، وبرقّةٍ على عينيه، سترى أنها أزمةٌ وتمرّ، فأنت لم تكن مريضاً، لا أحد يعمى هكذا بين لحظةٍ وأخرى. ربما. أخبرني كيف حدث ذلك، بماذا شعرت، متى، أين، لا، ليس بعد، انتظر، أول ما يجب فعله هو استشارة اختصاصي عيون، أتتذكر اختصاصياً ما. لا.. كلانا لم يسبق له أن لبس نظارةً. وإن أخذتكَ إلى المشفى فمن غير المرجح أن نجد هناك عيادة طوارئ للأعين التي فقدت بصرها. أنت محقّة، الأفضل أن نذهب إلى عيادة اختصاصي. سأبحث في دليل الهاتف عن اختصاصي هنا في الجوار. نهضتْ وهي تلاحقه بالأسئلة، هل تشعر بأيّ اختلافٍ. لا. انتبه، سأطفئ الضوء، وبعدئذٍ تقول لي بما تشعر. أطفأته. لا شيء. ماذا تعني بلا شيء. لا شيء، أرى البياض نفسه دائماً، وكأن لا عتمة هناك.

استطاع أن يسمع زوجته تقلّب صفحات دليل الهاتف، وهي تنشق كي تغالب دموعها، تتنهد، وأخيراً قالت، هذا يناسبنا، لنأمل أن يستطيع استقبالنا. أدارت قرص الهاتف، سألت إن كانت هذه عيادة جراحية، وإن كان الطبيب موجوداً، وإن كان بوسعها التحدث إليه. كلا، الطبيب لا يعرفني. الحالة طارئة. نعم، من فضلك. أفهمكَ، سأشرح لك الحالة إذاً، لكن أرجو أن تبلّغها للطبيب، في الواقع إن زوجي قد أصيب بعمىٍ مفاجئ. نعم، نعم مفاجئ تماماً. كلا، كلا ليس من زبن الطبيب، ثم إنه لا يلبس نظارة، ولم يلبسها قط. نعم بصره ممتاز، مثل بصري، أجل إنه عشرة على عشرة. آه، شكراً جزيلاً، سأنتظر، سأنتظر. نعم دكتور، مفاجئ

تماماً، يقول إنه يرى كل شيء أبيض. ليس لديّ فكرة عمّا حدث، لم يكن لدي الوقت لأستفسر، لقد وصلت البيت الآن فوجدته في هذه الحال. أتريد أن أستفسر منه. آه، أنا ممتنةٌ لك دكتور، سنأتي حالاً، حالاً. نهض الأعمى. انتظر، قالت زوجته، دعني أولاً أضمّد لك اصبعك. غابت بضع لحظات ثم عادت ومعها زجاجة بروكسيد، زجاجة يود، قطن وشاش ولاصق طبي. وهي تضمد له جرحه سألته، أين تركت سيارتك، وفجأة واجهته بحجتها، لكن ليس بمقدورك قيادةُ سيارة بحالتك هذه. أم أنك كنت في البيت عندما حدث ذلك. كلا، حدث الأمر في الشارع عندما كنت متوقفاً عند شارة مرور، حمراء، وأحضرني إلى البيت شخصٌ ما، وقد ركن السيارة في الشارع المجاور. عظيم. دعنا ننزل إذاً، تنتظر عند الباب ريثما أذهب وأحضرها. أين وضعت المفاتيح. لا أعرف –لم يُعد لي المفاتيح. من هو، الرجل الذي جاء بي إلى البيت. أكان رجلاً، لا بد أنه وضعها في مكانٍ ما، سأبحث عنها. لا فائدة من البحث عنها، فهو لم يدخل الشقة. لكن لا بد أن تكون المفاتيح في مكانٍ ما. الأرجح أنه نسي وأخذ المفاتيح معه دونما قصد– هذا ما كان ينقصنا. استخدمي مفاتيحكِ، وبعدئذٍ نحلّ هذه المشكلة. حسن، دعنا ننطلق، أمسك بيدي. إن بقيتُ على هذه الحال، قال الأعمى، فإني أفضّل الموت عليها. أرجوك كفّ عن التفاهات، يكفينا ما نحن فيه. أنا الأعمى لا أنتِ، لا يسعك تخيّل الأمر، سيجد لنا الطبيب علاجاً ما، سترى. سأرى.

غادرا الشقة. في الأسفل، في ردهة البناية أضاءت زوجته المصباح وهمست في أذنه، انتظرني هنا، وإن قابلك أحد الجيران فكلّمه بشكل طبيعي، قل إنك تنتظرني، فما من أحدٍ ينظر إليك يمكن أن يخالك لا تبصر، إضافة إلى أننا غير مضطرين لإخبار الناس عن مصائبنا– نعم، لكن لا تتأخري. انطلقت زوجته مسرعةً. لم يدخل البناية أو يغادرها أحد من

الجيران. كان الرجل يعرف، بالخبرة، أن درج البناية فقط يبقى مضاءً، هكذا وبما أنه قادر على سماع صوت فاصل الكهرباء الأوتوماتيكي راح يضغط زر مفتاح المصباح الكهربائي كلما خيّم الصمت. والضوء، لقد تحوّل هذا الضوء إلى صخبٍ بالنسبة إليه. لم يستطع أن يتفهّم سببَ تأخر زوجته في العودة، فالشارع قريب، نحو ثمانين أو مئة متر. وإذا ما تأخرنا كثيراً فقد يذهب الطبيب، هكذا فكر لنفسه. لم يستطع مقاومة حركاته العفوية، كان يرفع معصمه ويخفض بصره لينظر إلى ساعة يده. تلمَّظ وكأنه يعاني من ألم ما.. وشعر بفرح غامر لأن أحداً من الجيران لم يره الآن، فلو كلّمه أحد الجيران الآن وهنا لطفرت الدموع من عينيه. توقفت سيارة في الخارج. أخيراً، فكر لنفسه، لكنه على الفور لاحظ أن ذلك ليس صوت محرك سيارته، فهذا صوت محرك ديزل، لا بدّ أنها تاكسي، فكر لنفسه وضغط ثانية زر المفتاح الكهربائي. عادت زوجته منفعلةً وقلقةً، سامريُك الطيب[٣] ذاك، تلك الروح الطيبة، قد أخذ سيارتنا. غير ممكن، لا بدّ أنكِ لم تبحثي جيداً. بالطبع بحثت جيداً ولا يوجد خلل في بصري، انزلقت تلك العبارة الأخيرة على لسانها عن غير عمد، فسارعت إلى تدارك الأمر مضيفة، قلت لي إن السيارة في الشارع المجاور، وهي ليست هناك هذا إن لم تكن قد وضعت في شارع آخر. كلا، كلا، أنا واثق أنها قد تُركت في ذلك الشارع. حسن إذاً فقد اختفت السيارة. في تلك الحالة ماذا جرى للمفاتيح؟. لقد اغتنم فرصة ارتباكك وكربك وسرقنا. لم أخطئ إذاً عندما لم أرغب في مكوثه معي في الشقة ريثما تعودين من العمل، ذلك لأني خشيت أن يسرق شيئاً ما، فربما لم

---

(٣) صفة تطلق على الشخص الذي يتعاطف مع الآخرين ويساعدهم عند الحاجة. (م)

يكن ليكتفي بسرقة السيارة فقط. دعنا ننطلق فالتاكسي بانتظارنا، أقسم لكَ أني مستعدة أن أخسر سنة من عمري مقابل أن أرى هذا الوغد أعمى أيضاً. لا ترفعي صوتكِ هكذا. وقد سلبوه كل ما يملك أيضاً. ربما سيظهر ذات يوم. هاه، أتظن أنَه سيأتيك غداً ويقول إنه قد أخذ سيارتك في لحظة سهو، وإنه يريد أن يعتذر ويطمئن إلى أنك تشعر بتحسّنٍ.

بقيا صامتين حتى وصلا عيادة الطبيب. حاولت ألا تفكّر في السيارة التي سُرقت. كانت تعصر يد زوجها في يدها بحنان. بينما أحنى رأسه بحيث لا يستطيع سائق التاكسي أن يرى عينيه في المرآة. ولم يستطع التوقف عن مساءلة نفسه كيف أمكن أن تنزل به هذه المأساة المرعبة، لماذا أنا. كان بوسعه سماع صخب حركة المرور، الصوت الغريب الصاخب كلما توقفت التاكسي. يحدث غالباً أن نكون نائمين وتخترق أصوات خارجية حجاب اللاشعور الذي نكون ما زلنا مغلفين داخله.. وكأننا مغلّفون بحجاب أبيض. كما لو أننا في غطاء أبيض. هزّ رأسه متنهداً وربّتت زوجته على خده بلطف، وتلك طريقتها لتقول له، إهدأ، أنا هنا. أسند رأسه إلى كتفها غير مبالٍ في ما يمكن أن يفكر فيه السائق. لو كنت مكاني ولم تعد قادراً على سياقة السيارة بعد، فكر لنفسه على نحو طفولي، ثم هنأ نفسه وسط يأسه، متناسياً عبثية ملاحظته هذه، على أنه ما زال قادراً على التفكير منطقياً. لدى نزوله من السيارة بمساعدة خفية من زوجته، بدا هادئاً، لكن لدى دخوله عيادة الطبيب حيث سيعرف قدره، سأل زوجته بهمسٍ مروّع، كيف سأبدو عندما أخرج من هذه العيادة، وهزّ رأسه كأنه قد تخلّى عن كلٍّ أمل.

أخبرت زوجته موظف الاستقبال، أنا من تلفنت منذ نصف ساعة بسبب حالة زوجي. قادهما الموظف إلى غرفة صغيرة حيث ينتظر

مرضى آخرون. كان هناك رجلٌ كهلٌ على إحدى عينيه عصابة سوداء، طفل صغير يبدو أنه أحول وبرفقته والدته، فتاة تلبس نظارةً سوداء، وشخصان آخران ليس فيهما شيء مميَّز، لكن لا يوجد بينهم أعمى، فالعميان لا يستشيرون اختصاصي عيون. قادت المرأة زوجها إلى الكرسي الشاغر الوحيد ووقفت بقربه. حسن، علينا أن ننتظر، همست في أذنه. لقد عرف السبب، لأنه سمع أصوات الموجودين في غرفة الانتظار. والآن بدأ يهاجمه قلقٌ آخر، فاعتقد أنه كلما تأخر الطبيب في الكشف عليه ازداد عماه سوءاً لدرجة يصعب معها شفاؤه- تململ في كرسيه، قلقاً، كان على وشك مصارحة زوجته بهواجسه، عندما انفتح الباب في اللحظة نفسها وقال موظف الاستقبال، تفضّلا بالدخول، والتفت إلى المرضى الآخرين، هذه أوامر الطبيب، فحالة هذا الرجل عاجلة. احتجّت والدة الطفل بأن الحق حق، وأنها كانت أول المنتظرين منذ أكثر من ساعة. وافقها المرضى الآخرون بصوتٍ خفيض، بيد أن أحداً منهم ولا حتى المرأة نفسها لم يفكر بأنه من الحكمة التمادي في التذمّر، وذلك خشية أن يتضايق الطبيب ويقابل وقاحتهم بجعلهم ينتظرون وقتا أطول، كما قد جرى. كان الرجل ذو العين المعصوبة شهماً إذ قال، دعوا الرجل المسكين يدخل، إن حالته أسوأ من حالاتنا جميعاً. لم يسمعه الأعمى لأنه وزوجته قد أصبحا داخل غرفة المعاينة، وكانت زوجته تقول، شكراً جزيلاً على لطفك دكتور، المسألة أن زوجي، وتوقفت عند هذه العبارة، لأنها بصراحة لم تكن تعرف ما جرى، فكل ما عرفته أن زوجها قد عَميَ وأن سيارتهما قد سُرقت. تفضلا بالجلوس، قال الطبيب، وقام هو بنفسه بمساعدة المريض للجلوس في كرسيه، ثم لمس يده، وكلّمه مباشرةً. قل لي الآن، ما الأمر. أوضح الرجل الأعمى أنه كان في سيارته، ينتظر تبدّل شارة المرور الحمراء إلى خضراء، عندما فجأة لم يعد قادراً على الرؤية، وأن أشخاصاً عدّة

اندفعوا لمساعدته، وأن امرأةً كهلة، هكذا قدَّر من صوتها، قالت إنه ربما كان الأمر حالةً عصبية، وأنه بعدئذٍ رافقه رجل إلى بيته لأنه لم يكن قادراً على الوصول إليه بمفرده. إني أرى كل شيء أبيض، دكتور. لم يخبره شيئاً عن السيارة التي سُرقت.

سأله الطبيب هل حدث لك شيء مشابه من قبل، أو ما يقاربه –كلا دكتور– حتى أني لا أستخدم نظارة. وتقول إنه حدث فجأة تماماً. نعم. كانطفاء الضوء. نعم يشبه إلى حدٍّ بعيدٍ انطفاءَ الضوء. هل شعرت في الأيام السابقة بأي اختلال في بصرك. كلا. هل يوجد، أو وُجد من قبل حالةُ عمى في عائلتك. كلا ولا واحدة بين كل الأقارب الذين أعرفهم أو سمعت عنهم. هل تعاني من السكّري. كلا. من السفلس. كلا. من ارتفاع الضغط الشرياني أو إصابة دماغية. في ما يخص الإصابة الدماغية لست جازماً، لكن بالنسبة إلى الأخريات، كلا. إذ إننا نخضع لفحص طبي دوري في العمل. هل تلقيت صدمةً عنيفةً على رأسك، اليوم، أمس، كلا. كم عمرك. ثماني وثلاثون. عظيم، دعنا نفحص عينيك. فتح الرجل الأعمى عينيه على اتساعهما، معتقداً أن ذلك يسهّل عملية الفحص، إلا أن الطبيب أخذه من ذراعه وأجلسه خلف الفاحص الأوتوماتيكي الذي يمكن لأي صاحب مخيّله أن يراه كنسخة جديدة من كرسي الاعتراف، وتنوب العينان هنا مناب الكلمات، وينظر متلقي الاعتراف في روح الآثم مباشرة. أرح ذقنك هنا، قال الطبيب، وابقِ عينيك مفتوحتين، ولا تتحرك. اقتربت المرأة من زوجها، ووضعت يدها على كتفه، ثم قالت، هذا سيقدم لنا الكلمة الفيصل، سترى. رفع الطبيب المنظار وأخفضه من جهته، أخيراً أشعل الأزرار المنظِّمة وبدأ الفحص. لم يستطع أن يجد خللاً في القرنية، لا شيء في الصلبتين، والبؤبؤين... الشبكية، عدستا العينان.. اللطخة الصفراء، والعصب البصري كلُّها سليمة، ولا أذيّة

في أي مكان آخر. نحّى الجهاز جانباً، فرك عينيه، ثم أعاد الفحص ثانية من البداية، من دون أن يتكلم. وعندما انتهى كان على وجهه تعبير حيرة. لم أستطع أن أجد أيّ آفة. عيناك سليمتان. ضمّت المرأة يديها بإيماءة سعادة وهتفت، ألم أقل لك، ألم أقل لك، يمكن حل هذه المعضلة. تجاهل الأعمى زوجته، وسأل الطبيب، أيمكن أن أرفع ذقني، دكتور. بالطبع، اعذرني. إن كانت عيناي سليمتين كما تقول، فلماذا أنا أعمى. حالياً لا أستطيع أن أجيبك، فيجب أن نجري بعض الاختبارات الدقيقة، والتحاليل، دراسة لطبوغرافيا العين، تخطيط إيكو. أتعتقد أن لذلك علاقةً بالدماغ -ممكن لكني أشك في ذلك. ومع ذلك تقول إنك لم تستطع أن تجد خللاً في عيني. صحيح. أمر غريب. ما أحاول قوله إنك إن كنت، في الواقع أعمى، فإن عماك عصيٌّ على التفسير الآن. هل تشك في أني أعمى. لا، على الإطلاق. فالمشكلة هي في الطبيعة غير العادية لحالتك، فأنا شخصياً، طول سنوات ممارستي للمهنة لم أصادف حالةً شبيهةً بحالتك، بل وأجروٌ وأقول إنه لم تعرف حالةٌ كهذه في تاريخ طب العيون كلّه. هل تعتقد أن هناك شفاءً. من حيث المبدأ، وبما أني لم أجد آفةً من أي نوعٍ، أو أيّ تشوّه خلقي، فجوابي هو التأكيد، لكن من الواضح أن الأمر غيرِ مؤكد تماماً، وذلك فقط بدافع الحذر، لأني لا أريد أن أبني آمالاً قد يتضح أنها غير مسوّغة. أفهمك. تلك هي حالتك. وهل هناك من علاج أتبعه، دواء أو آخر. لا أفضّل الآن إعطاءك أي وصفة، لأنها ستكون وصفة في الظلام. هذا توصيف ذكي، علّق الأعمى. تظاهر الطبيب أنه لم يسمعه. نهض عن الكرسي الدوار الذي كان يجلس عليه أثناء إجراء الفحص، كتب وصفة بالاختبارات والتحاليل التي حسبها ضروريةً، وناولها إلى الزوجة. خذي هذه وعودي مع زوجك بعد أن تحصلا على النتائج، خلال ذلك وإن جرى أي تغيّر في حالته تلفني لي. بكم نحن مدينان لك دكتور. الدفع عند موظف الاستقبال. رافقهما

الطبيب إلى الباب، غمغم كلمات مؤكداً، دعونا ننتظر ونرى، دعونا ننتظر ونَرى، يجب ألا تيأسا. وعندما خرجا دخل الطبيب إلى غرفة الحمام الصغيرة المجاورة لغرفة المعاينة وحدّق في المرآة طويلاً، ماذا يمكن أن يكون هذا، غمغم لنفسه. من ثم عاد إلى غرفة المعاينة، وطلب من موظف الاستقبال إرسال المريض التالي.

في تلك الليلة حلم الرجل الأعمى أنه كان أعمى.

عندما تطوّع الرجل الذي سرق السيارة لمساعدة الأعمى، لم يكن لديه أيّ نيّة سيّئة، في تلك اللحظة بالتحديد، على العكس من ذلك، فما فعله كان الانقياد لمشاعر الشهامة والغيرية اللتين، كما نعرف جميعاً، تعدّان أفضل سمتين في الطبيعة البشرية، وهما موجودتان لدى مجرمين أكثر شراسةً من هذا، مجرد سارق سيارات بسيطٍ ولا أمل له في التقدّم في عمله هذا، ويتعرّض للاستغلال من قبل المسيطرين الحقيقيين على هذه الحرفة، لأنهم هم المستفيدون من عوز اللصوص الصغار المساكين. وفي نهاية المطاف لا فرق كبيراً بين مساعدة أعمى فقط كي تسرقه بعد ذلك وبين العناية بعجوزٍ بعين واحدة، يتلعثم ويترنّح، بفعل أمراضٍ وراثية. لم يخطر له أمرُ السرقة وبشكل طبيعي، إلا عندما اقترب من بيت الأعمى، ويمكن للمرء أن يقول، بدقة، كأنه قرر شراء ورقة يانصيب عندما رأى بائع اليانصيب، ولم يندفع إلى ذلك بحسٍّ باطني، فقد اشترى الورقة ليرى ما قد تجلبه له، قانعاً سلفاً بأي ثروة تجلبها له، كيفما كانت، شيئاً ما أو لا شيء. سيقول آخرون إنه تصرف وفقاً لما يكشفه الشرط عن شخصيته. يؤكد المتشكّكون، وهم كثر وعنيدون، أنه عندما تكون الكلمة الفصل للطبيعة البشرية، فإنه إذا كان صحيحاً أن الفرصة لا تصنع اللص دائماً، فالصحيح أيضاً أنها تساهم في صنعه إلى حد بعيد.

بالنسبة إلينا من الأفضل أن نفكر لو أن الرجل الأعمى قد قبل العرض الآخر لذلك السامري المزيّف، فربما كانت الشهامة ما زالت هي الراجحة في تلك اللحظة، ونشير هنا إلى عرضه المكوث مع الأعمى حتى تعود زوجته، فمن يعرف إذا ما كانت المسؤولية الأخلاقية، التي تنتج عن الثقة الممنوحة له تكبح ذلك الإغواء الإجرامي وتسهّل انتصار تلك العواطف النبيلة الألقة التي يمكن أن توجد دائماً حتى في أكثر النفوس فساداً. ولنختم بهذه العبارة العامية، كما لم يحاول المثل القديم أن يُعلمنا قط، فعندما يحاول الأعمى أن يتجاوز نفسه فإنه ينجح فقط في كسر أنفه.

إن الضمير الأخلاقي الذي يهاجمه الكثير من الحمقى وينكره آخرون كثر أيضاً، هو موجود وطالما كان موجوداً، ولم يكن من اختراع فلاسفة الدهر الرابع، حيث لم تكن الروح أكثر من فرضيّة مشوشة. فمع مرور الزمن، والارتقاء الاجتماعي أيضاً والتبادل الجيني، انتهينا إلى تلوين ضميرنا بحمرة الدم وبملوحة الدمع، وكأن ذلك لم يكن كافياً فحوّلنا أعيننا إلى مرايا داخلية، والنتيجة أنها غالبا تُظهِرُ من دون أن تعكس ما كنا نحاول إنكاره لفظياً. أضف إلى هذه الملاحظة العامة، الظرف الخاص للعقول البسيطة، فإن الندم الناتج عن اقتراف ذنب ما غالباً ما يختلط مع أنواع المخاوف السلفية، وتكون النتيجة بالتالي أن تصبح عقوبة المراوغ، من دون رحمة أو شفقة، ضعفي ما يستحقه. في هذه الحالة، وبناءً عليه، من المستحيل أن نحدد مقدار حصة الخوف ومقدار حصة الضمير الموجع اللتين بدأتا ترهقان اللص في تلك اللحظة التي شغل فيها محرك السيارة ليقودها. لا شك في أنه لم يستطع أن يهدأ في جلسته في مكان شخص عمي فجأة عندما كان يدير عجلة القيادة هذه، فقد كان ينظر عبر زجاج السيارة الأمامي هذا، عندما، فجأةً، لم

يعد قادراً على الرؤية. ولا نحتاج إلى خيالٍ خصبٍ كي ندرك أن أفكاراً كهذه، تثير هولة الخوف الشنيع والغادر، قد أطلّت برأسها في الحال. لكنه الندم أيضاً، سيماء الضمير المحزون للمرء كما عُبِّر عنه سابقاً أو إن أردنا التعبير عنه بكلمات إيحائية، ضمير ينهش، هو الذي كان يعيد أمام ناظريه تلك الصورة البائسة للرجل الأعمى وهو يغلق باب بيته وهو يقول له، لا داعي لذلك، لا داعي لذلك. ومنذئذٍ فصاعداً لن يكون قادراً على أن يخطو خطوةً واحدةً بلا مساعدةٍ.

ضاعف اللص من تركيزه على شارات المرور، ليمنع أفكاراً مرعبة كهذه من أن تسيطر على ذهنه. كان يعرف جيداً أنه يجب ألا يسمح لنفسه بأدنى خطأ، بأدنى هفوة، فالشرطة موجودة في كل مكان ويكفي فقط أن يوقفه أحدهم، بطاقتك الشخصية ورخصة القيادة، عُدْ إلى السجن، يا لها من حياةٍ قاسيةٍ. كان أكثر حرصاً على الانقياد لشارات المرور، وما كان ليتجاوز شارة حمراء تحت أي ظرف كان، بل يحترم الشارة الكهرمانية، وينتظر بمنتهى الصبر نور الشارة الخضراء. ولاحظ عند حد معين، أن انتباهه إلى شارات المرور أصبح استحواذياً. بعدئذٍ راح يَضْبُط سرعة السيارة ليضمن وصوله إلى شارة المرور التالية عندما تكون الشارة خضراء، سواء اضطره ذلك إلى زيادة السرعة أو إنقاصها إلى درجة تزعج سائقي السيارات من ورائه. أخيراً، وبسبب ارتباكه هذا، وتوتره الذي يفوق قدرته على الاحتمال، اتجه بالسيارة إلى الشوارع الفرعية حيث يعرف ألاّ شارات مرور هناك، وصفَّ السيارة بدون أن ينظر في المرآة الأمامية، فقد كان سائقاً بارعاً. شعر أن أعصابه على حافة الانهيار. كان الجو خانقاً داخل السيارة، فأخفض زجاج النوافذ الأمامية قليلاً بيد أن الهواء في الخارج، هذا إن كان الهواء يتحرك، لم يجدد الهواء داخل السيارة. ماذا سأفعل، سأل نفسه. فالمخبأ الذي

سيقود السيارة إليه بعيد جداً، في قرية خارج المدينة. ولن يستطيع في حالته الذهنية هذه، الوصول إلى هناك. فإما أن تعتقله الشرطة، وإمّا أن يقع له حادث وهذا أسوأ، غمغم لنفسه. عندئذٍ خطر له أنه من الأفضل أن يخرج من السيارة قليلاً ويحاول أن يصفّي ذهنه، ربما ينعشه الهواء الطلق. لئن عَميَ ذلك المسكين التعس فما من منطق يعلل حدوث الشيء نفسه لي، فهذا عمى وليس نزلة برد مُعدية. سأتمشى قليلاً حول البناية وينتهي الأمر. ترجّل من السيارة ولم يزعج نفسه بإقفالها لأنه سيعود بعد دقيقة، غير أنه ما أن سار ثلاثين خطوةً حتى عَميَ.

في عيادة الطبيب كان الكهل الطيب، الذي تكلم بلطف عن الرجل المسكين الذي عمي فجأة، آخر من دخل غرفة المعاينة. جاء لتحديد موعد العمل الجراحي لرفع السواد الذي ظهر في عينه السليمة المتبقية له، لأن العصابة السوداء كانت تغطي، محجراً فارغاً، ولا حيلة له مع هذا السواد. فهذه أمراض تظهر مع التقدّم في العمر، قال له الطبيب في ما مضى، وعندما يكتمل السواد نزيله بعمل جراحي، وإلا فلن تكون قادراً على الرؤية. عندما خرج المريض ذو العين المعصوبة، وأخبرت الممرضة الطبيب أنه لم يتبقَ مرضى في العيادة، أخرج الطبيب ملف الرجل الذي عمي فجأة، قرأه مرةً واثنتين، فكّر ملياً لبعض الوقت، وتلفن أخيراً لزميل، وجرى بينهما الحديث التالي، يجب أن أخبرك أني واجهت اليوم حالة هي الأغرب من نوعها في طب العيون. رجل فقد بصره كلياً في غمضة عين، ولم يكشف الفحص الطبي عن أي آفة واضحة أو دلائل تشوّه خلقي، يقول إنه يرى كل شيء أبيض، بياضاً كثيفاً، حليبياً، يغشو عينيه. إني أحاول أن أشرح لك الأمر كما بيّنه لي هو. نعم، بالطبع شخصي. كلا، إنه شاب نسبياً، عمره ثمانية وثلاثون عاماً. هل سمعت بحالة كهذه، أو قرأت عنها، أعتقد أني لا أستطيع في

الوقت الراهن أن أفكر في حلّ، ولأكسب الوقت اقترحت عليه إجراء بعض التحاليل والفحوص. نعم، بوسعنا فحصه معاً قريباً، بعد الغداء سأبحث اليوم في بعض الكتب، سأنظر في بعض المراجع لعلّني أجد مفتاحاً ما. نعم إني ملمُّ بموضوع العمه[٤]، قد يكون عمى بسيكولوجيا، لكن عندئذٍ ستكون هي الحالة الأولى من نوعها، لأنه ما من شك في أن الرجل أعمى حقيقة، وكما نعلم فإن العمه هو العجز عن تمييز الأشياء المألوفة، لأنه خطر لي أيضاً أنها قد تكون حالة (كُمنة) عمى جزئي أو كلي، لكن تذكر ما أخبرتك به في البدء، فهذا العمى أبيض، على عكس الكمنة، تماماً، التي يكون فيها العمى كليّ السواد هذا إذ لا توجد هناك بعضُ أنواع الكمنة البيضاء، سواد أبيض إن جاز القول. نعم، أعرف، شيء ما غير معروف، موافق، سأتلفن له غداً، أقول له إننا نودّ فحصه معاً. بعد أن أنهى الطبيب مكالمته، استرخى في كرسيه، وبقي ساكناً بضع دقائق، ثم نهض، خلع مريوله الأبيض ببطء وبحركات متعبة. دخل غرفة الحمام ليغسل يديه، لكنه لم يسأل المرآة هذه المرة، السؤال الميتافيزيقي، ماذا يمكن أن يكون هذا، بل استعاد استشرافه العلمي، إن حقيقة كون العمه والكمنة معرّفين ومحددين بدقة متناهية في الكتب وعملياً، لا تمنع من ظهور أشكال مختلفة، تحوّلات هامة، إنْ صحّ التعبيرُ، وقد آن أوان ظهورها. هناك آلاف الأسباب لانغلاق الدماغ، أجل هذه فقط ولا شيء غيرها، مثل زائر متأخر يصل فيجد باب بيته مغلقاً. كان طبيب العيون ذوّاقة للأدب ولديه ميلٌ لختم أحاديثه بمقتطفات مناسبة.

---

(٤) Agnosia: العمى الحسّي هو فقدان القدرة على فهم المنبهات الحسّية، أو عدم تمييز الأشياء، عدم الإدراك، عجز المرء عن التمييز بين أشكال الأشياء والأشخاص وطبيعتها. (موسوعة علم النفس)

في تلك الليلة وبعد العشاء، أخبر زوجته أن حالة عمى غريبة واجهته اليوم في العيادة، قد تكون شكلاً من أشكال العمى السيكولوجي أو الكمنة، لكن ليس هناك اثبات علمي على ظهور أمراض كهذه. ما هذه الأمراض، الكمنة، وذاك الشيء الآخر، سألته زوجته. شرح لها الطبيب بكلمات لا تستعصي على فهم الشخص العادي وترضي فضوله. ثم اتجه إلى مكتبته الزاخرة بالكتب الطبية، بعضها من أيام الدراسة الجامعية، بعضها أقدم، وبعضها الآخر حديث لم يتوفّر له الوقت لقراءتها بعد. كان يبحث في فهارس الكتب، وليعمل منهجياً شرع يقرأ كل ما وجده عن العمه والكمنة، لكن بدون أن يفارقه الانطباع المؤرق بأنه يقتحم حقلاً لا قدرة له على الخوض فيه، حقل جراحة الأعصاب الغامض، حقلاً لا يعرف عنه إلا القليل. وفي وقت متأخّر من تلك الليلة نحّى جانباً الكتب التي كان يقرؤها، فرك عينيه واسترخى في كرسيّه. في تلك اللحظة ظهر البديل من تلقاء نفسه في أوضح صورة ممكنة. لئن كانت حالة عمه، فيجب أن يكون الأعمى قادراً على رؤية ما كان يراه دائماً، أي يجب ألا يكون هناك نقص في مقدرته البصرية، والمشكلة ببساطة هي في أن دماغه غير قادر على رؤية الكرسيّ في مكانها، أي، ما زال قادراً على الاستجابة الدقيقة للمنبه الضوئي الذي يصل العصب البصري، لكنه، ولنستخدم كلمات بسيطة في متناول فهم الإنسان العادي، فقد قدرة التعبير عنه. أما بالنسبة إلى الكمنة، فلا شكّ في الأمر، إذ إنه في الكمنة يجب أن يرى المريض كل شيء مظلماً، هذا إذا تغاضينا عن استعمال فعل الرؤية هنا، حيث، وفي هذه الحالة، تكون الظلمة كليةً. لقد أوضح الأعمى بشكل قاطع أنه يستطيع أن يرى، إن تغاضينا عن فعل الرؤية ثانية، لوناً أبيض كثيفاً، كأنه قد غطس بعينين مفتوحتين في بحر حليبي. فالكمنة البيضاء، بمعزل عن أنها مناقضة للمعنى الحرفي للمصطلح، مستحيلةٌ من الناحية العصبية، حيث أن الدماغ العاجز،

في الكمنة، عن إدراك الصور، وأشكال وألوان الواقع، سيكون بالمِثْلِ عاجزاً عن رؤية لون أبيض، أبيض صافٍ، كطلاء أبيض لا تتخلله أيّ تنويعات لونية، والأشكال والصور التي يمكن أن يظهرها الواقع نفسه أمام ناظري امرئ سليم البصر، ومهما تعذّر التعبير الدقيق عن الرؤية الطبيعية. هزّ الطبيب رأسه بقنوطٍ، وتلفّت حوله مدركاً بوضوح أنه قد وصل نهايةٍ مسدودةٍ. لقد أوت زوجته إلى الفراش، تذكّر كالخيال، أنها اقتربت منه وقبّلته على جبينه ولا بد أنها قالت، أنا ذاهبة للنوم. كان الصمت يسود الشقة الآن، والكتب مبعثرة فوق الطاولة. ما هذا، فكر لنفسه، وشعر بالخوف فجأة، كأنه سيعمى في غمضة عين وقد أدرك ذلك الآن. حبس أنفاسه وانتظر. لم يحدث شيء. حدث بعد دقيقة عندما كان يجمع الكتب ليعيدها إلى المكتبة. أدرك في البدء أنه لم يعد قادراً على رؤية يديه، عندئذٍ عرف أنه قد عمي.

لم يكن مرض الفتاة ذات النظارة السوداء خطيراً، فقد كانت تعاني من التهاب ملتحمة خفيف ستقضي عليه قريباً القطرة التي وصفها لها الطبيب. تعرفين ماذا يتوجب عليك، يجب ألا تنزعي نظارتك إلا أثناء النوم. إنه يكرّر هذه النكتة منذ سنوات. وبوسعنا الافتراض أنها نكتة يتناقلها أطباء العيون من جيلٍ إلى آخر، لكنها لا تبهت. كان الطبيب يبتسم وهو يكلّمها، وابتسمت المريضة وهي تصغي إليه. وبالمناسبة، فقد كانت ابتسامةً ذات شأن، إذ إن أسنان الفتاة جميلة، وكانت بارعةً في استعراضها. فبدافع من طبيعته المبغضة، أو خيباته الكثيرة في الحياة، فإن أي متشكك ملمّ ببعض تفاصيل حياة هذه المرأة، سيلمّح إلى أن رقّه بسمتها ليست أكثر من خدعة تسويقية، توكيد وغدٍ مجاني، لأن ابتسامتها لا تزال كما هي عندما كانت طفلة صغيرة تحبو، حيث كان مستقبلها لا يزال كتاباً مغلقاً ولم يُخلق بعد دافعُ الفضول إلى

فتحه. باختصار، يمكن تصنيفُ هذه المرأة كمومس، إلا أن تعقيد شبكة العلاقات الاجتماعية، سواء في الليل أو في النهار، أفقياً أو عمودياً، لهذه الفترة الزمنية الموصوفة هنا، يحذرنا -هذا التعقيد- من مغبة الإسراع في إطلاق الأحكام النهائية، ذلك الهوس الذي، بسبب إفراطنا في ثقتنا الذاتية، لن نتخلص منه البتة. رغم إمكانية التأكد من كميّة الغيوم الموجودة هناك لدى جونو، فمن غير الجائز كلياً، الإصرار على الخلط بين -جونو- ربة المطر الاغريقية وبين قطرات ماء كثيفة عالقة في الجو ليس أكثر. لا شك في أن هذه المرأة تضاجع رجالاً مقابل النقود، وهذه حقيقة قد تسمح لنا بتصنيفها مومساً بدون عناء تفكير، لكن بما أنها أيضاً، في الواقع، لا تضاجع إلا الرجل الذي تشتهي وتريد هي مضاجعته، فليس بوسعنا إغفال إمكانية هذا الاختلاف الملموس الذي يجب أن يقرر، كنوع من الحذر، تصنيفها خارج هذه الخانة. إنها كالآخرين، تعمل، وكالآخرين أيضاً تستغل أي وقت فراغ للانغماس في إشباع رغباتها الجسدية، على الصعيدين الشخصي والعام. وإذا كنا لا نحاول إلصاق التعريف الأول بها، فيجب في نهاية المطاف أن نقول، وبالمعنى الشامل، إنها تعيش كما تشتهي، بل إنها تعيش كلّ متع الحياة التي تستطيع.

كان الظلام قد هبط على المدينة عندما غادرت العيادة. لم تنزع نظارتها، لقد بهرتها الأنوار في الشارع، لا سيما أنوار لوحات الإعلانات. دخلت صيدليةً لتشتري وصفة الطبيب. كانت قد قرّرت ألا تعبأ بتعليق الرجل الذي سيبيعها الدواء، بأنه من غير العدل حجب بعض الأعين خلف النظارات السود.. وهذه ملاحظة رغم أنها وقحة، وصادرة عن مساعد صيدلاني، إن شيءتم، فهي تخالف اعتقادها بأن النظارة السوداء تضفي عليها غموضا فتّاناً، غموضاً قادراً على إثارة

انتباه الرجال الذين تمرّ بهم، اهتماماً قد تقابله بمجاملة مماثلة لولا أن هناك شخصاً ما ينتظرها اليوم، لقاءً لديها كل الأسباب لتتوقّع نجاحه على الصعيدين المادي والجسدي. فالرجل الذي ستقابله اليوم هو معرفة قديمة، ولم يعترض عندما أخبرته أنها لا تستطيع خلع نظارتها، هكذا نصحَني الطبيب، رغم أن الطبيب لم يكن قد نصحها بذلك بعد، حتى أن الرجل وجد الأمر ممتعاً، نوعاً من التغيير. بعد مغادرتها الصيدلية أوقفت تاكسي، أعطت السائق اسم الفندق. استرخت في المقعد، وانغمست فوراً في تذوْق، إن صح التعبير، أحاسيس المتعة الحسية على اختلافها وكثرتها، من تلك البداية المعروفة، تلامس الشفاه، من تلك المداعبات الحميمية الأولى، إلى انفجارات الرعشة المتعاقبة التي ستنهكها وتتركها سعيدةً، كأنها على وشك أن تُصلب، لتحمنا السماء، وسط لعبة نارية مبهرة ومدوّخة. وهكذا لدينا كلّ الحقّ لنستنتج أنه إنْ عرف شريك هذه الفتاة ذات النظارة السوداء كيف يقوم بواجبه جيداً، في توقيت الوصول وآلياته، فإنها ستدفع له دائماً مقدّماً وضعف ما تتقاضاه هي في ما بعد. تائهة في هذه الأفكار، ولا شكّ لأنها قد دفعت أجر الطبيب، فكرت لنفسها إذا ما كان من الصواب أن ترفع ومنذ اليوم، مع تلطيف التعبير البغيض الذي لن تنطقه هي، مستوى التعويض.

طلبت من سائق التاكسي أن يتوقف على مبعدة من الفندق، وانخرطت مع حشد الناس السائرين في الاتجاه نفسه، وكأنها تسمح لنفسها أن تنجرف معهم، مجهولةً بلا أدنى أمارة إثم أو خجل ظاهرين. دخلت الفندق بشكلٍ طبيعي، عبرت الردهة متجهةً إلى البار. لقد وصلت أبكر من الموعد بدقائق عدّة، لذلك عليها أن تنتظر ساعة لقائهما المحدّدة بدقة. طلبت مشروباً دافئاً، شربته خلال انتظارها، من غير أن تنظر إلى

أي شخص، لأنها لا تريد أن يُنظر إليها على أنها مومس رخيصة تُطارد الرجال. بعد قليلٍ، ومثل سائحةٍ صاعدةٍ لتستريح في غرفتها بعد أن أمضت فترة بعد الظهر في زيارة المتاحف، توجهت إلى المصعد. أيعقل أنه ما زال هناك امرؤٌ قادر على تجاهل أن الفضيلة لا تواجه دائماً الأشراك على طريق النقاء الوعر جداً، بينما الخطيئة والرذيلة تكافآن بالحظ، إذ إنها ما إن وصلت المصعد حتى انفتح بابه. خرج منه نزيلان كهلان. دخلته، ضغطت زر الطابق الثالث. تقصد الغرفة رقم ثلاثمئة واثني عشر. ها هي، طرقت على الباب بحذر، بعد عشر دقائق كانت عارية.. بعد خمس عشرة دقيقة كانت تئن.. بعد ثماني عشرة دقيقةً كانت تهمس بكلمات حبٍّ لم تعد بحاجة لاختلاقها، بعد عشرين دقيقة شعرت أن اللذة تمزق جسدها. بعد اثنتين وعشرين دقيقة كانت تصرخ لنشوتها، الآن، الآن. بعد أن صحت من غشيتها قالت وقد أنهكتها اللذّة، ما زال بوسعي أن أرى كل شيء أبيض.

أوصل الشرطي سارق السيارة إلى بيته- وما كان ليخطر للشرطي اليقظ الرؤوف أنه يمسك بذراع جانح متمرّس- لا ليمنعه من الهروب، كما كان يمكن أن يحدث في حالةٍ أخرى، بل خشية أن يتعثّر هذا المسكين ويقع. بالمقابل بوسعنا وبسهولة أن نتخيّل رعب زوجته من هذا المنظر، عندما فتحت الباب لترى نفسها وجهاً لوجه أمام شرطي بزيه الرسمي يقطر زوجها، السجين الحزين، من ذراعه، أو هكذا بدا لها الأمر، لأنه بالحكم على هيئة زوجها البائسة فلا بد أنه قد وقع ما هو أسوأ من الاعتقال. إذ إن أول فكرة خطرت للمرأة هي أن زوجها قد ضُبط متلبساً وقد اصطحبه الشرطي ليفتّش البيت. أعادت هذه الفكرة رغم تناقضها الظاهري، الطمأنينة إلى المرأة بشكلٍ ما، هذا إذا فكرنا أن زوجها لم يكن يسرق إلا السيارات، وهذه بضاعة، بالنظر إلى حجمها،

لا تخبأ تحت السرير. لم يتركها الشرطي توغل في شكوكها فأخبرها، هذا الرجل أعمى، اعتني به. لا بد أن المرأة قد تنفست الصعداء لأن الشرطي، في نهاية المطاف، كان يوصل زوجها إلى البيت فحسب، غير أنها سرعان ما أدركت خطورة الكارثة التي حلّت بحياتهما عندما ارتمى زوجها وهو يبكي بمرارة في حضنها ويخبرها بما سمعته من الشرطي.

والفتاة ذات النظارة السوداء أوصلها أيضاً شرطي إلى بيت أهلها، مع اعتبار الفارق في قساوة الظرف الذي حدث فيه عماها. امرأة عارية تصرخ في فراش في فندق وتخيف النزلاء الآخرين، بينما كان شريكها في الفراش يحاول الهرب وهو يرتدي سرواله على عجل، الأمر الذي خفف إلى حدٍّ ما من وقع هذا الحدث الدرامي. تغلبت الفتاة على إحساسها بالارتباك الناجم عن وقوعها فريسة تهامسات مدّعيات الحشمة المنافقات حول توريط نفسها في طقوس هذا الحب الارتزاقي. بعد الصراخ الذي أطلقته عندما أدركت أن فقدانها بصرها لم يكن نوعاً جديداً من أنواع اللذّة غير المعروفة، لم تجرؤ على البكاء وندب قدرها عندما خرقوا عرف التعامل مع النزلاء وطردوها من الفندق عنوةً بدون أن ينتظروها لترتدي ثيابها كلها. وبلهجةٍ ساخرةٍ، هذا إن لم تكن غير لائقة، أراد الشرطي أن يعرف، بعد أن استفسر عن عنوان بيتها، إن كانت تمتلك أجرة التاكسي. ففي هذه الحالات لا تدفع الحكومة عنها، وحذّرها من إجراءات قانونية، لن نطيل التوقف عندها، ما دامت تنتمي إلى أولئك النسوة اللاتي لا يدفعن ضرائب عن دخلهن غير الأخلاقي. ردّت بإيماءةٍ من رأسها، ولكونها عمياء تصوّرت، تخيّلوا ذلك، أنه ربما لم يستطع الشرطي ملاحظة إيماءتها فقالت مغمغمةً، نعم، لدي نقود. ثم قالت في سريرتها، فقط لو أني لم أفعل ذلك، هذه العبارة الغريبة التي

قد تصدمنا، لكنها وإذا ما أخذنا في الحسبان التفافات العقل البشري حيث لا وجود للطرق القصيرة أو المباشرة، هذه الكلمات نفسها توضح بجلاء أن ما أرادت قوله هو، أنها قد عوقبت بسبب سلوكها المشين، بسبب تهتّكها، وهذه هي النتيجة. كانت قد أخبرت والدتها أنها لن تعود إلى البيت للعشاء، لكنها في النهاية عادت مبكرةً، حتى أنها عادت قبل والدها.

كانت حالة طبيب العيون مختلفةً، ليس لأنه عمي وهو في بيته، بل لأنه طبيبٌ، فما كان ليستسلم لليأس، مثل أولئك الذين لا ينتبهون إلى جسدهم إلا عندما يؤلمهم. حتى في حالة كرب كهذه، وليلة الأرق الطويلة التي تنتظره، كان لا يزال قادراً على تذكر ما كتبه هومر في الإلياذة، أعظم قصيدة عن الموت والمعاناة، إن طبيباً يساوي عدّة رجال، ويجب ألا نقبل هذا الكلام كمياً، إنما وقبل كل شيء نوعياً، كما سنرى لاحقاً، استجمع شجاعته ليأوي إلى السرير من دون أن يثير قلق زوجته بحالته، ولا حتى عندما غمغمت وهي نصف نائمة، وتحركت في السرير والتصقت به. استلقى يقظاً ساعات عدّة، وفي النهاية استطاع أن ينام قليلاً لكن بسبب الإرهاق التام. أمِل لو أن الليلة لا تنقضي كي لا يضطر للقول، هو من كانت مهنته مداواة أمراض أعين الآخرين، أنا أعمى، لكنه في الوقت نفسه كان ينتظر بقلق نور الصباح عارفاً أنه لن يراه. في الواقع، إن طبيب عيون أعمى ليس ذا فائدة لأي امرئ. لكن كان عليه أن يبلّغ المرجعيات الصحية، أن يحذرها من هذه الحالة التي قد تنقلب إلى كارثة وطنية. إنه مجرّد شكل عمى غير معروف حتى الآن ويبدو أنه شديد العدوى، عمى كلُّ مظاهره تشير إلى أنه قد يظهر بدون أي أعراض التهابية سابقة ذات طبيعة مُعدية أو تنكسية، كما استطاع أن يتأكد من حالة المريض الذي جاء يستشيره في عيادته، أو كما

في حالته هو شخصياً حيث يعاني من حسر بصر، ولا بؤرية طفيفين لدرجة أنه قرر عدم استخدام عدسات مصحِّحة. عينان كفتا عن الرؤية، عينان عميتا تماماً، رغم أنهما كانتا سليمتين تماماً، بدون أيّ آفة حديثة أو قديمة، مكتسبة أو متأصلة. استعاد تفاصيل الفحص الذي أجراه للرجل الأعمى، وكيف أن كل أجزاء العين الممكن الوصول إليها بدت من الناحية الطبية سليمةً تماماً، بدون أدنى أثر لتغيّر مرضي. إنها حالةٌ نادرةٌ جداً لا سيما عند شخصٍ يدّعي أنه في الثامنة والثلاثين من عمره، حتى أنها نادرة عند مَنْ يصغره عمراً. لا يمكن أن يكون ذلك الرجل أعمى، فكر لنفسه، ناسياً للحظة أنه هو نفسه أعمى، إنه لأمر محيّر حقاً كيف أن بعض الناس غيريّون إلى حدّ بعيد، وهذا ليس بجديد إذا ما تذكرنا ما قاله هومر رغم تعبيره عنه بمفردات أخرى.

تظاهر بالنوم عندما استيقظت زوجته. شعر بقبلتها على جبينه، بلطف شديد، كأنها لم ترد أن توقظه مما حسبته نوماً عميقاً، ربما فكرت لنفسها، يا للرجل المسكين، نام متأخراً بعد أن سهر يدرس حالة ذلك الرجل المسكين الأعمى، غير العادية. وحيداً، وكأنه على وشك الاختناق ببطء، بغيمة كثيفة تجثم بثقلها على صدره وتدخل منخريه، تعميه من الداخل، أنَّ أنيناً قصيراً، ولم يستطع أن يغالب دمعتين طفرتا من عينيه. ربما كانتا بيضاوين، فكّر لنفسه، وسالتا إلى فوديه. الآن فقط يستطيع أن يفهم مخاوف مرضاه عندما كانوا يقولون له، دكتور، أشعر أني أفقد بصري. وصلته في غرفة النوم بعض الضجة المنزلية، يمكن أن تدخل زوجته في أي لحظة لترى إذا ما كان لا يزال نائماً، فقد حان وقت ذهابهما إلى المشفى. نهض بحذرٍ، تلمّس بيديه بحثاً عن مئزره ولبسه، ثم دخل الحمام ليتبوّل. التفت إلى حيث يعرف أن المرآة موجودة، ولم يتساءل هذه المرة، لم يقل، ماذا يجري.

هناك آلاف الأسباب لتوقف الدماغ البشري عن العمل. مدّ يديه ليتلمّس المرآة، وكان يعرف أن صورته فيها تراقبه. بوسع صورته أن تراه، لكنه لا يستطيع أن يراها. سمع زوجته تدخل الحمّام. آه، لقد استيقظت. نعم. شعر بها بقربه. صباح الخير، حبيبي. ما زالا يتخاطبان بكلمات عاطفية بعد كل سنوات زواجهما هذه. عندئذٍ قال، وكأنهما يمثلان في مسرحية وحان دوره في الكلام، أشك في أنه خير، إذ إن هناك خللاً ما في بصري –لم تهتم إلاّ بالقسم الأخير من العبارة– دعني أرى، قالت، وتفحصت عينيه عن قرب. لا أستطيع أن أرى شيئاً، وهذه بوضوح عبارة مقتبسة وليست من قاموسها، فهو مَنْ كان يجب أن يقولها، غير أنه ببساطة قال، لا أستطيع أن أرى، أعتقد أني التقطت العدوى من المريض الذي فحصته أمس.

مع الألفة ومرور الوقت تعلمت زوجة الطبيب شيئاً ما عن الطب. وفي ما يخص هذه الحالة، وبحكم قربها الدائم من زوجها فقد تعلمت ما يكفي لتعرف أن العمى ليس مرضاً ينتقل بالعدوى مثل الوباء. لا ينتقل بمجرد أن ينظر الأعمى إلى آخر بصير. العمى مسألة خاصة بين الفرد وعينيه اللتين خلق بهما. في أيّ حال، فالطبيب ملزم بأن يعرف ما يقول، ولذلك يجري تدريبه التخصصي في مدارس طبيّة. وإذا كان هذا الطبيب هنا، إضافة إلى تصريحه بأنه أعمى، يعترف أنه التقط العدوى، فمن تكون زوجته لتشكّك في ما يقول، مهما كثرت معارفها عن الطب. بناءً عليه، من الواضح أن المرأة المسكينة التي واجهت دليله غير القابل للدحض، يجب أن تتصرف كأي زوجة عادية وتُظهر أمارات الأسى الطبيعية. وماذا سنفعل الآن، سألته وهي تبكي. نحذّر المرجعيات الطبية. الوزارة. هذا أول ما يتوجب علينا فعله، فإنْ تبيّن أنه وباء فيجب اتخاذ الإجراءات اللازمة. لكن ما من أحد سمع عن وباء

العمى. ألحّت زوجته، متلهفةً للتمسّك ببارقة الأمل الأخيرة هذه. وما من أحد عمي بدون أسباب ظاهرة تفسّر الحالة، وعلى الأقل توجد الآن حالتان. وما أن فرغ من نطق عبارته هذه حتى تغيّرت نبرته. دفع زوجته بعنف ليبعدها عنه على الأغلب، ابقي بعيدة، لا تقتربي مني، قد أُعديك، ثم ضرب جبهته بقبضته، يا للحماقة، يا للحماقة، أي طبيب أبله أنا، لماذا لم أفكر في هذا من قبل، لقد أمضينا كل الليلة معاً، كان ينبغي أن أنام في غرفة المكتب، وأغلق الباب على نفسي. رغم ذلك أرجوك لا تفعل أشياء كهذه، فلا مفرّ من المحتوم. تعال، دعني أحضّر لك فطوراً. اتركيني، اتركيني. كلا لن أتركك، صرخت زوجته، ما الذي تريده، أن تمشي وتتعثر وترتطم بالأثاث، تبحث عن التلفون بلا عينين تريان الأرقام التي تبحث عنها في دليل الهاتف، بينما أقف أنا بهدوء أراقب هذا المشهد، أتقوقع في شرنقةٍ خشية التقاط العدوى. أمسكته من ذراعه بقوّة وقالت تعال معي، حبيبي.

كان الوقت لا يزال مبكراً عندما فرغ الدكتور من فطوره، ويوسعنا تخيّل المتعة التي تناول بها القهوة والتوست اللذين أصرت زوجته على إعدادهما له. ما زال الوقت مبكراً جداً على تواجد الناس، الذين سيخبرهم بالأمر، في مكاتبهم. فالمنطق والضرورة يقتضيان أن يقدّم تقريره عما حدث مباشرة وبأسرع ما يمكن إلى شخصٍ ما متنفّذ في وزارة الصحة. لكنه غيّر رأيه بسرعة عندما فكّر أنّه سيقدّم نفسه كطبيب لديه معلومة مهمة وعاجلة يريد إبلاغها، وهذا غير كافٍ لإقناع الموظف الأدنى مرتبةً الذي سيتكلم إليه. أراد الرجل أن يعرف تفاصيل أكثر قبل أن يوصله إلى مسؤوله الأعلى والمباشر.. وكان واضحاً أن طبيباً على أدنى قدر من المسؤولية لن يعلن عن تفشي وباء عمى إلى أول موظف يقابله، وإلا لتسبب بحالة ذعر فوريّة. أجابه الموظف على

الجانب الآخر من التلفون، قلت لي إنك طبيب، فإن أردتني أن أصدقك، طبعاً أنا أصدقك، لكن لدي معلومات تمنعني من إيصالك إلى الأعلى ما لم تخبرني بالأمر الذي تودّ مناقشته. إنها مسألة سريّة. المسائل السريّة لا تناقش في التلفون، فالأفضل أن تحضر إلينا شخصياً. لا أستطيع مغادرة المنزل. تقصد أنك مريض، نعم أنا مريض، قال الطبيب الأعمى بعد صمت. في هذه الحالة عليك أن تستشير طبيباً، علّق الموظف ساخراً، ومسروراً بفطنته، وأغلق التلفون.

كانت وقاحة الرجل كصفعة، واستغرق الطبيب بضع دقائق كي يستعيد هدوءه بما يكفي ليخبر زوجته عن الفظاظة التي عُومِل بها. بعدئذٍ، وكأنه اكتشف للتوِّ شيئاً ما كان يجب أن يعرفه منذ فترة طويلةً، غمغٍم، هذه هي الطينة التي جُبلنا منها، نصفها خبث ونصفها استهتارٌ. أوشك أن يسأل متشككاً ماذا الآن، عندما لاحظ أنه كان يضيّع وقته، وأن الطريقة الوحيدة لإيصال المعلومة إلى الجهات المعنية وعبر طريق آمنة ستكون عبر مدير المشفى الذي يعمل فيه. يكلٍّمه كلام طبيب إلى طبيب بدون وساطة عامل التلفون، دعه يتولى المسؤولية، يحمل النظام البيروقراطي على القيام بواجبه. تلفتت زوجته، فهي تحفظ رقم تلفون المشفى غيباً. عرّف الطبيب بنفسه عندما أجابته عاملة التلفون، بعدئذٍ قال بسرعة، أنا بخير شكراً لك، لا بدّ أنها سألته كيف حالك، دكتور. هذا ما نقوله عندما لا نريد لعب دور الضعف الجسدي، نقول إننا بخير، حتى لو كنا نحتضر. وهذا متعارف عليه بأنه استجماع للشجاعة، ظاهرة لم تُعرف إلا لدى البشر. على الجهة الأخرى من التلفون سأله المدير، حسن ما الأمر. سأله الطبيب إذا ما كان وحده، إن كان هناك مَنْ يسمعهما. لا تقلق من ناحية عاملة التلفون، فلديها أشياء أهم من الاستماع إلى محادثةٍ عن طب العيون، إضافة إلى أنها

لا تهتمُّ إلا بالأمراض النسائية. كان تقرير الطبيب موجزاً وكاملاً، من دون كلمات مطنبة أو زائدة أو مسهبة. أوضح الأمر في سياق تشخيصٍ سريري أكاديمي أدهش مدير المشفى إلى حدٍّ ما. أأنت أعمى حقيقة، سأله المدير. أعمى تماماً. على أيِّ حالٍ، قد يكون الأمر مجرّد مصادفة، فمن غير الممكن حقيقة، بالمعنى الدقيق للكلمة، وجود عدوى كهذه أياً كانت. أوافقك الرأي إذ لا وجود لدليل على عدوى، لكن الأمر لم يكن مجرّد إصابتنا بالعمى أنا وهو وكلّ منا في بيته، بدون أن نلتقي معاً. فقد تبيّن في العيادة أن الرجل أعمى، وأنا عَميتُ بعده بساعات عدّة. كيف بوسعنا الوصول إلى هذا الرجل. إن اسمه وعنوانه موجودان في ملفّه، في عيادتي. سأرسل شخصاً ما إلى هناك في الحال. نعم، سأرسل طبيباً. بالطبع طبيباً زميلاً. ألا تعتقد بضرورة إبلاغ الوزارة بالأمر. إن الأمر سابق لأوانه حالياً، فكّر في الهلع الجماعي الذي سيثيره خبرٌ مرعبٌ كهذا. العمى غير مُعدٍ، والموت غير مُعدٍ، بيد أننا نموت جميعاً. حسن، ابقَ أنت في البيت ريثما أعالج الأمر، بعدئذٍ سأرسل شخصاً ما لإحضارك، أودّ أن أفحصك. لا تنسَ أني عميت لأني فحصت شخصا أعمى. لا يمكنك الجزم بذلك. على الأقل توجد لدي هنا إشارةٌ ولو ضئيلة إلى السبب والأثر. لا شكّ، لكن ما زال الوقت مبكراً على الاستنتاجات، إذ إن حالتين منفصلتين لا تشكلان علاقةً إحصائية. هذا إن لم يكن هناك، وفي هذه اللحظة، آخرون غيرنا. إني أتفهم حالتك العقلية لكن يجب أن نتجنب الاستنتاجات الكئيبة التي قد يتبيّن أنها عديمةُ الصلة بالأمر. شكراً جزيلاً. سأكلمك في أقرب فرصة. إلى لقاءٍ.

بعد نصف ساعةٍ، بعد أن حلق لحيته بصعوبة وبمساعدة زوجته، رنَّ جرس التلفون. كان مدير المشفى ثانية، إلا أن صوته بدا مختلفاً هذه المرّة. لدينا هنا طفل عمي فجأة، إنه يرى كل شيء أبيض، تقول

والدته إنه كان في عيادتك أمس. إذا لم أكن مخطئاً فهذا الطفل مصاب بحولٍ في عينه اليسرى. نعم. إنه هو إذاً بدون شك. بدأت أقلق فالحالة تزداد خطورة حقاً. ما رأيك بإبلاغ الوزارة. نعم، بالطبع. سأستشير هيئة إدارة المشفى. بعد نحوٍ من ثلاث ساعات، بينما كان هو وزوجته يتناولان الغداء صامتين رن جرس التلفون من جديد. نهضت زوجته لتردّ، وعادت مسرعةً. يجب أن تردّ أنتَ على المكالمة، إنها من الوزارة. ساعدته على النهوض، قادته إلى غرفة مكتبه وناولته سماعة التلفون. كانت المكالمة قصيرةً. أرادت الوزارة أن تعرف هوية المرضى الذين كانوا في عيادته يوم أمس. أجاب الطبيب بأن الملفات الطبية في عيادته تحتوي كلّ المعلومات المطلوبة، الاسم، العمر، الوضع العائلي، المهنة، عنوان المنزل، واقترح أن يرافق مندوب الوزارة إلى العيادة. لا ضرورة لذلك، كانت اللهجة فظة على الجهة الأخرى من التلفون. ونُقل التلفون إلى شخص آخر، إذ إنه سمع صوتاً مختلفاً يكلّمه الآن، طاب مساؤك، الوزير يكلمك، أريد أن أشكرك باسم الحكومة، على حماستك. أنا واثقٌ أن تصرفك العاجل المشكور، سيساعدنا على محاصرة وضبط الحالة، وأرجو أن تلزم منزلك ريثما نقوم نحن بذلك. نُطقت الكلمات الأخيرة بنبرة رسمية مهذّبة، لكنها أوحت له كأنه قد تلقى أمراً. نعم، سعادة الوزير، ردّ الطبيب، إلا أن الشخص على الجانب الآخر من التلفون أقفل الخط.

بعد دقائق عدّة رنّ الجرسُ ثانيةً. إنه مدير المشفى، كان يتكلم بعصبيةٍ وكلماته مشوشة، لقد أبلغت للتو أن الشرطة قد أفادت عن حالتي عمى مفاجئ. هل هما شرطيان. كلا، رجل وامرأة. وجدوا الرجل في الشارع يصرخ أنه عَميَ، والمرأة عميت في الفندق، يبدو أنها كانت في سرير رجلٍ ما. يجب أن تتأكّد إذا ما كانا من مرضاي، هل

تعرف اسميهما. لم تُذكر أسماء، تلفنوا لي من الوزارة، وسوف يذهبون إلى عيادتك لإحضار الملفّات. يا له من عمل معقد. أأنت مَنْ يقول لي هذا.؟ وضع الطبيب سماعة التلفون في مكانها، ورفع يديه إلى عينيه وغطاهما وكأنه يحميهما من شيء ما أسوأ قد يحدث. بعدئذٍ قال بصوت واهن، أنا متعب. حاول أن تنام قليلاً، سأوصلك إلى السرير، قالت زوجته. لا فائدة، لن أستطيع النوم، إضافة إلى أن النهار لم ينقضِ بعد، وقد يحدثُ شيءٌ ما.

كانت الساعة تقارب السادسة عندما رنّ جرس التلفون للمرة الأخيرة. رفع الطبيب، الذي كان يجلس إلى جوار السماعة، نعم، هو المتكلّم، قال وأصغى بانتباه إلى ما كان يُقال له، واكتفى بهزّ رأسه قليلاً قبل أن يعيد السماعة إلى مكانها. مَنْ كان المتكلم، سألت زوجته. الوزارة، ستأتي سيارة إسعاف لاصطحابي خلال نصف الساعة القادمة. أذلك ما توقعت حدوثه. نعم، إلى هذا الحد أو ذاك. إلى أين سيأخذونك. لا أعرف، المفترض إلى مشفى. سأوضب لك حقيبةً. ضعي فيها بعض الملابس، الأشياء الضرورية، فأنا ذاهب في رحلة. رحلة لا نعرف نوعيتها. قادته بلطف إلى غرفة النوم، أجلسته على السرير، اجلس هنا بهدوء، وأنا سأوضب كل شيء. كان يسمعها تتنقل في الغرفة، تفتح أدراجاً وخزائن وتغلقها، تخرج منها ثياباً وتضعها في الحقيبة على الأرض، إلا أن ما لم يستطع رؤيته هو أنها، إضافة إلى ثيابه، وضعت في الحقيبة عدداً من البلوزات والتنانير، زوجاً من السراويل الفضفاضة، فستاناً، بعض الأحذية النسائية. خطر في ذهنه بشكل مبهم أنه لن يحتاج إلى كل هذه الملابس، لكنه لم يقل شيئاً، لأنه لم يكن هذا وقت الاهتمام بتفاهات كهذه. سمع طقة الأقفال، وبعدئذٍ زوجته تقول، انتهيت. نحن جاهزان بانتظار الإسعاف الآن. حملت

الحقيبة إلى الباب، رافضةً مساعدتِه عندما قال لها، دعيني أساعدك، فما زلت قادراً على عمل كهذا، رغم كل شيء، فلست عديم النفع. بعدئذٍ توجّها إلى غرفة الجلوس ليجلسا على الأريكة وينتظرا. كانا متشابكي الأيدي عندما قال مَنْ يعرف كم سيطول فراقنا، فردّت عليه، لا تدع ذلك يشغلنّك.

انتظرا قرابة الساعة. عندما رنَّ جرس الباب، نهضت وفتحته، لكنها لم تجد أحداً على المصطبة. تكلمت عبر الإنترفون. حسن سينزل حالاً، قالت. التفتت إلى زوجها وأخبرته أن لديهم تعليمات صارمة بعدم الصعود إلى الشقة، يبدو أن كل الوزارة خائفة. دعنا ننزل. نزلا في المصعد، ساعدت زوجه على هبوط الدرجات الأخيرة للوصول إلى سيارة الإسعاف ثم عادت لتحضر الحقيبة، رفعتها إلى السيارة بمفردها ووضعتها داخلها. أخيراً صعدت وجلست بجوار زوجها. استدار سائق سيارة الإسعاف ليحتج، الأوامر لدي أن أصطحبه هو بمفرده، لذلك أطلب منكِ النزولَ من السيارة. ردّت عليه المرأة بهدوءٍ، يجب أن تصطحبني معه، لأني فقدتُ بصري الآن أيضاً.

كان الوزير نفسه صاحب الاقتراح الموفّق من أي زاوية نظرنا إليه. لا نقول إنها فكرة متكاملة، من وجهتي النظر الإنسانية الصرف لهذه الحالة والتعقيدات الاجتماعية والنتائج السياسية المترتبة عليها. إذ إنه ريثما تعرف مسبباته، أو، تُعْلَم أسباب هذا المرض، إن استخدمنا المصطلحات المنابة، فقد اصطلح على تسمية هذا العمى كريه الوقع على الأذن، بالشر الأبيض، وشكراً لمخيّلة مساعد الوزير التي ألهمته هذه التسمية، وريثما يكتشف علاج، أو دواء له، وربما لقاح قد يمنع ظهور حالات مشابهة مستقبلاً، فيجب عزل كل من عمي، وكل أولئك الذين كانوا قريبين منهم جسدياً، في مكان ناءٍ لتفادي حالات عدوى

لاحقة ما إن تحدث حتى تتكاثر إلى هذا الحد أو ذاك وفقاً لما يعرف رياضياً بالنسبة المركّبة. هذا ما خلص إليه الوزير وفقاً لتجربته القديمة، الموروثة من زمن الكوليرا والحمى الصفراء، عندما كانت تحتجز السفن الحاملة أو المشتبه بحملها العدوى. في عرض البحر لمدة أربعين يوماً. باختصارٍ وضمن قدرة العامّة على الفهم، كان الاقتراح بأن يوضع كل أولئك المصابين في محجر صحي، حتى إشعار آخر. هذه العبارة، حتى إشعار آخر، الواضحة ظاهرياً، المبهمة في الواقع، قد جرت على لسان الوزير لا شعورياً، بما أنه لم يستطع أن يفكّر بغيرها، وأوضح في ما بعد، إني قصدت أن الحجز قد يدوم أربعين يوماً، أربعين أسبوعاً، أو أربعين شهراً، أو أربعين عاماً، فالمهم هو بقاؤهم داخل المحجر الصحي. يجب أن نقرر الآن أين نحجرهم، يا سعادة الوزير، قال رئيس اللجنة اللوجستية التي شُكلت على جناح السرعة وأنيطت بها مسؤولية نقل، عزل، ومراقبة المرضى. أراد الوزير أن يعرف ما هي التسهيلات المتوفرة. لدينا مشفى أمراض عقلية فارغ ريثما نقرّر ما نفعل به، وهناك مواقع عسكرية عدة لم تعد مستعملةً بعد إعادة هيكلة الجيش أخيراً، ومبنى خاص بالشؤون التجارية قيد الإنجاز، وهناك أخيراً، رغم أن لا أحد قادراً على تفسير السبب، سوق خدمة ذاتية على وشك أن يُصفى. أيّ من المباني التي ذكرت هو الأنسب لهدفنا، برأيك. المواقع العسكرية هي الأكثر ضماناً، لكنْ، وبشكل طبيعي هناك، من ناحية ثانية، مشكلةُ اتساع المكان التي يرجّح أن تزيد في صعوبة وتكلفة مراقبة هؤلاء المحتجزين. نعم أستطيع تخيّل ذلك. بخصوص سوق الخدمة الذاتية، من الأرجح أن نواجه بعض العقبات القانونية المختلفة، أما بناء الشؤون التجارية فرأيي أن نتجاهله تماماً، يا سعادة الوزير. لماذا. لأن وزارة الصناعة لن تحبّذ استثمار ملايينها في هذا المشروع. لم يبقَ لنا إذاً إلا مشفى الأمراض العقلية. إضافة

إلى كل المظاهر المناسبة والتسهيلات التي يوفرها لنا وعلاوة على سوره الخارجي فإنه مؤلف من جناحين منفصلين، نضع في أحدهما أولئك العميان، وفي الثاني أولئك المشتبه بحملهم العدوى، إضافة إلى الردهة الفاصلة بينهما والتي يمكن اعتبارها، إن جاز التعبير، منطقةَ محايدةَ يعبرها أولئك الذين يكتمل عماهم فينضمون إلى العميان. لكن قد تواجهنا مشكلةٌ واحدةٌ. ما هي، سعادة الوزير. قد نضطر إلى وضع طاقم يشرف على الانتقال بين الجناحين، وأشك في قدرتنا على إيجاد المتطَوّعين. إني أشك في ضرورة ذلك، سعادة الوزير. لماذا. لأنه عندما سيعمى أي حامل للعدوى، كما سيحدث بشكل طبيعي عاجلاً أو آجلاً، ثق، سعادة الوزير أن أولئك الآخرين الذين ما زالوا مبصرين سيطردونه إلى الجناح الآخر فوراً. أنت محق. كما أنهم لن يسمحوا لأي أعمى بدخول جناحهم إذا ما خطر له فجأةً تغييرُ مكانه. تفكيرٌ جيدٌ، شكراً لك. يمكنني إذاً، سعادة الوزير، إصدار أوامر التنفيذ. نعم، أنت مُفَوَّض.

كان عملُ اللجنة سريعاً وفعالاً. فقبل حلول الليل جرى تجميع كلّ من عمي، إضافة إلى عدد كبيرٍ من الناس الذين افترض أنهم يحملون العدوى، على الأقل أولئك الذين أمكنت معرفة أسمائهم وعناوينهم، في حملة بحث سريعة شملت أماكن سكن وعمل أولئك الذين عموا. كان الطبيب وزوجته أول مَنْ تم نقلهم إلى مشفى الأمراض العقلية الفارغ، وكان هناك جنود يقومونٍ بحراسة المشفى. فُتحت البوابة الرئيسة بما يسمح لهما بالمرور وأُغلقت ثانية بسرعة. كان هناك درابزون، هو حبلٌ ثخين يمتد من البوابة إلى المدخل الرئيسي للمشفى. تحرّكا إلى اليمين قليلاً وستجدان حبلاً، أمسكا به وسيرا بمحاذاته مباشرة فيوصلكما إلى ست درجات، قال لهما جندي. وعندما تدخلان سيتفرّع

الحبل إلى فرعين، واحد إلى اليسار، والآخر إلى اليمين، صاح بهما الرقيب، اتّجها إلى اليمين. قادت المرأة زوجها، وهي تجرُّ الحقيبة إلى الغرفة الأقرب إلى المدخل. كانت الغرفة طويلة مثل جناح في مشفى من الطراز القديم، فيها صفّان من الأسرّة طُليت باللون الرمادي، رغم أن طلاءها قد بدأ يتقشر منذ وقت طويل. الأغطية، الملاءات والبطانيات، كلها رمادية أيضاً. قادت المرأة زوجها إلى آخر الغرفة، أجلسته على أحد الأسرّة، وقالت له، ابقَ هنا، أنا ذاهبة لاستطلاع المكان. توجد غرف أخرى، ممرات طويلة وضيّقة، غرف أصغر لا بد أنها كانت خاصة بالأطباء، مراحيض قذرة، مطبخ ما زالت تفوح منه رائحة طبخٍ نتنة، حجرة طعام فسيحة فيها طاولات سطوحها من الزنك، ثلاث زنازين بطول ستة أقدام محشوة الأرضية والجدران أما بقية الزنازين فقد فُرشت بالفلين. خلف المبنى يوجد فناء خرب، فيه أشجار مهملة، تبدو جذوعها وكأنها سلخت. عادت الزوجة إلى الداخل. وجدت في خزانة نصف مفتوحة سترة مجانين. عندما عادت إلى زوجها سألته، أيمكنك أن تتخيّل أين وضعونا. كلا. كانت على وشك أن تضيف، في مشفى مجانين. غير أنه سبقها وقال، أنت لست عمياء، لا يمكنني السماح لك بالبقاء هنا. نعم، أنت محق فأنا لست عمياء. سأطلب منهم أن يعيدوك إلى البيت إذاً، وسأبلغهم أنك كذبت عليهم كي تبقي معي. لا فائدة من هذا، فلن يستطيعوا سماعك من هذا البعد، حتى إن سمعوك فلن يهتموا. لكنك تبصرين. الآن، نعم أبصر، لكني بالتأكيد سأعمى في يوم قريب، وربما في أي لحظة من الآن. أرجوك عودي إلى البيت. لا تصر على ذلك، إضافة إلى أني أراهنك أن الجنود لن يسمحوا لي بتجاوز الدرجات الست. لا أستطيع إرغامكِ. كلا، حبيبي، لا تستطيع، فأنا هنا لأساعدك أنت والآخرين الذين قد يجلبونهم، لكن لا تقل لهم أني أُبصر. أيُّ آخرين

تقصدين. لا أظنك تعتقد جازماً بأننا سنكون هنا بمفردنا. هذا جنون. ماذا توقعت، فنحن في مشفى مجانين.

وصل عميان آخرون. اعتقلوا من بيوتهم الواحد بعد الآخر، أوّلهم الرجل الذي كان يقود السيارة، ثم الذي سرقها، الفتاة ذات النظارة السوداء، والطفل الأحول الذي لحقوا به إلى المشفى حيث أخذته والدته. لم ترافقه والدته إلى هنا، كانت تفتقد براعة زوجة الطبيب التي ادّعت العمى وهي مبصرة. كانت والدته إنسانة بسيطة، غير قادرةٍ على الكذب حتى لو كان في صالحها. دخلوا الجناح بخطا متعثرة، يتعلقون بالهواء، إذ لا يوجد هنا حبل يسترشدون به، وعليهم أن يتعلّموا من التجربة المؤلمة. كان الطفل يبكي، ينادي أمّه. انبرت الفتاة ذات النظارة السوداء تحاول مواساته، إنها قادمة، إنها قادمة، كانت تقول له. وبما أنها تلبس نظارة سوداء فقد كانت مثلهم عمياء وليست عمياء. إذ بينما كان الآخرون ينقلون عيونهم هنا وهناك بدون أن يروا شيئاً، فقد كانت الفتاة ولأنها تلبس تلك النظارة السوداء، وتقول للطفل، إنها قادمة، إنها قادمة، فبدا الأمر حقيقةً وكأن بوسعها رؤية والدة الطفل البائس تدخل عبر الباب. انحنت زوجة الطبيب وهمست في أذن زوجها، لقد وصل أربعة آخرون. امرأة، رجلان وطفل. ما هو شكل الرجلين، سأل الطبيب بصوت خفيض. وصفتهما له. فقال، الثاني لا أعرفه، أما الأول فهو الأعمى الذي جاءني إلى العيادة. أردفت، الطفل أحول، والفتاة تلبس نظارة سوداء، تبدو جذابة. كلاهما كان في عيادتي. بسبب جلبتهم وهم يحاولون البحث عن مكان يشعرون فيه بالأمان، لم يستطع القادمون الجدد سماع هذه المحادثة. لا بد أنهم اعتقدوا أن لا وجود لمن سواهم هنا، ولم تمضِ على عماهم فترة كافية لتقوى لديهم حاسة السمع أكثر من الحد الطبيعي. أخيراً، وكأنهم وصلوا إلى استنتاج بأن لا فائدة

من استبدال اليقين بالشك، جلس كلٌّ منهم على أول سرير تعثّر به. بالنتيجة فقد جلس الرجلان على سريرين متجاورين بدون أن يعرفا ذلك. تابعت الفتاة بصوت خفيض مواساة الطفل، لا تبكِ ستَرَ أن أمك لن تتأخر كثيراً. خيم صمت عندئذٍ تكلمت زوجة الطبيب بصوت يستطيع سماعه حتى مَنْ يجلس بعيداً عند باب الغرفة. نحن اثنان هنا، فكم واحداً أنتم. أرعب الصوت غير المتوقّع الواصلين الجدد. بقي الرجلان صامتين، بينما أجابت الفتاة، أعتقد أننا أربعة. أنا والطفل الصغير هذا. مَنْ أيضاً. لماذا لا يتكلم الآخران، سألت زوجة الطبيب. أنا هنا، غمغم صوت رجل، وكأنه لا يقوى على لفظ غير هذه الكلمة وبصعوبة. وكذلك أنا، زمجر صوت ذكوري آخر باشمئزاز واضح. فكرت زوجة الطبيب لنفسها، إنهما يتصرفان كأنهما خائفان من أن يعرف أحدهما الآخر. راقبتهما ينتفضان، يتوتران، رقبتاهما متلعتان وكأنهما يتنشقان شيئاً ما، وتعابيرهما كلها متشابهة، متوعّدة وخائفة في الوقت نفسه، إلا أن خوف أحدهما لا يشبه خوفَ الآخر. والشيءُ نفسهُ يصحّ على توعّداتهما. ماذا يمكن أن يكون في ما بينهما، تساءلت لنفسها.

في تلك اللحظة، ومن مكبّر الصوت المعلّق فوق الباب الذي دخلوا منه، علا صوت أجشّ توحي نبرته أنه تعوّد إصدار الأوامر. كرّر كلمةَ، انتباه، ثلاث مرات، بعدئذٍ تابع، تبدي الحكومة أسفها لاضطرارها إلى القيام بالسرعة القصوى بما تعدّه واجبها الحق، لحماية الشعب بكل الوسائل الممكنة في هذه الأزمة الحالية التي تبيّن لها أنها تحمل مظاهر تفشي وباء عمى أبيض، يُعرف مؤقتاً بالمرض الأبيض. هذا وإننا نعوّل على الروح الشعبية وتعاون كل المواطنين لاستئصال أي عدوى أخرى، مفترضين أننا في مواجهة مرض معدٍ لا مجرّد سلسلة مصادفات عصيّة على الفهم. لذلك، فإن قرار تجميع مَنْ أصيبوا بالمرض

في أماكن متجاورة لكنها منفصلة عن أولئك الذين كانوا على احتكاك معهم، لم يكن ارتجالياً. فالحكومة تعي جيداً مسؤولياتها وتأمل من أولئك الذين تخاطبهم الآن، كمواطنين لا شك في سلامة مواطنيتهم، وحسّ المسؤولية لديهم، أن يتذكروا أن هذه العزلة التي وضعوا فيها تمثّل، وفوق كل اعتبارات شخصية، تعاضداً مع باقي مجتمع الأمة. لذلك نطلب من الجميع الإصغاء بانتباه إلى التعليمات التالية. أولاً، لن تطفأ المصابيح ليل نهار، ولا فائدة من محاولة إطفائها لأن مفاتيح الكهرباء في كل المبنى معطلةٌ. ثانياً، إن مغادرة المبنى بدون إذنٍ يعني الموت الفوري. ثالثاً، يوجد تلفون في كل جناح يُستخدم فقط لطلب الحاجات الجديدة الضرورية للصحة والنظافة. رابعاً، إن المحتجزين مسؤولون عن غسل ثيابهم بأنفسهم. خامساً، نقترح انتخاب ممثلين عن كلّ جناحٍ، وهذا مجرّد اقتراحٍ لا أمر، فيجب أن ينظّم المحتجزون أنفسهم بالشكل الذي يناسبهم، شريطة أن يذعنوا للتعليمات السابقة واللاحقة. سادساً، ستُوضع صناديق الطعام ثلاث مرات يومياً أمام الباب الرئيسي، على اليمين وعلى اليسار، مقسّمة بالتساوي للمرضى ولأولئك المشتبه بحملهم العدوى. سابعاً، يجب إحراق كل المخلّفات، هذا لا يشمل الطعام فقط، بل الصناديق، الأطباق والسكاكين المصنوعة من مواد قابلة للاحتراق. ثامناً، يجب أن تجري عملية الحرق في فناء المبنى أو في ساحة الرياضة. تاسعاً، إن المحتجزين مسؤولون عن أي ضرر ينتج عن عمليات الاحتراق هذه. عاشراً، سواء فقدوا السيطرة على الحرائق، عمداً أو عن غير عمد، فلن يتدخل رجال الإطفاء. الحادي عشر، بالمثل، لا يفكرنّ المحتجزون بالاعتماد على أي تدخل خارجي في حال تفشي أي مرض، ولا في حال حدوث فوضى أو اعتداءات. الثاني عشر، في حالات الوفاة، مهما كان السبب، على المرضى دفن الجثث في الفناء بدون أيّ مساعدة خارجية. الثالث عشر، يجب أن يتم التواصل

بين نزلاء جناح المرضى ونزلاء جناح المشتبه بحملهم العدوى، في ردهة البناء المركزية الفاصلة بين الجناحين. الرابع عشر، إذا ما عمي أحد أولئك المشتبه بحملهم العدوى فسوف يُنقل مباشرة إلى الجناح الآخر. الخامس عشر، ستُعاد هذه التعليمات يومياً في التوقيت نفسه من أجل القادمين الجدد. إن الحكومة تتوقع من الجميع رجالاً ونساء القيام بواجبهم. تصبحون على خير.

كان بالإمكان سماع صوت الطفل بوضوح، بعد الصمت الذي تلا إصدار التعليمات، أريد أمي، إلا أن كلماته كانت خاليةً من أيّ شحنةٍ تعبيريةٍ، كلمات تصدر عن آلة إعادة اتوماتيكية سُجِّلت عليها عبارة وقد علقت الاسطوانة الآن وراحت تكرر العبارة ذاتها، في الوقت غير المناسب. قال الطبيب، إن الأوامر التي تلقيناها لا تترك مجالاً للشك في أننا عُزلنا، وقد تفوق عزلتنا عزلة أي شخص آخر ومن دون أي أمل في الخروج من هذا المكان حتى يوجد علاج لهذا المرض. إني أعرف صوتك، قالت الفتاة ذات النظارة السوداء. أنا طبيب اختصاصي عيون. لا بد أنك الطبيب الذي فحصني أمس، إني أعرف صوتك. نعم، ومَنْ أنتِ. أنا كنت أعاني من التهاب ملتحمة وأعتقد أنه لم يشفَ بعد، لكن الآن، وبما أني عمياء تماماً، فلم يعد الأمر مهماً. والطفل الذي معك. ليس طفلي. ليس لدي أطفال. لقد فحصت أمس طفلاً أحول، أهو أنت، سأل الطبيب. نعم، أنا، قال الطفل بنبرة مستاءة، كشخص يفضّل عدم ذكر عيوبه الجسدية أمام الآخرين. وبترجيح عقلي لم تُذكر هذه العيوب ثانية، عيوب الفتاة، الطفل، والآخرين، لأنها كانت مجرّد وسيلة ممكنة الفهم ليعرف بعضهم بعضاً بوضوح. هل يوجد آخرون هنا، سأل الطبيب. هل الرجل الذي جاءني أمس إلى العيادة مع زوجته، موجود هنا، الرجل الذي عمي فجأة وهو يقود سيارته. ها أنذا قال الأعمى

الأول. هل هناك آخر. تكلّم لو سمحت، نحن ملزمون بالعيش معاً هنا، فمن يعرف كم ستطول إقامتنا، لذلك من الضروري أن يعرف بعضنا بعضاً. غمغم سارق السيارة من بين أسنانه المطبقة، نعم، معتقداً أن هذه الـ«نعم»، كافية لإثبات وجوده. إلا أن الطبيب ألح، هذا صوت شاب نسبياً، فلست إذاً المريض الكهل الذي يوجد في عينه ساد. كلا، دكتور، ليس أنا، كيف عميت. كنت أسير في الشارع عندما عميت فجأة. أوشك الطبيب أن يسأله إذا ما كان عماه أبيض أيضاً، إلا أنه أحجم عن ذلك في الوقت المناسب. فلماذا يسأله، فأياً كان جوابه، أكان عماه أبيض أم أسود، لن يغيّر في الأمر شيئاً، ولن يخرجوا من هذا المكان. مدّ يداً مترددة إلى زوجته فتلاقت يداهما في منتصف الطريق. قبّلته على وجنته. لا أحد غيرها يستطيع رؤية ذلك الجبين المتغضن، الفم المشدود، تينك العينين الميتتين كالزجاج، المخيفتين لأنهما تبدوان مبصرتين وهما لا تبصران. سيأتي دوري، فكرت لنفسها، وربما في هذه اللحظة تماماً بدون أن تتاح لي الفرصة لأكمل ما أقول، في أي لحظة، كما حدث لهم، أو ربما سأستيقظ عمياء، أو بمجرد أن أغمض عيني لأنام، معتقدة أني غافيةٌ فحسب.

نظرت إلى العميان الأربعة الجالسين على أسرّتهم، إلى حاجاتهم التي استطاعوا المجيء بها، وهي ملقاة عند أقدامهم. الطفل معه حقيبته المدرسية، الآخرون معهم حقائب صغيرة، تبدو كأنها حزمت من أجل عطلة نهاية الأسبوع. كانت الفتاة ذات النظارة السوداء تتكلم همساً مع الطفل. في الجهة المقابلة، كان الأعمى الأول وسارق السيارة، يجلسان قريبين أحدهما من الآخر، لا يفصل بينهما سوى سرير واحد، وجهاً لوجه وبدون أن يدركا ذلك. قال الطبيب كلنا سمعنا التعليمات، فمهما حدث الآن، الشيء الوحيد الواثقون منه ألاّ أحد سيأتي لمساعدتنا، لذلك

علينا أن ننظم أنفسنا بدون إبطاء، لأنه لن يطول الزمن حتى يَمتلئ هذا الجناح بالناس، هذا الجناح والجناح الآخر. كيف عرفت بوجود الجناح الآخر، سألت الفتاة. لقد استطلعنا المكان قبل أن نختار هذه الغرفة لقربها من المدخل الرئيسي، أوضحت زوجة الطبيب وهي تهصر ذراع زوجها بيدها وكأنها تدعوه للانتباه. قالت الفتاة، أعتقد من الأفضل أن تتولى تسيير أمور الجناح أنت، لأنك في نهاية المطاف طبيبٌ. وما فائدة طبيب بلا عينين وبلا دواء. لكنك تتمتع بسطوة. ابتسمت زوجة الطبيب، أعتقد أنك يجب أن تقبل. إذا قبل الآخرون بي، مع أني لا أعدّها فكرةً جيدة طبعاً. لم لا. نحن الآن هنا ستة فقط، واعتباراً من يوم غدٍ سنصبح أكثر، إذ سيبدأ توافد الناس يومياً، ويبدو من المبالغ فيه توقع أن يكون الناس مهيّئين لقبول سلطة شخصٍ لم يختاروه، علاوة على ذلك، ليس لديه ما يقدّمه لهم مقابل قبولهم وزعمهم الدائم بالامتثال لسلطته وتعليماته. ستزداد صعوبة الحياة إذاً، وسنكون محظوظين إذا تبيّن أنها صعبة فقط، قالت الفتاة ذات النظارة السوداء، لقد أردت المنفعة فحسب، لكن بصراحة، أنت محقٌّ، دكتور، سننتهي إلى أن يأخذ كلٌّ منّا أموره بيديه.

إما لأنه استثير من هذه الكلمات وإمّا لأنه لم يستطع كظم غيظه أكثر، نهض أحد الرجلين فجأةً وصاح، هذا الشخص هو المسؤول عن مصيبتِنا، ولو كنت مبصراً لقتلته الآن، وأشار إلى الجهة التي خمّن أن الرجل الآخر موجود فيها. رغم أن الرجل لم يكن بعيداً عنه جداً، إلا أن حركته الدراماتيكية تلك كانت مثيرةً للضحك لأن إصبعه المتّهمة كانت تشير إلى كومودينة صغيرة بريئة. إهدأ، قالت زوجةُ الطبيب، لا أحد مسؤول عن هذا الوباء، كلنا ضحايا. لو لم أكن ذلك الشخص المهذّب، لو لم أساعده في الوصول إلى بيته، لما فقدت عيني الغاليتين.

مَنْ أنت، سأل الطبيب، بيد أن المتذمّر صمت وبدا أنه قد انزعج من قول ما قاله. عندئذٍ قال الرجل الآخر، إنه مَنْ أوصلني إلى بيتي، هذا صحيح، لكن بعدئذٍ استغل وضعي وسرق سيارتي. هذا كذبٌ، لم أسرقْ شيئاً. لقد فعلتها بالتأكيد. إن كان أحد قد سرق سيارتك، فلست أنا. كان العمى جزاء صنيعي النبيل ذاك، إضافة إلى ذلك أودّ أن أعرف أين شهودك على ما تقول. لن يجدي هذا الجِدال شيئاً، قالت زوجته الطبيب، فالسيارة في الخارج هنا، وكلاكما هنا، فالأفضل أن تهدأا. لا تنسيا أننا مجبرون على العيش معاً. عدّوني غير موجود قال الأعمى الأول، أنا ذاهب إلى غرفة أخرى، إلى أبعد ما يمكنني عن هذا النصّاب الذي استطاع أن يسرق شخصاً أعمى، ويدّعي أنه عمي بسببي، حسن ليبق أعمى، فعلى الأقل سيعرف أنه ما زال هناك بعضُ العدل في هذا العالم. رفع حقيبته عن الأرض وجرّ قدميه جرّاً كي لا يتعثر، وتلمّس بيده الأخرى، وسار على طول الممر بين صفي الأسرّة. أين تقع الغرف الأخرى، سأل، غير أنه لم يسمع ردّاً، إذا ما كان هناك غرفٌ أخرى، لأنه وجد نفسه فجأةً تحت هجوم ذراعي وقدمي سارق السيارة الذي قام بتنفيذ تهديده بأفضل ما يستطيع، للانتقام من هذا الرجل الذي تسبب بكل مصائبه. تدحرجا على الأرض وسط الممر الضيق وهما يتبادلان المواقع، أعلى وأسفل، يصطدمان من حين لآخر بقوائم الأسرّة، وقد أفزعا من جديد الطفل الأحول الذي بدأ يبكي وينادي أمه. أخذت زوجة الطبيب بذراع زوجها، فقد عرفت أنها لن تستطيع بمفردها إيقافهما عن العراك. قادته إلى الخصمين الغاضبين اللذين كانا يلهثان وهما يتعاركان فوق الأرضية. وجّهت يدي زوجها،، وتولّت هي أمر الأعمى الأول الذي وجدت التعامل معه أسهل، وبجهد كبير استطاعا فصل أحدهما عن الآخر. إنكما تتصرفان بحماقة، قال الطبيب غاضباً. إن كنتما تفكران في تحويل هذا المكان إلى جحيم فأنتما في الطريق إلى

ذلك، لكن تذكّرا أننا هنا معزولون ولا يسعنا توقع مساعدة من الخارج، أتسمعانني. لقد سرق سيارتي، زمجر الأعمى الأول الذي تبيّن أنه لا يجيد تسديد اللكمات. انسها، ما الفرق، قالت زوجة الطبيب، فلم تكن قادراً على سياقتها عندما اختفت. هذا صحيح، لكنها كانت ملكي وقد سرقها هذا الوغد ولا أحد يعلم أين وضعها. الأرجح أن توجد السيارة حيث فقد هذا الشخص بصره. أنت شخص ذكي دكتور. نعم، يا سيد، لا شك في ذلك، قال اللص فجأةً. بدرت عن الأعمى الأول إيماءة كمن يحاول الإفلات من الأيدي التي تمسك به، لكنها لم تكن محاولة جادة، وكأنه أدرك أن إحساسه بمهانة الاعتداء عليه، مهما كان مقنعاً، لن يعيد إليه سيارته، ولا سيارته ستعيد إليه بصره. غير أن اللص هدّده، إن كنت تعتقد أنك نجوت بهذا فأنت مخطئ. أنا سرقت سيارتك، حسناً، لكنك سرقت بصري، فمَنْ اللصُّ الأكبر بيننا. يكفي، احتجّ الطبيب، جميعنا عميان هنا ولا نتّهم ولا نشير بإصبع الإدانة إلى أحد. لا تهمّني مصائب الآخرين، أجابه اللص بازدراء. إن كنت تودّ الذهاب إلى غرفة أخرى فإن زوجتي سترشدك إلى هناك، قال الطبيب للأعمى الأول، إن كنت تودّ الذهاب إلى غرفة أخرى فإن زوجتي سترشدك إلى هناك، قال الطبيب للأعمى الأول، إنها تعرف المكان أفضل مني. كلا، شكراً، غيّرت رأيي، أفضّل البقاء هنا. سخر منه اللص. الولد الصغير يخاف من الوحدة فقد يظهر له بعبع. يكفي صاح الطبيب، نافد الصبر. أصغِ إلي الآن، دكتور، قال اللص، جميعنا متساوون هنا، فلا تأمرني – لا أحد يأمرك، أنا ببساطة أطلب منك أن تترك هذا المسكين في سلام. عظيم، عظيم، لكن انتبه إلى نفسك عندما تتعامل معي. فأنا شخص صعب المراس عندما يزعجه أحدٌ ما، ومن ناحية أخرى خير صديق تتمنى لقاءه، لكني أسوأ عدو يمكن أن تقابله أيضاً. ثم بحركات وإيماءات عدوانية تلمس طريقه إلى سريره، دفع حقيبته تحت السرير، وأعلن،

سأنام قليلاً، ثم أضاف، وكأنه يحذّرهم، الأفضل أن تنظروا إلى الجهة الأخرى لأني سأخلع ملابسي. الأفضل أن تنام أنت أيضاً، قالت الفتاة ذات النظارة السوداء للطفل، إبقَ في هذه الجهة وإن احتجت شيئاً في الليل ناديني. أريد أن أتبوّل، قال الطفل. شعروا جميعاً، لدى سماعه، بحاجة مفاجئة وملحّة للتبول. انصبت أفكارهم إلى هذا الحد أو ذاك على السؤال التالي، كيف سنتعامل الآن مع هذه المسألة، تلمس الرجل الأعمى الأول تحت السرير بحثاً عن مبولة صغيرة، رغم أنه كان في الوقت نفسه يأمل ألا يجد واحدة لأنه سيشعر بالارتباك من التبول بوجود الآخرين، ليس لأنهم يرونه، بالطبع، لكن لعدم إمكانية إخفاء جلبة التبول، ولا الخطأ في تمييزها، ثم إن الرجال بوسعهم، على الأقل، تدبّر استراتيجية لا تستطيعها النساء – خراء، قال اللص الذي كان يجلس على سريره الآن، أين يمكننا أن نتبول في هذا المكان. انتبه إلى ألفاظك، يوجد بيننا طفلٌ.. احتجّت الفتاة ذات النظارة السوداء.. بالتأكيد، يا عزيزتي، لكن إن لم تجدي مرحاضاً، فلن يطول الوقت حتى يتبوّل صغيرك ذاك في سرواله، تدخلت زوجة الطبيب، ربما أستطيع تحديد مكان المراحيض، أتذكر أني شممت رائحتها، سآتي معك قالت الفتاة ذات النظارة السوداء، وأخذت بيد الطفل. أضاف الطبيب، الأفضل أن نذهب جميعاً لنعرف الطريق كلما احتجنا للذهاب إلى هناك. أعرف ماذا يدور في رأسك، فكّر سارق السيارة لنفسه، بدون أن يجرؤ على نطقه بصوتٍ مسموعٍ، لا تريد لزوجتك أن تأخذني إلى المرحاض كلما شعرتُ بالحاجة إلى ذلك. بسبب المعنى المضمر وراء تلك الفكرة شعر اللص بالانتعاظ وفاجأه الأمر، وكأن حقيقة كونه أعمى يجب أن يتلوها بالضرورة فقدان أو تناقص الرغبة الجنسية. جيّد، فكر لنفسه، ففي نهاية المطاف، لم أفقد كل شيء. حتى بين الموتى والجرحى هناك مَنْ ينجو، وانسحب من الحديث إلى حلم يقظة. لم يوغل بعيداً، إذ إن

الطبيب كان يقول لنشكّل رتلاً، تقودنا زوجتي، ليضع كل واحد يده على كتف الآخر أمامه وبذلك نتجنب المخاطرة في الضياع. قال الأعمى الأول، أنا لن أُرافقه إلى أي مكان، كان يشير بوضوح إلى النصّاب الذي سرق سيارته. أكان يبحث بعضهم عن بعض أو يتجنّب بعضهم بعضاً، بالكاد يستطيعون التنقل في الممرّ الضيق، فالأفضل إذاً أن تقودهم زوجة الطبيب وكأنها عمياء مثلهم. أخيراً انتظموا في رتل. الفتاة ذات النظارة السوداء تمسك بيد الطفل الأحول، وراءها اللص بسرواله الداخلي وقميصه، وراءه الطبيب، وآخرهم الأعمى الأول، الآمن حالياً من أي اعتداء جسدي. تقدموا ببطء شديد وكأنهم غير واثقين ممن تقودهم، يتلمّسون عبثاً بأيديهم الحرّة، بحثاً عن أي شيء صلب، حائط، إطار باب يستندون إليه. باصطفافه وراء الفتاة ذات النظارة السوداء استُثير اللص من العطر الذي كان يفوحه جسدها، فقرّر، متأثراً بذكرى انتعاظه، أن يُعمل يديه في شيء أفضل، فراح بإحداهما يداعب قذالها، وبالأخرى يداعب صدرها، هكذا مباشرةً وبدون تمهيد. تلوّت الفتاة لتتخلص منه، لكنه كان يقبض عليها بقوة. عندئذٍ رفعت قدمها ورفست إلى الخلف رفسةً بأقصى ما أوتيت من قوة. غاص كعب حذائها المستدق في فخذ اللص العاري مما جعله يطلق صيحةَ ألم وصدمة. ما الذي يجري، سألت زوجه الطبيب، ناظرة إلى الوراء. لقد تعثرت، قالت الفتاة ذات النظارة السوداء، ويبدو أنني آذيت الرجل الذي ورائي. كان الدم ينبجس من بين أصابع اللص الذي راح يئن ويسبّ، محاولاً التحقّق من عواقب اعتدائها. لقد تأذيتُ، هذه القحبة لا تنظر أين تضع قدمها. ولا أنت تنظر أين تضع يدك، أجابته الفتاة بقسوة. فهمت زوجة الطبيب ما قد جرى، تبسمت في البدء، لكن رأت بعدئذٍ كم كان الجرح بليغاً، إذ كان الدم يتدفق نازلاً فوق ساق الشيطان التعس، وليس لديهم معقم، لا يود، ولا ضماد أو لاصق طبي، لا شيء. انفرط عقد الرتل الآن. كان

الطبيب يسأل، أين الجرح. هنا هنا. أين. في ساقي. ألا ترى لقد غرست هذه القحبة كعب حذائها في ساقي. لقد تعثرت ولم أستطع أن أتوازن، كررت الفتاة قبل أن تنفجر غاضبة، كان هذا الوغد يداعبني، أي نوع من النساء يحسبني. تدخلت زوجة الطبيب، هذا الجرح بحاجة إلى غسيل وتضميد في الحال. وهل يوجد ماء هنا، سأل اللص. في المطبخ، يوجد ماء في المطبخ، لكن لا حاجة لذهابنا جميعاً، سأرافقه أنا وزوجي، انتظرونا هنا، سنعود بسرعة، أريد أن أتبوّل، قال الطفل. احبسها قليلاً سنعود فوراً. كانت زوجة الطبيب تعرف أنها يجب أن تنعطف مرة إلى اليمين، وأخرى إلى اليسار، ومن ثم تعبر كوريدوراً ضيّقاً يشكل زاوية قائمةً مع المطبخ الذي يقع في نهايته. توقفت بعد خطوات عدّة متظاهرة أنها ضلّت رجعت من حيث تقدمت ثم قالت، آه، تذكرت الآن، ومن هناك توجهوا مباشرة إلى المطبخ، لا مجال لإضاعة الوقت، كان الجرح ينزف بغزارة. في البدء، كان الماء في الصنبور قذراً، واستغرق وقتاً حتى أصبح أنقى، غير أنه كان دافئاً وكريه الرائحة وكأنه قد تعفّن داخل الأنابيب، بيد أن الرجل الجريح استقبله بزفرة ارتياح. بدا الجرح سيئاً.. الآن، كيف سنضمّد هذه الساق، سألت زوجة الطبيب. كانت هناك بعض الأسمال المستعملة في ما مضى لتنظيف البلاط، تحت طاولة، لكنها بدت أسوأ من أن تستخدم كضمادة. لكن يبدو ألاّ وجود لشيءٍ آخر هنا، قالت زوجة الطبيب، وهي تتظاهر باستمرارها في البحث. لكن لا يمكن أن أترك هكذا، دكتور، فالنزيف لن يتوقف، ساعدني أرجوك، وسامحني إنْ كنت فظاً معك منذ قليل، أنَّ اللص. إننا نحاول مساعدتك، وإلا ما كنا هنا، قالت زوجة الطبيب ثم أمرته، اخلع قميصك، فلا خيار آخر أمامنا، غمغم الرجل الجريح بأنه يحتاج إلى قميصه، لكنه خلعه. لم تضيّع زوجة الطبيب وقتاً في تحضير الضمادة التي لُفَّت حول فخذه، لفتها بقوّة، واستخدمت حمالات القميص

ونهايته السفلى كرباط قوي. لا يستطيع أي شخص أعمى أن يقوم بهذه الحركات بسهولة، بيد أنها لم تكن في حالة تسمح لها بإضاعة الوقت في إدّعاءات عمى أخرى، يكفي أنها تظاهرت بإضاعة الطريق. شعر اللص أن شيئاً غير عادي يجري، منطقياً، يُفترض أن الطبيب، رغم أنه اختصاصي عيون، هو من يجب أن يضمد الجرح. لكن عزاءه بأن شيئاً ما يُبذل لأجله أغرق الشكوك الغامضة التي عبرت ذهنه للحظة، تحت ثقله. عادوا للانضمام إلى الآخرين وهو يعرج، وحالما وصلوا لاحظت زوجة الطبيب فوراً أن الطفل الأحول لم يستطع الاحتمال أكثر فبلل سرواله. لا الأعمى الأوّل ولا الفتاة ذات النظارة السوداء لاحظا ذلك. ومن طرف سرواله ما زالت نقط البول تتساقط إلى بركة بول صغيرة تشكّلت عند إحدى قدميه. وكأن شيئاً لم يحدث، قالت زوجة الطبيب، لنذهب للبحث عن المراحيض. مدّ العميان أيديهم يبحث بعضهم عن بعض. ورغم أن الفتاة ذات النظارة السوداء عبّرت بجلاء أنها لا تود أن تسير أمام ذلك المخلوق الذي داعبها، إلا أن الرتل انتظم أخيراً، فسار اللص مكان الأعمى الأول وسار الطبيب بينهما. كان عرج اللص يزداد سوءاً، فراح يجر ساقه جراً. إذ كان الضماد المُحكم يضايقه والجرح ينبض بالألم وكأنّ قلبه قد بدّل مكانه واستقر في قعر تجويف ما. كانت الفتاة ذات النظارة السوداء تمسك بيد الطفل الذي بقي بعيداً عنها ما أمكنه، خشية أن يكتشف أحدهم ما حدث له، مثل الطبيب الذي غمغم، توجد رائحة بول هنا. وشعرت زوجته بضرورة تأكيد إنطباعه، فقالت، نعم توجد رائحة، لكنها لم تستطع أن تضيف أنها تنبعث من المراحيض لأنهم كانوا لا يزالون بعيدين عنها، ولأنها مضطرة أن تتصرف كعمياء، لم تستطع أن تقول إن الرائحة الواخزة تنبعث من سروال الطفل. اتفقوا جميعاً، رجالاً ونساء عندما وصلوا المراحيض، على أن يكون الطفل الأحول أول الداخلين ليريح نفسه. دخل الرجال

الثلاثة معاً، بدون أي تمييز للضرورة أو العمر، كانت المباول عامة، لا بد أن تكون كذلك في مكان كهذا، والمراحيض أيضاً. بقيت المرأتان عند الباب – يُقال إن احتمالهن أكبر، لكنْ، لكل شيء حدود. وسرعان ما اقترحت زوجة الطبيب، ربما توجد مراحيض أخرى، إلا أن الفتاة ذات النظارة السوداء، قالت، بالنسبة إلي فأنا أستطيع الانتظار. وكذلك أنا ردّت المرأة الأخرى. صمتتا قليلاً، ثم عاودتا الكلام. كيف عميتِ. مثل الآخرين، فجأة لم أعد أرى. كنتِ في المنزل. كلا. إذاً بعد أن غادرت عيادة زوجي. إلى هذا الحدّ أو ذاك. ماذا تقصدين. أقصد ليس بعد خروجي مباشرة. هل شعرت بأي ألم. كلا، لم أشعر بألم، لكن عندما فتحت عينيّ كنت عمياء. بالنسبة إليَّ فقد كان الأمر مختلفاً. ماذا تقصدين. لم تكن عيناي مغمضتين. عميت في اللحظة التي ركب فيها زوجي سيارة الإسعاف. إنه محظوظ. مَنْ. زوجك، لأنكما في هذه الحالة تستطيعان البقاء معاً. وأنا محظوظة إذاً. نعم أنتِ محظوظة. أأنت متزوجة. كلا، لست متزوجة، ولا أظنني سأتزوّج بعد الآن. لكن هذا العمى الشاذ جداً والعصيّ على التفسير العلمي لا يمكن أن يدوم إلى الأبد. وافترضي أننا سنبقى هنا، نحن والآخرون، طوال حياتنا. سيكون أمراً مرعباً. عالم مليء بالعميان.. شيءٌ لا يحتمله العقل.

خرج من المراحيض الطفل الأحول أولاً، حتى أنه لم يكن بحاجة إلى دخولها أصلاً، وقد رفع كمي سرواله حتى ركبتيه، وخلع جوربيه. لقد عدت، قال الطفل، فتحركت الفتاة ذات النظارة السوداء باتجاه الصوت، ولم تنجح محاولتها الأولى والثانية، لكنها استطاعت في الثالثة أن تجد يد الطفل المتردّدة. بعد قليل ظهر الطبيب، ثم الأعمى الأول. سأل أحدهما، أين الباقون. في الحال أمسكت زوجة الطبيب بذراع زوجها، بينما لامست يد الفتاة ذات النظارةالسوداء ذراعه وأمسكت بها.

للحظات عدّة تالية لم يجد الأعمى الأول أحداً يحميه، بعدئذٍ استقرت يد شخص ما على كتفه. هل جميعنا هنا، سألت زوجة الطبيب. لقد تخلّف عنا الشخص ذو الساق المجروحة لقضاء حاجة أخرى. عندئذٍ قالت الفتاة ذات النظارة السوداء، ربما توجد هناك مراحيض أخرى، اعذروني لم أعد أحتمل. لنذهب ونبحث، قالت زوجة الطبيب، فذهبتا معاً يداً في يد. عادتا في غضون عشر دقائق، وجدتا غرفة معاينة فيها مرحاض خاص. كان اللص قد عاد وهو يشكو من برودة وألم في ساقه. عاودوا الاصطفاف في الرتل على الترتيب نفسه، وبجهد أقل من السابق ومن دون أحداث، عادوا إلى الغرفة. ببراعة غير منظورة، ساعدتهم زوجة الطبيب على الوصول كلاً إلى سريره الذي كان يشغله، إذ اقترحت عليهم قبل أن يدخلوا الغرفة، وكأن الأمر إثبات للذات بالنسبة إلى الجميع، أن الطريقة الأسهل ليجد الجميع أسرّتهم هي أن يعدّوا الأسرة بدءاً من السرير الأول عند المدخل، وأضافت، سريرانا هما الأخيران في الجهة اليمنى، التاسع عشر والعشرون. كان اللص أول من دخل الممر بين الأسرّة، عارياً تقريباً، ويرتجف من رأسه إلى قدميه، يشغله هاجس تخفيف الألم في ساقه، وهذا بالنسبة إليه سبب كافٍ ليُعطى الأولوية. تنقّل من سرير إلى آخر يتلمس الأرض بقدمه بحثاً عن حقيبته وعندما وجدها، قال بصوت عالٍ، إنها هنا، وأضاف بعدئذٍ، السرير الرابع عشر. في أي جهة، سألته زوجة الطبيب. في الجهة اليسرى، أجابها واستغراب غامض يلفّ دماغه، وكأنها يجب أن تعرف ذلك بدون أن تسأله. دخل الأعمى الأول، ثانياً. كان يعرف أن سريره بعد سرير اللص بسرير وفي الجهة نفسها. لم يعد خائفاً من النوم قريباً منه، إذ إن حال ساقه سيئة جداً، وبالحكم على أنينه وتنهداته، فإنه من الصعب أن يتمكّن من الاعتداء عليه ثانية. عندما وصل سريره صاح، السرير السادس عشر، في الجهة اليسرى ثم جلس عليه بكامل ثيابه.

بعدئذٍ توسّلت الفتاة ذات النظارة السوداء بصوت خفيضٍ، أيمكننا البقاء قريبين منكما في الجهة الأخرى، سنشعر بأمان أكثر بقربكما. تقدموا أربعتهم معاً، وجلسوا على أسرّتهم فوراً. بعد دقائق عدة قال الطفل الأحول، أنا جائعٌ، فدمدمت الفتاة ذات النظارة السوداء، غداً، غداً سنجد شيئاً ما نأكله، نمْ الآن. بعدئذٍ فتحت حقيبة يدها، بحثت عن زجاجة القطرة التي اشترتها من الصيدلية، نزعت نظارتها، رمت رأسها إلى الوراء، أبقتْ عينيها مفتوحتين، وبيد قادت الأخرى ثم قطرت في عينيها. لم تسقط كلُّ القطرات في عينيها. إلا أن التهاب الملتحمة تراجع بسرعةٍ بعد معالجة مواظبة كهذه.

يجب أن أفتح عينيّ، قالت زوجة الطبيب لنفسها. فقد رأت عبر جفونها المغمضة، عندما استيقظت مرات عدة في أوقات مختلفة من الليل، ضوء المصابيح الباهت الذي بالكاد يضيء الغرفة، لكن بدا أنها تلاحظ الآن اختلافاً، إضاءة أخرى، قد تكون بفعل بصيص أول الفجر، أو أن ذلك البحر الحليبي قد بدأ يُغرق عينيها. قالت لنفسها، سأعدّ حتى العشرة ثم أفتح عيني. كررت القول والعدَّ مرتين، وفشلت في فتح عينيها. كانت تستطيع سماع تنفس زوجها العميق في السرير المجاور، وشخير شخصٍ ما. كيف حال الجرح في ساق ذلك الشخص، سألت نفسها، لكنها في اللحظة نفسها أدركت أنها لا تشفق عليه، بل أرادت التظاهر بالانشغال في شيء ما، الشيء الآخر الذي أرادته هو ألا تفتح عينيها. وفي اللحظة التالية فتحتهما، هذا ما حصل، فتحتهما من دون قرار واعٍ. دخل الضوء عبر النوافذ التي تشغل الجزء الأعلى من الجدار، من منتصفه حتى السقف الذي يفصلها عنه مسافة لا تتجاوز عرض راحة اليد. إنه ضوء الفجر الباهت المزّرق، لست عمياء إذاً، دمدمت لنفسها، وذعرت فجأة. استوت في سريرها، ربما سمعتها الفتاة ذات

النظارة السوداء في السرير المقابل. كانت نائمة على السرير التالي لذلك الملاصق للجدار، والطفل نائم أيضاً. لقد فعلت مثلي، فكرت زوجة الطبيب لنفسها، أعطته المكان الأكثر أماناً. ما هذه الجدران الهشة التي نبنيها، مجرد حجارة مرصوفة في منتصف الطريق، لا أمل لنا فيها سوى أن نرى العدو يتجاوزها. عدوٌّ، إن أحداً لن يهاجمنا هنا، حتى لو كنا قد قتلنا ونهبنا هناك في الخارج، فمن غير المحتمل أن يأتي أحدٌ إلى هنا لاعتقالنا.. إننا بعيدون جداً عن العالم وفي أيِّ يوم، من الآن فصاعداً، سوف لن نعرف مَنْ نكون، حتى أننا لن نتذكر أسماءنا، ثم ما نفع الأسماء لنا، إذ إن الكلب لا يميّز كلباً آخر، أو يعرف الكلاب الأخرى من الأسماء التي تطلق عليها، فالكلب يُعرف برائحته وبالطريقة نفسها يعرف الكلاب الأخرى، الملامح ونحن هنا مثل سلالة أخرى من الكلاب، يعرف أحدنا الآخر من نباحه أو كلامه، أما بالنسبة للصفات الأخرى، الملامح، لون الأعين أو الشعر فلا أهمية لها، وكأنها ليست موجودة. ما زلت أبصر ولكن إلى متى. تغيّر الضوء قليلاً. لا يمكن أن يكون الليل عائداً القهقرى، لا بد أن السماء تغيّم، مؤخِّرة قدوم الصباح. صدر عنينٌ من جهة سريراللص. إذا ما تجرثم الجرح، فلا شيء لدينا نعالجه به، لا علاج، ففي هذه الظروف يمكن أن يصبح أصغر حادث مأساةً حقيقيةً، وربما هذا ما ينتظرونه، أن نهلك هنا، واحداً بعد الآخر، فعندما يموت الحيوان يموت السم معه. نهضت زوجة الطبيب من سريرها، انحنت فوق زوجها، على وشك أن توقظه غير أنها افتقدت الشجاعة لذلك وهي تعرف أنه لا يزال أعمى. توجهت حافيةً بهدوء، إلى سرير اللص. عيناه مفتوحتان لا تتحركان. كيف تشعر الآن، همست زوجة الطبيب. أدار اللص وجهه ناحية الصوت وقال، سيّء، ساقي تؤلمني. أوشكت أن تقول له دعني أراها، لكنها أحجمت في الوقت المناسب. ما هذه الحماقة. فهو الذي نسي أنه لا يوجد هنا إلاّ العميان، تصرف من غير

تفكير وأزاح البطانية، كما كان سيفعل قبل بضع ساعات، هناك في الخارج لو قال له طبيبٌ، أرني الجرح. إن أي شخص مبصر بوسعه في نصف العتمة هذه أن يرى الضماد وقد انحلّ رباطه وتبلّل بالدم، والثقب الأسود للجرح بحوافه المتورمة. أعادت زوجة الطبيب البطانية بحذر، بعدئذٍ، وبحركة سريعة رشيقة، مررت يداً فوق جبين الرجل. كانت بشرته جافة وحرارته مرتفعة. تغيّر الضوء ثانية، السماء تنجلي. عادت زوجة الطبيب إلى سريرها، إلا أنها لم تستلقِ فيه هذه المرة. كانت ترقب زوجها الذي يدمدم في نومه، وأشكال الآخرين الشبحية تحت البطانيات الرمادية، الجدران الوسخة، والأسرّة الفارغة بانتظار أن تمتلئ. وتمنّت بصفاء لو أنها تُعمى أيضاً، تخترق القشرة المرئية للأشياء وتلج عمقها. إلى عمائها المدوخ غير القابل للشفاء.

فجأة، ومن خارج الجناح، ربما من الردهة الفاصلة بين الجناحين، وصلتها أصواتٌ غاضبةٌ. اخرجوا، اخرجوا، اغربوا من هنا، لا يمكنكم البقاء هنا، يجب أن تطيعوا الأوامر. تعالت الضجة ثم تخامدت ثانية، وانصفق باب، وكل ما أمكن سماعه الآن هو النحيب، وجلبة سقوط شخص ما، جلبة لا يمكن الخطأ فيها. أداروا رؤوسهم باتجاه المدخل، ما كانوا بحاجة لأن يبصروا كي يعرفوا أن هؤلاء عميان وصلوا الآن. نهضت زوجة الطبيب. كم كان سيسعدها لو تساعد القادمين الجدد، تواسيهم بكلمة، توصلهم إلى أسرّتهم، تقول لهم، انتبه هذا هو السرير السابع في الجهة اليسرى، هذا السرير الرابع في الجهة اليمنى، لا يمكنك أن تخطئه. نعم، نحن هنا ستة، جئنا أمس. نعم كنا الأوائل. أسماؤنا، ماذا تهمّ الأسماء، أعتقد أن أحد الرجال قد سرق سيارة، ثم هناك الرجل الذي سُرِق، وفتاة غامضة تلبس نظارة سوداء وتقطر في عينيها قطرة لالتهاب الملتحمة. كيف أعرف وأنا عمياء، أنها تلبس

نظارة، حسن اتفق أن زوجي اختصاصي عيون، وكانت في عيادته أمس، ويوجد أيضاً الطفل الأحـول. لم تتحرك من مكانها، وقالت لزوجها، إنهم يقتربون. نهض الطبيب من سريره، ساعدته زوجته في لبس سرواله، ليست مشكلة فلا أحد يستطيع أن يراها. في هذه اللحظة دخل المحتجزون إلى الغرفة، كانوا خمسة، ثلاثة رجال وامرأتين. قال الطبيب بصوت مسموع، اهدأوا، لا داعي للعجلة، نحن هنا ستة، كم عددكم، هنا متسع للجميع. لا يعرفون عددهم، صحيح أنهم احتكوا بعضهم ببعض، وتعثروا أحياناً أحدهم بالآخر، وهم يتدافعون من الجناح الأيسر إلى الجناح الأيمن، لكنهم لم يعرفوا كم واحداً كانوا. ولم يكن بحوزتهم أمتعة. فعندما استيقظوا في جناحهم عمياناً بدأوا النواح على مصيبتهم، فطردهم الآخرون بدون تمهل، حتى بدون أن يتيحوا لهم مجالاً لوداع أي أقرباء أو أصدقاء ربما كانوا معهم. علّقت زوجة الطبيب، من الأفضل لو يستطيعون العد وكلّ منهم يقدّم اسمه. تجمد المحتجزون، في أماكنهم متردّدين، لكن لا بد أن يبدأ أحدهم، فاتفق أن تكلم رجلان منهم في الوقت نفسه، وصمتا كلاهما، فبدأ الشخص الثالث، أنا الرقم واحد، وتوقف، بدا على وشك تقديم اسمه، لكنه قال، أنا شرطي. فكرت زوجة الطبيب لنفسها، لم يقدّم اسمه، هو أيضاً يعرف ألاّ أهمية للأسماء هنا. قدّم رجل آخر نفسه، أنا الرقم اثنان سائق تاكسي. قال الرجل الثالث، رقم ثلاثة، مساعد صيدلي. بعدئذٍ تكلمت امرأة، رقم أربعة، أنا عاملة فندق، وآخرهم، رقم خمسة، أنا موظفة. إنها زوجتي، زوجتي أين أنت، قولي أين أنت. هنا، أنا هنا، قالت وانفجرت في البكاء، وتقدمت بخطا مترنحة على طول الممر بين الأسرّة وعيناها مفتوحتان، يداها تجاهدان في البحر الحليبي الغارقتان فيه. تقدّم نحوها بثقة أكبر، وهو يتمتم كأنه يصلي، أين أنت، أين أنت. وجدت يدٌ رفيقتها، وفي اللحظة التالية كانا متحاضنين، جسداً واحداً، قُبلاً

تبحث عن قُبل، تضيع أحياناً في الهواء، لأنهما لم يستطيعا رؤية خدّي أحدهما الآخر، أو شفتيه. تعلقت الزوجة برقبة زوجها وراحت تنشج وكأنهما اجتمعا الآن. وكان بالإمكان سماع صوت الطفل الأحول يسأل، هل أمي موجودة أيضاً. جلست الفتاة ذات النظارة السوداء على سريره ودمدمت، ستأتي، لا تقلق ستأتي.

البيت الحقيقي للمرء هنا هو سريره. لذلك لا تستغربوا كثيراً أن ينصب اهتمام الواصلين الجدد على اختيار سرير، تماماً كما فعلوا في الجناح الآخر، عندما كانوا لا يزالون مبصرين. بالنسبة إلى زوجة الأعمى فمكانها الصحيح والطبيعي هو بجانب زوجها، في السرير السابع عشر، تاركة السرير الثامن عشر في الوسط فارغاً يفصلهما عن الفتاة ذات النظارة السوداء. يوجد هنا العديد من الصلات، بعضها معروف، وبعضها سيُعرف لاحقاً، فعلى سبيل المثال، إن مساعد الصيدلي هو الذي باع القطرة للفتاة ذات النظارة السوداء، وهذا سائق التاكسي الذي أوصل الأعمى الأول إلى عيادة الطبيب، والشخص الذي قال إنه شرطي وجد اللص يبكي كطفل ضائع، وبالنسبة إلى عاملة الفندق فقد كانت أول من دخل الغرفة عندما أصيبت الفتاة ذات النظارة السوداء بنوبة صراخ. مع ذلك فمن المؤكد أنه لن تتضح وتُعرف كل الصلات، إما لانعدام الفرصة، وإمّا لأنه ما من أحد منهم تخيّل أنهم يمكن أن يجتمعوا هنا، وإمّا لأنها ببساطة مسألة إحساس ولباقة. فلن تتخيل عاملة الفندق أبداً أن الفتاة التي رأتها عارية، موجودة هنا. ونعرف أن مساعد الصيدلي باع قطرات عينية لزبن آخرين يلبسون نظارات سود، وما من أحد ستبلغ وقاحته حد أن يبلّغ الشرطي عن وجود شخص ما سرق سيارة. وسيقسم سائق التاكسي أنه لم ينقل بسيارته خلال الأيام الماضية رجلاً أعمى. طبيعي أن الأعمى الأول قد أخبر زوجته بصوت

خفيض أن أحد المحتجزين هنا هو الوغد الذي هرب بسيارتهما. يا لها من مصادفة. آه، لكن في الوقت نفسه، بما أنه يعرف أن ساق الشيطان التعس قد تأذّت كثيراً، أضاف بشهامة، لقد نال جزاءً كافياً. وبسبب إحباطها الشديد من عماها وفرحتها باستعادة زوجها، فالفرح والأسى قد يجتمعان معاً، لا كما الماء والزيت، لم تعد تذكر ما قالته منذ يومين بأنها مستعدة أن تخسر سنة من عمرها، وهذه كلماتها حرفياً، مقابل أن يعمى هذا الوغد. وإن كان أدنى أثر من الامتعاض ما زال يعتمل داخلها فقد تبخّر عندما أنَّ الرجل الجريح أنيناً مثيراً للشفقة. دكتور، أرجوك ساعدني. سار الطبيب على هدى زوجته، تلمس حواف الجرح، لم يستطع أكثر من ذلك، وليس من فائدة تذكر في محاولة غسله من جديد، فربما نتج التجرثم عن احتمالين متكافئين، أوساخ من شوارع المدينة وأرضية المكان هنا كانت عالقة بكعب الحذاء، الذي نفذ عميقاً في ساقه، أو عن جراثيم يحتمل أنها موجودة في الماء الآسن الملوّث الذي يستجرّونه، في ظروف مرعبة، من أنابيب عتيقة. نهضت الفتاة ذات النظارة السوداء عندما سمعت أنينه، وتقدمت ببطء وهي تعدّ الأسرّة. انحنت إلى الأمام، مدت يدها التي لامست وجه زوجة الطبيب، بعدئذٍ، ومَنْ يعرف كيف، لمست يد الرجل الجريح الساخنة جداً، قالت بصوت خفيض، سامحني أرجوك، كانت غلطتي أنا، لم يكن ضرورياً أن أفعل ما فعلت. انسيها، ردَّ الرجل، هذه أمور تحدث في الحياة، وما كان ينبغي لي أن أفعل ما فعلت أيضاً.

صدح مكبر الصوت عالياً بصوت خشن طغى تقريباً على كلماتها الأخيرة. انتباه، انتباه، وُضع طعامكم وكذلك مواد التنظيف والصحة العامة عند المدخل، ليتجه العميان أولاً إلى جلب طعامهم، وسنبلّغ حاملي العدوى متى يحين دورهم. انتباه، انتباه، وضع طعامكم عند

المدخل، ليتجه العميان أولاً إلى المدخل، العميان أولاً. لم يفهم الرجل الجريح الذي دوّخته الحمى، كل الكلمات، فاعتقد أنهم يبلغونهم عن انتهاء احتجازهم، فحاول النهوض. لم تسمح له زوجة الطبيب بذلك. إلى أين تذهب. ألم تسمعي، سألها، قالوا إن على العميان أن يغادروا. نعم، لكن من أجل إحضار الطعام. تنهد الرجل الجريح قانطاً، وشعر ثانية بالألم يخترق جسده. قال الطبيب، ابقي هنا، سأذهب. سآتي معك، قالت زوجته. كانا على وشك الخروج من الغرفة، عندما سأل رجل من الذين جاؤوا من الجناح الآخر، مَنْ هذا الشخص. إنه طبيب، أجابه الأعمى الأول، اختصاصي عيون. رائع، قال سائق التاكسي، من حظنا أن نجتمع مع طبيب لا يستطيع مداواتنا. ونحن أيضاً التقينا مع سائق تاكسي لا يستطيع أن يأخذنا إلى أي مكان، قالت الفتاة ذات النظارة السوداء، ساخرةً.

كان صندوق الطعام في الردهة الرئيسية. طلب الطبيب من زوجته، خذيني إلى الباب الرئيسي. لماذا. سأخبرهم أن لدينا شخصاً مصاباً بالتهاب حاد وليس لدينا أدوية. تذكّر تحذيرهم. نعم، لكن ربما عندما نواجههم بحالة ملموسة. أشك في هذا. وأنا أيضاً، لكن يجب أن نحاول. وقفا على المصطبة فوق الدرجات النازلة إلى الساحة الأمامية. بهر ضوء النهار زوجته، لا لأنه كان ساطعاً، فالسماء تتخللها غيوم سوداء، وبدت كأنها ستمطر. أفي وقت قصير كهذا اعتادت عيناي الضوء الشحيح. في تلك اللحظة، صاح جندي من جهة البوابة. قفا، عودا، لدي أوامر بإطلاق النار، بعدئذٍ صوّب بندقية نحوهما وبالنبرة نفسها صاح، رقيب، هناك شخصان يحاولان الخروج. لا رغبة لدينا في الخروج صاح الطبيب محتجّاً. برأيي أنهما لا ينويان الخروج، قال الرقيب وهو يقترب لينظر عبر قضبان البوابة الرئيسية، وسأل،

ما الأمر. يوجد هنا شخص تأذّت ساقه، والتهب جرحها، إننا بحاجة ماسة لمضادات حيوية وأدوية أخرى. إن الأوامر لديّ واضحة جداً، لا يسمح لأحد بالخروج، والشيء الوحيد المسموح بإدخاله هو الطعام. إذا ساء وضع الجرح، ويبدو الأمر مؤكداً، فسوف يكون مميتاً. هذا ليس من شأني. اتصل برؤسائك إذاً. انظر أيها الأعمى، أقول لك إما أن تعودا من حيث أتيتما وإما أن أُطلق النار عليكما. لنعدْ، قالت زوجته، لا يسعنا فعل شيء، ولا يلامون، لأنهم خائفون وينفذون الأوامر. لا أستطيع أن أصدق ما يحدث، إنه يخالف كل المعايير الإنسانية. الأفضل أن تصدقه، فالحقيقة لا يمكن أن تكون أوضح من أنها حقيقة. ما زلتما هناك، سأعدّ حتى الثلاثة وإن لم يدخلا فليتأكدا أنهما لن يعودا إلى الداخل أبداً. واحد، اثنان، ثلاثة، جيد. كان عند كلمته. حتى لو كان أخي، وجّه كلامه للجنود إلا أنه لم يبيّن لهم مَنْ قصد بكلامه، ذلك الذي جاء يطلب الدواء، أم ذلك الآخر ذا الساق المتجرثمة. أراد الرجل الجريح في الداخل أن يعرف إذا ما كانوا سيعطونهم أدوية. كيف عرفت أني ذهبت لأطلب دواءً، سأله الطبيب، خمّنت أنك في نهاية المطاف، طبيب. آسف. هل تعني، آسف، أن لا دواء. نعم، تعني ذلك.

كان الطعام محسوباً بدقة ليكفي خمسة أشخاص، زجاجات حليب، بسكويت، غير أن من أعدّ لهم الطعام نسي أن يضع لهم كؤوساً، وأطباقاً، أو سكاكين، ربما ستأتي مع الغداء. أعطت زوجة الطبيب بعض الحليب للجريح، لكنه تقيأه. تذمّر سائق التاكسي من الحليب فهو لا يحبه، وسأل إن كان بوسعه الحصول على بعض القهوة. عاد بعضهم إلى الأسرّة بعد الطعام، وحدهما الأعمى الأول وزوجته ذهبا لاستطلاع المكان. طلب مساعد الصيدلي أن يُسمح له بالتحدث إلى الطبيب. أراد أن يعرف إن كان الطبيب قد خلص إلى رأي حول مرضهم. لا أعتقد أن بوسعنا

تسمية هذا مرضاً، وشرع الطبيب يشرح له، وبكثير من التبسيط أوجز له ما بحث عنه في المراجع الطبية قبل أن يعمى. كان سائق التاكسي، الذي تفصله عنهما عدة أسرّة، يصغي باهتمام، وعندما أنهى الطبيب شرحه، علّق السائق بصوت عالٍ، أراهن أن ما حدث هو أن القنوات التي تصل بين العينين والدماغ قد احتقنت. مجنون غبي، زمجر مساعد الصيدلي بازدراء. مَنْ يعرف، قال الطبيب ولم يستطع أن يغالب ابتسامته، في الواقع.. إن العينين ليستا سوى عدستين، والعقل هو الذي يقوم بفعل الرؤية، تماماً كما تظّهر الصورة على الفيلم، وإذا انسدّت القنوات كما افترض الرجل، فيحدث هنا كما يحدث في مكربن السيارة (الكاربرتور) الذي إن لم يصله الوقود لا يقلع المحرك ولا تسير السيارة. الأمر في غاية البساطة كما ترى، قال الطبيب لمساعد الصيدلي. وكم تعتقد سيطول احتجازنا هنا، دكتور، سألت عاملة الفندق. على أقل تقدير، سيحتجزوننا ما دمنا غير قادرين على أن نرى. وكم سيطول ذلك، بصراحة لا أعتقد أن أحداً يعرف، فإما أن يكون الاحتجاز مؤقتاً وإما أن يستمر إلى الأبد. كم أودُّ لو أعرف، تنهّدت العاملة وأضافت بعد برهة، أود لو أعرف أيضاً ما جرى لتلك الفتاة. أيّ فتاة، سأل مساعد الصيدلي. تلك التي كانت في الفندق، تسببت لي بصدمة كبيرة، عندما رأيتها وسط الغرفة عاريةً كما ولدتها أمها، إلا من نظارة سوداء، وتصرخ أنا عمياء، ربما هي التي عدتني. نظرت زوجة الطبيب فرأت الفتاة تخلع نظارتها ببطء وتضعها تحت الوسادة، وهي تسأل الطفل الأحول، أتريد بعض البسكويت. للمرة الأولى بعد وصولهم إلى هنا شعرت زوجة الطبيب كأنها تنظر عبر مجهر وتراقب سلوك عدد من الكائنات البشرية لا يشكّون بوجودها، صدمها هذا الشعور بكونها وضيعةً وقذرةً. فكرت لنفسها، لا حق لي في أن أنظر مادام الآخرون

عاجزين عن رؤيتي. قطرت الفتاة بيدٍ مرتجفة قطرات عدّة في عينيها. وهذه تتيح لها الادّعاء بأن ما يجري من عينيها ليس دموعاً.

أخبرهم مكبر الصوت بعد ساعات عدة، بأن عليهم التحرك لإحضار غدائهم، فتطوّع الأعمى الأول وسائق التاكسي للقيام بهذه المهمة التي لا تحتاج بالضرورة إلى بصرٍ ما داما قادرين على التلمّس بأيديهما. كانت صناديق الطعام بعيدة قليلاً عن الباب الذي يصل بين الردهة الأساسية والممرات، فاضطرا إلى الزحف على أربعٍ كانسين الأرضية كي يصلا إلى الصناديق، مادين في الهواء يداً مستخدمين الثانية كمخلب ثالث. وإن كانا لم يجدا صعوبة في العودة إلى الجناح فمردٌّ ذلك إلى فكرة زوجة الطبيب، فكرة جاهدت لإقناعهم أنها اكتسبتها بخبرتها الشخصية، بأن يصنعوا حبلاً من بطانية يربطون إحدى نهايتيه بمسكة باب الغرفة والأخرى بكاحل أي شخص يذهب إلى إحضار الطعام. ذهب الرجلان، ووجدا هذه المرّة أطباقاً وسكاكين، إلا أن كمية الطعام ما زالت لخمسة فقط. والاحتمال الأرجح هو أن الرقيب الذي يوزع الطعام على الجناحين، لم يعرف أنهم زادوا ستة أشخاص، لأن الموجودين في الخارج حتى إن اهتموا بما يجري في الداخل فإن المصادفة وحدها ستمكن أياً منهم من أن يعرف من خلال الظلال التي تتحرك في الردهة، بانتقال أحد ما من جناح إلى آخر. تطوّع سائق التاكسي أن يذهب ويطالب بحصص الطعام الناقصة، ذهب بمفرده، فلم يرغب برفقة أحد. نحن لسنا خمسة فقط، إننا أحد عشر شخصاً، نادى على الجنود. فانبرى له الرقيب نفسه من الجهة الأخرى قائلاً، اخرس سيأتي المزيد في ما بعد. وإذا صدقنا ما قاله سائق التاكسي عندما عاد، فقد بدت له نبرة الرقيب ساخرةً، وقال لهم بدا لي أنه يسخر منّي. تقاسموا الطعام، قسَّموا حصة خمسة على عشرة، إذ إن الرجل

الجريح ما زال يرفض تناول الطعام ولم يطالب إلا بقليل من الماء، ورجاهم أن يرطبوا له شفتيه. كانت درجة حرارته مرتفعة جداً. وبما أنه غير قادر على احتمال احتكاك البطانية وثقلها فوق جرحه لفترة طويلة، راح يكشف ساقه من حين لآخر، غير أن الهواء البارد في الغرفة سرعان ما يجبره على تغطيتها ثانيةً، ودامت هذه الحال ساعات عدّة. وفي فترات متعاقبة منتظمة يُسمع أنينه الذي بدا كلهاث مكتوم، كأن الألم الدائم المطّرد قد ازداد وطأة قبل أن يستطيع السيطرة عليه.

وصل ثلاثة عميان جدد عصر ذلك اليوم. كان أحدهم موظف الاستقبال في العيادة، فعرفته زوجة الطبيب فوراً، والآخران كما حكم القدر، الرجل الذي كان يضاجع الفتاة في الفندق وذلك الشرطي الوقح الذي أوصلها إلى البيت. وما إن وصلوا واستقروا على أسرّتهم حتى انخرط موظف الاستقبال في بكاء يائس. لم يقل الآخران شيئاً، وكأنهما لا يزالان عاجزين عن فهم ما جرى. فجأة وصلهم صراخ ناس من الشارع، أوامر تعطى بصوت عالٍ، وهدير أناس محتجّين. أدار المحتجزون رؤوسهم ناحية الباب وانتظروا. لم يستطيعوا أن يروا إلا أنهم عرفوا ماذا سيحدث خلال بضع دقائق. جلست زوجة الطبيب على السرير قرب زوجها وقالت بصوت خفيض، لا بد أن الجحيم الموعود على وشك أن يبدأ. شدّ على يدها ودمدم، لا تتحركي فمن الآن فصاعداً لا يمكنك أن تفعلي شيئاً. تلاشى الصراخ، وسمعت الآن جلبة أصوات قادمة من ناحية الردهة، إنهم العميان.. وهم هائمون كالخراف، يتعثر أحدهم بالآخر. انحشروا داخل الأبواب، فقد بعضهم الإحساس بالاتجاه فضلّوا إلى غرف أخرى، غير أن معظمهم تابعوا متعثرين، متجمعين في مجموعات أو مشتتين واحداً إثر الآخر، يلوحون يائسين بأيديهم في الهواء وكأنهم يغرقون، واندفعوا إلى داخل الغرفة كريح عاصفة، كأن

بلدوزراً قد دفعهم من الخارج. سقط بعضهم أرضاً وداسته أقدام. بدأ الواصلون الجدد، بعد أن انحشروا في الممر الضيق، يملأون الفراغات بين الأسرّة، وهنا كسفينة علقت في العاصفة غير أنها استطاعت أخيراً أن تصل الميناء، استقروا في مراسيهم، أسرّتهم، مصرّين على ألاّ أماكن إضافية وأن على القادمين الجدد أن يبحثوا عن أماكن في غرف أخرى، غير أن القلة القليلة التي بقيت بدون أسرّة خافت أن تضيع في متاهة الغرف، الممرات، الأبواب المغلقة، والأدراج التي قد يعون وقوعهم فيها بعد فوات الأوان. في نهاية المطاف أدركوا أنهم لا يستطيعون البقاء هناك، هكذا راحوا يجاهدون لبلوغ الباب الذي دخلوا منه. غامروا في السير إلى المجهول. وكأنهم يبحثون عن الملاذ الآمن الأخير، تدبّر المحتجزون الخمسة في المجموعة الثانية الوصول إلى الأسرّة الفارغة التي كانت تفصل بينهم وبين المجموعة الأولى. وحده الرجل الجريح بقي معزولاً بدونِ حماية، على السرير الرابع عشر في الجهة اليسرى.

بصرف النظر عن البكاء والعويل، فبعد ربع ساعة من وصولهم ورسوّهم فوق الأسرّة واستعادة هدوئهم العقلي إلى حدّ ما، هدأت أصواتهم المكتومة. كانت الأسرّة كلّها مشغولةً. والمساء يتوغل في الغرفة، فبدت الأضواء الشاحبة تستعيد القوة. بعدئذٍ صدح مكبر الصوت مكرراً التعليمات ذاتها، كما في اليوم الأول، بخصوص حفاظ المحتجزين على الجناحين، وكذلك ضرورة انقيادهم للتعليمات، أسف الحكومة لأنها فرضت بالقوة ما تعده حقاً وواجباً، لتحمي الشعب بكل الوسائل المتاحة خلال الأزمة الراهنة. إلخ، إلخ.. عندما توقف الصوت تعالى كورس أصوات ساخطة محتجّة، لقد حبسنا هنا. سنموت هنا. هذا ظلمٌ. أين الأطباء الذين وعدنا بهم. هذا شيء جديد، فقد وعدت الحكومة بأطباء، مساعدات طبية، وربما بشفاء تام. لم يعلن الطبيب

أنه مستعد لتقديم خدماته إذا ما احتاجوا إلى مساعدة طبية. ولن يعلن ذلك ثانية. فيداه وحدهما لا تكفيان. فالطبيب يعالج بالأدوية، بالعقاقير، بالمركبات الكيماوية وبمزيج من هذا وذاك، ولا يوجد هنا أدنى أثر من مواد كهذه، ولا أمل لهم في الحصول عليها. حتى أنه يفتقد البصر كي يستطيع أن يرى أي شحوب مرضي، فرط التروية المحيطية، تلوّن المخاط والخضاب، فكثيراً ما تكون هذه العلائم، بدون الحاجة إلى فحص أدق، مفيدة باعتبارها تشخيصاً سريرياً في تاريخ المرض، ويمكن إلى حد بعيد أن نستنتج منها التشخيص الصحيح. لا يمكن تجاهل هذا. وبما أن كل الأسرّة من حولهما أصبحت مشغولة، لم تعد زوجة الطبيب قادرةً على إخباره بما يجري، غير أنه شعر بجوّ التوتر والضيق يتسع على صراع مفتوح، وهذا من صنع مجموعة المحتجزين الجديدة. بدا أن هواء الغرفة نفسها أصبح أثقل، يطلق روائح قوية متباطئة، وعصفات مفاجئة أقل ما توصف به أنها تثير الغثيان. كيف سيصبح هذا المكان خلال أسبوع، سأل نفسه وأرعبه التفكير في أنهم سيبقون محتجزين هنا لمدة أسبوع، مفترضاً أنهم لن يواجهوا مشكلات في الطعام المقدم لهم، ومَنْ يستطيع أن يجزم في أن النقص ليس قائما الآن، فأنا أشك، مثلاً، إذا ما كان لدى هؤلاء في الخارج أي فكرة كم أصبح عدد المحتجزين هنا بين لحظة وأخرى، والسؤال هنا هو كيف سيحلون مشكلة الصحة العامة، ولا أقصد هنا كيف نحافظ على نظافتنا الشخصية، لأننا عمينا منذ أيام ولا أحد يساعدنا، أو إذا ما كانت الحمامات صالحة وإلى متى، بل أشير إلى الأمور الأخرى، كل المشكلات الأخرى المحتملة، إذا ما انسدت المراحيض، أو واحدٌ منها، فسيتحوّل هذا المكان إلى مجرور. فرك وجهه بيديه، شعر بخشونة ذقنه بعد ثلاثة أيام بدون حلاقة، إنها أفضل هكذا، آمل ألا تخطر لهم فكرة إرسال أمواس حلاقة أو مقصات. ففي حقيبته توجد كل الأدوات

اللازمة للحلاقة، لكنه يعي محاولة أن ذلك ستكون خطأ، وأين، ليس هنا في الغرفة وسط كل هؤلاء الناس، صحيح أن بوسع زوجتي أن تحلق لي، بيد أن الآخرين سيعرفون بالأمر بسرعة ويستغربون وجود شخص مبصرٍ هنا، قادر على تقديم هذه الخدمات. وهناك في الداخل، في «الدوش»، سيرتبكون كثيراً، يا إلهي، كيف فقدنا بصرنا، فقدنا قدرتنا على الرؤية، حتى إن كانوا مجرّد أخيلة، يقفون أمام المرآة، يرون بقعة سوداء تتخللها فيقولون، هذا وجهي، فأيّ شيء مضيء. لا ينتمي إليّ إذاً.

خمدت التذمرات شيئاً فشيئاً، جاء أحد نزلاء الغرف الأُخرى يستفسر إذا ما كان لديهم بقايا طعام، فأسرع سائق التاكسي بالرّد عليه، ولا حتى كسرة. أراد مساعد الصيدلي أن يستعرض إرادته الطيبة، أن يلطف حدّة الرفض، فأضاف، ربما سيصل المزيد من الطعام. غير أن لا شيء سيصلهم. هبط الظلام ولم يأتِ من الخارج لا طعام ولا كلام. سُمع بكاء من الغرفة المجاورة، بعدئذٍ خيم صمت، فإن كان أحد يبكي فإنه يذرف الآن دموعه بصمت، إذ لم يخترق البكاء الجدران. ذهبت زوجة الطبيب لتطمئن على الجريح. هذه أنا، قالت له، وهي ترفع البطانية بحرص. كان منظر ساقه مرعباً، لقد انتفخت تماماً من الفخذ حتى القدم، وأصبح الجرح بقعة سوداء تتخللها بثور حمراء بنفسجية وقد اتسعت رقعته، وكأن اللحم قد اتسع من الداخل. كانت تنبعث منه رائحة نتنة كريهة وحلوة قليلاً. كيف تشعر، سألته زوجة الطبيب. شكراً لمجيئك. قل لي كيف تشعر. سيّئ. تتألم. نعم ولا، ماذا تقصد. إنها تؤلمني لكن كأنها لم تعد ساقي، كأنها انفصلت عن جسدي، لا أستطيع أن أشرح لك، إنه شعور غريب، وكأنني أجلس هنا أراقب ساقي تؤلمني. هذا لأنك محموم. ربما. حاول أن تنام. وضعت يدها على جبينه، بعدئذٍ همّت

بالانسحاب، غير أنه وقبل أن تتمنى له ليلة سعيدة، أمسك بذراعها وقرّبها إليه مرغماً إياها أن تدني وجهها من وجهه. أعرف أنك تستطيعين أن تري، قال بصوت خفيض. أنت مخطئ، ما الذي أدخل هذه الفكرة في رأسك، إن كنت أرى فإني أرى مثل أي شخص هنا. لا تحاولي خداعي، لن أنبس بكلمة واحدة لأي مخلوق. نَمْ، نَمْ. ألا تثقين فيَّ. بالطبع أثق. ألا تثقين بوعد لص. قلت لك إني أثق فيك. لمَ لا تخبرينني بالحقيقة إذاً. سنتكلم في الأمر غداً، نم الآن. نعم غداً، إن عشت حتى الغد. يجب ألا تفكّر في الأسوأ. أنا أفكر، أو ربما هي الحمى تفكّر عني. عادت وانضمت إلى زوجها وأخبرته همساً في أذنه، يبدو الجرح سيئاً جداً، أيمكن أن تكون الغرغرينا. من غير المرجح في هذه الفترة القصيرة. أياً تكن فإن حالته سيئة. قال الطبيب بصوت تعمده عالياً، ونحن نُحتجز هنا في خم وكأن العمى ليس كافياً، وقد يوثقون أيدينا وأرجلنا أيضاً. من السرير الرابع عشر في الجهة اليمنى رد المريض، إن أحداً لن يوثقني، دكتور. مرت الساعات تباعاً، وغط المحتجزون العميان في نوم عميق. غطى البعض رؤوسهم بالبطانيات، وكأنهم يتلهفون إلى رؤية بقعة سوداء مظلمة، ظلمة حقيقية، قد تطفئ مرّة واحدة وإلى الأبد تلك الشموس الشاحبة التي سكنت أعينهم. تتدلى ثلاثة مصابيح من السقف العالي، لا تطولها الأيدي، تنشر فوق الأسرّة ضوءاً شاحباً مصفراً، عاجزاً حتى عن خلق ظلال. كان الأشخاص الأربعون نائمين أو يحاولون، من دون جدوى أن يناموا، بعضهم يتنهد ويدمدم في أحلامه، ربما يستطيعون في أحلامهم أن يروا ما يحلمون به، ربما يقولون لأنفسهم، إن كان هذا حلما، فلا أريد أن أستيقظ منه. كل الساعات في معاصمهم قد توقفت، إما لأنهم نسوا أن يعبئوها وإما لأنهم قرروا أنها عديمة الفائدة، فقط ساعة يد زوجة الطبيب لا تزال تعمل. الساعة قد تجاوزت الثالثة صباحاً. على مبعدة منها، نهض

اللص على مرفقيه ببطء وجلس في سريره. لم يكن يشعر بساقه، لا شيء سوى الألم، وكفّ ما سواه عن الانتماء إلى جسده. كانت ركبتاه متيبستين، استدار بجسده على جانب الساق السليمة التي تركها تتدلى عن حافة السرير، بعدئذٍ حمل فخذه المجروحة بكلتا يديه محاولاً تحريك ساقه المصابة إلى الاتجاه نفسه، وكقطيع ذئاب اهتاجت فجأةً انتشر الألم في جميع أنحاء جسده، قبل أن يرتد عائداً إلى الفوهة السوداء التي انطلق منها. سحب جسده ببطء، مرتكزاً على يديه، فوق السرير نحو الممر. عندما وصل الدرابزون السفلي للسرير اضطر أن يستريح قليلاً. فقد كان يلهث وكأنه مصاب بالربو، ورأسه يتأرجح فوق كتفيه، بالكاد يستطيع أن يرفعه. بعد دقائق عدة أصبح تنفسه أكثر انتظاماً فنهض ببطء على قدميه، ملقياً ثقله على ساقه السليمة، إذ إنه كان يعرف أن الساق الأخرى غير ذات فائدة له وعليه أن يجرها خلفه جراً أينما ذهب. شعر فجأة بالدوخة، برجفة يتعذّر كبحها تسري في جسده، أسنانه تصطك بفعل البرد والحمى. تقدم ببطء بين صفّي الأجساد النائمة، مستنداً إلى الإطارات المعدنية للأسرّة، متنقلاً من واحدٍ إلى الآخر وكأنه يسير على طول سلسلة معدنية. جرّ ساقه كالحقيبة خلفه. لم يره أحد، لم يسأله أحد أين تذهب في هذه الساعة، ولو سأله أي شخص، فجوابه جاهز، ذاهب لأتبوّل. لم يرغب أن تناديه زوجة الطبيب، فهي الشخصُ الوحيدُ الذي لا يستطيع أن يخدعها أو يكذب عليها، وسيضطر أن يخبرها بما في رأسه. لا أستطيع أن أستمر في التعفّن داخل هذا الجحر، لقد عرفت أن زوجك فعل كل ما بوسعه لمساعدتي، غير أني عندما أضطر لسرقة سيارة أسرقها بنفسي ولا أطلب من أحد أن يسرقها لي، وهذه الحالة تشبه تلك، فأنا مَنْ يجب أن يذهب إليهم، فعندما يرونني على هذه الحالة سيدركون أن وضعي سيئ، عندئذٍ يضعونني في سيارة إسعاف ويأخذونني إلى المشفى. لا

بُد من وجود مشفى خاص بالعميان، وأعمى إضافي لن يسبب لهم مشكلة، سيعالجون جرحي، يشفونني، فقد سمعت أن ذلك ما يفعلونه مع المحكومين بالإعدام إذا ما التهبت لديهم الزائدة الدودية يستأصلونها لهم جراحياً أولاً ثم يعدمونهم بعد ذلك، وبهذا يموتون معافين، وفي حالتي يستطيعون إعادتي إلى هنا إن أرادوا، ولن أمانع. تقدّم إلى الأمام وهو يكزّ على أسنانه، ليخمد أيّ أنين، إلا أنه لم يستطع أن يقاوم نشيجاً مؤلماً عندما فقد توازنه حين بلغ نهاية صف الأسرّة، فقد أخطأ في عدّها، إذْ اعتقد أنه لا يزال أمامه سرير، إلا أنه وصل فراغاً. بقي ساكناً فوق البلاط حتى تأكد أن أحداً لم يستيقظ من جلبة سقوطه. بعدئذٍ لاحظ أن وضعيته الحالية مثالية بالنسبة إلى رجل أعمى، فالسير على أربع أكثر سهولة في حالته هذه. جرّ نفسه حتى وصل إلى الردهة. توقف قليلاً ليفكر كيف سيتقدم، إن كان من الأفضل أن يكلم الجنود من الباب، أو أن يخرج إلى البوابة، مستفيداً من الحبل الذي يُستخدم كدرابزين ولا يزال في مكانه على الأغلب أدرك بعمق أنه إن صاح من عند الباب طالباً مساعدتهم فسوف يأمرونه بالعودة إلى الداخل، غير أن الخيار الوحيد أمامه هو الحبل المتأرجح، وبعد معاناته السابقة في عدم قدرته على الاستفادة من أطر الأسرّة، جعله يتردّد قليلاً. بعد دقائق عدة اعتقد أنه وجد الحل. سأزحف على أربع، وسأحاول أن أبقى تحت الحبل، ومن حين لآخر أرفع يدي لأتأكد أني ما زلت في الاتجاه الصحيح، وهذا يشبه سرقة سيارة، فبالإمكان دائماً إيجاد الطرق والوسائل المناسبة. استيقظ ضميره فجأة، وأدهشه ذلك، ووبخه بقسوة لأنه سرق سيارة أعمى سيئ الحظ. في الواقع أنا هنا، هكذا فكّر لنفسه، ليس لأني سرقت سيارته، إنما لأني رافقته إلى بيته، تلك كانت غلطتي الكبيرة. لم يكن ضميره في حالة تؤهله لخوض نقاشات في الأسباب، كانت أسبابه بسيطة وواضحة. الأعمى إنسان مقدّس فلا

تسرق أعمى. أنا لم أسرقه، بالمعنى المهني للكلمة، فهو لم يكن يحمل السيارة في جيبه، ولم أشهر عليه بندقية، احتجّ المتهم في دفاعه، كُفَّ عن هذه السفسطة وامضِ في طريقك، غمغم ضميره. لسع وجهه هواء الفجر البارد. فكّر، كم يتنفس المرء هواءً منعشاً في الخارج هنا. تشكّل لديه انطباع أن ألم ساقه قد خفَّ، غير أن هذا لم يفاجئه، إذ حدث هذا سابقاً، وأكثر من مرة، فقد حدث الشيء نفسه أحياناً. كان الآن خارج الباب الرئيسي، وسرعان ما سيصل الدرجات الست. وهذه أصعب مرحلة في مشواره، فكّر أن عليه، نزول الدرجات أولاً. رفع ذراعه ليتأكد من وجود الحبل، وتابع. حدث ما تنبأ به، فلم يكن سهلاً عليه الهبوط من درجة إلى أخرى، لا سيما بسبب ساقه التي لا تساعده على ذلك، وجاءه البرهان سريعاً. ففي منتصف الدرجات انزلقت إحدى يديه فمال جسده إلى جهة وانزلق بفعل الثقل الكبير لساقه. عاوده الألم فوراً، وكأن أحداً ما كان ينشر، يثقب، ويدق جرحه، حتى إنه كان عاجزاً عن شرح كيف منع نفسه من الصراخ. بقي، دقائق طويلة عدة، منبطحاً، ووجهه على التراب. هبّت عصفة ريح على وجه الأرض جعلته يرتجف. لم يكن يرتدي إلا قميصاً وسروالاً داخلياً. كان جرحه ملامساً للتراب، ففكر أنه ربما سيتجرثم، تفكير أحمق، لقد نسي أنه كان يجر ساقه على الأرض منذ أن غادر الغرفة. حسن، ليست مشكلة، سيعالجونه قبل أن يتجرثم. فكر بعد ذلك في أن يريح ذهنه، انقلب على جنبه ليصل الحبل بسهولة أكبر. لم يجد طريقه الصحيح. نسي أنه قد أصبح، بعد أنه تدحرج من على الدرجات، في الاتجاه المتعامد مع الحبل، إلا أن غريزته أخبرته أنّه يجب أن يبقى مكانه، بعدئذٍ قاده تفكيره عندما تحرك وهو في وضعية الجلوس إلى الوراء ببطء حتى لامست عجيزته الدرجة الأولى، وبشعور عام بالنصر أمسك الحبل الخشن بيده المرفوعة عالياً. ربما هو الشعور نفسه الذي قاده ومباشرة على الأغلب إلى اكتشاف

طريقة في التحرّك بدون أن يحتك جرحه مع الأرض. فأدار ظهره إلى البوابة الرئيسية وهو في وضعية الجلوس واستخدم ذراعيه كعكازين كما يفعل المشلولون، وراح يريح جسده في وضعية الجلوس في محطات متقاربة. إلى الوراء، نعم، لأنه في هذه الحالة، كما في الحالات الأخرى، كان السحب أهون من الدفع وألم ساقه أقل. إضافة إلى أن انحدار الساحة الطفيف باتجاه البوابة كان في صالحه، أما بالنسبة إلى الحبل فلا خوف من الانحراف عنه، إذ إنه كان يلامسه برأسه. تساءل إن تبقت مسافةٌ طويلةٌ حتى يصل إلى البوابة، سيقطعها على قدم واحدة والأفضل على قدمين فذلك يختلف عن التقدم إلى الخلف بمقدار راحة اليد في كل مرّة. نسي، لحظةً أنه أعمى، فأدار رأسه إلى الخلف وكأنه يريد التأكد من المسافة المتبقية فوجد نفسه في مواجهة البياض الكتيم نفسه. تساءل إن كان الوقت نهاراً أم ليلاً، حسن لو كان نهاراً لشاهدوني فوراً، بيد أنهم لم يجلبوا لنا سوى الفطور ومنذ بضع ساعات فقط. تفاجأ باكتشافه سرعة ودقة محاكمته ومقدار منطقيّته، رأت نفسه في ضوء مختلف، رجلاً جديداً، ولولا هذه الساق الملعونة لأقسم إنه لم يشعر بشعور كهذا طول حياته. اصطدم ظهره المحني بصفحة معدنية في أسفل البوابة. لقد وصل. ربض داخل المحرس اتقاءً للبرد. اعتقد الحارس المناوب أنه قد سمع جلبة طفيفة لم يستطع تحديدها، لم يفكر، على أي حال، أنها قد تكون من الداخل، لا بد أنها من حفيف أشجار مفاجئ، حرّكت الريح غصناً فاحتك مع الدرابزون. سمع جلبة أخرى، مختلفة هذه المرّة، خبطة، صوت تحطم أكثر وضوحاً وهذا لا يمكن أن يصدر عن الريح. خرج الحارس من المحرس منرفزاً، إصبعه على زناد بندقيته الآلية، ونظر صوب بوابة المبنى. لم يستطع أن يرى شيئاً. عادت الجلبة ثانيةً، أعلى هذه المرة، وكأن شخصاً ما يخرش بأصابعه على سطح خشن، على لوح البوابة المعدني. كان على وشك

الذهاب إلى الخيمة الميدانية التي ينام فيها الرقيب، غير أنه توقف عندما فكّر أنه لو أيقظه على تحذير كاذب فسوف يوبّخه، لا يحب الرقباء أن يوقظهم أحد إن كانوا نائمين، حتى لو وُجِدَ سبب وجيه. عاد ونظر صوب بوابة المبنى وانتظر متوتراً، ثم ببطء شديد بدأ يظهر له بين القضبان المعدنية المتصالبة، وجه أبيض شجي... وجه رجل أعمى. تجمّد دم الجندي في عروقه، بسبب الخوف، الخوف الذي دفعه إلى أن يسدّد بندقيته ويطلق النار عن قرب.

خرج الجنود مَنْ خيامهم نصف عراةٍ، على صوت إطلاق النار. جنود حراسة مشفى الأمراض العقلية ومن فيه. حضر الرقيب فوراً. ما الذي يجري هنا. رجل أعمى، رجل أعمى، تأتأ الجندي. أين. كان هناك وأشار إلى البوابة المعدنية بأخمص بندقيته. لا أرى شيئاً. كان هناك، لقد رأيته. أنهى الجنود لبس ثيابهم وانتظموا في رتل، وبندقياتهم جاهزة. أَشْعِل الضوء الكاشف، أمر الرقيب. صعد أحد الجنود إلى رفراف السيارة، وبعد ثوان أضاءت الحزم الباهرة بوابة المبنى وواجهته. لا أحد هناك، أيها الأحمق، قال الرقيب، وكان على وشك أن يوبخه بعبارات منتقاة عندما رأى في اللحظة نفسها، في ذلك الضوء الباهر، بركةَ دم تنسرب من تحت الباب لقد قتلته، قال الرقيب، ثم صاح بهم، متذكِّراً الأوامر التي تلقّوها، ارجعوا إلى الوراء، هذا معدٍ. تراجع الجنود مرعوبين، لكنهم استمروا في الفرجة على بركة الدم التي كانت تتوزع في الفراغات بين الحصى الصغيرة في الدرب. أتعتقده قد مات، سأل الرقيب. لا بد أنه مات، أصبته في وجهه، ردّ الجندي، وقد انشرح صدره الآن لدقّة تصويبه. في تلك اللحظة صاح جندي آخر خائفاً، رقيب، رقيب، انظر هناك. كان هناك عددٌ من المحتجزين العميان واقفين تحت نور الضوء الكاشف. كانوا أكثر من عشرة. قفوا في أماكنكم. صاح الرقيب، حركة

ثانية وأطلق عليكم النار. من نوافذ الأبنية المقابلة أطلّ عددٌ من الناس، أيقظهم صوت إطلاق النار، ينظرون برعب إلى ما يجري. بعدئذٍ صاح الرقيب ليتقدم أربعة منكم لأخذ الجثة. لأنهم غير قادرين على الرؤية ولا العدّ، تقدّم ستة عميان. قلت لكم أربعة فقط، صاح الرقيب صيحةً هيستيريةً. لمس المحتجزون العميان بعضهم بعضاً، ثم أعادوا الكرّة، تراجع اثنان منهم. أمسك الآخرون بالحبل، وتقدموا إلى الأمام.

يجب أن نرى إذا ما كان يوجد هنا، رفش أو مجرفة أو أيّ شيء يمكن الحفر بوساطته، قال الطبيب. كان الوقت صباحاً، وبصعوبةٍ بالغة نجحوا في نقل الجثة إلى الساحة الداخلية. سجوها وسط نثار أغصان وأوراق الأشجار. يجب أن يواروه في الثرى الآن. وحدها زوجة الطبيب عرفت حالة جثة الرجل المخيفة، فقد تهشّم وجهه وجمجمته بفعل الطلقات التي خلّفت أيضاً ثلاثة ثقوب في الرقبة وعظم القص. وهي تعرف أيضاً أنه لا يوجد في المبنى كله أي شيء يمكن حفر القبر بوساطته. لقد فتشت كل أرجاء الجناح المحتجزين فيه ولم تعثر سوى على قضيب معدني، قد يفيد لكنه لا يفي بالغرض. وعبر النوافذ، المنخفضة في هذه الجهة، المغلقة التي تمتد على طول الممر الفاصل بين جناح العميان وجناح أولئك المشكوك في حملهم العدوى، رأت وجوههم الهلعة وهم ينتظرون دورهم، اللحظة المحتومة عندما سيقول أحدهم للآخرين، أنا أعمى، أو حتى إن حاولوا إخفاء عماهم فسوف تخونهم إيماءة خرقاء، تعثّر غير مسوّغ بشخص مبصر. وكان الطبيب يعرف هذا كله أيضاً، فما قاله كان جزءاً من خديعة لفّقها وزوجته، بحيث تستطيع زوجته أن تقول الآن، أعتقد أننا يجب أن نطلب من الجنود أن يرموا لنا مجرفة من فوق الحائط. إنها فكرة جيّدة، لنجرّبها. وافق الجميع، باستثناء الفتاة ذات النظارة السوداء فلم تدلِ برأيها في

هذا الموضوع، إذ لم يُسمع منها طول هذا الوقت سوى البكاء والعويل، تنشج وتدمدم، إنها غلطتي. هذا صحيح ولا يستطيع أحد إنكاره، غير أن الصحيح أيضاً إن كان هذا يعزّيها، لو أننا نمعن التفكير قبل القيام بأي فعل، في النتائج المترتبة عليه، نروزها جيداً، نفكر أولاً في النتائج الفورية، ثم المحتملة، وبعدئذٍ الممكنة، وأخيراً تلك التي يمكن تخيّلها، فلن نخطو أبداً أبعد من النقطة التي تتوقف عندها محاكمتنا الأولى. فالخير والشر المتأتيان عن كلماتنا وأفعالنا متكافئان، إذ يستمر أحدهما في اتساق معقول وطريقة متوازنة، خلال الأيام اللاحقة، وربما إلى ما لا نهاية، في حين لا نكون موجودين لنرى نتائجه لنهنّئ أنفسنا عليها أو نعتذر. في الواقع هناك مَنْ يعدّ هذا الكلام مغالاة في مسألة الخلود. ممكن، لكن يجب الآن أن ندفن هذا الرجل الميت. بناءً عليه ذهب الطبيب وزوجته ليفاوضا. قالت الفتاة ذات النظارة السوداء، الحزينة، أنا ذاهبة معهما. لقد وخزها ضميرها. ما إن ظهروا أمام المدخل الرئيسي حتى صاح جندي، قفوا. وكأنه خاف ألا يعبأوا بتحذيره اللفظي هذا، رغم قوّته، أطلق النار في الهواء محذِّراً. تراجعوا إلى ظلال الردهة خائفين، احتموا وراء العوارض الخشبية السميكة للباب المفتوح. من ثم تقدمت زوجة الطبيب بمفردها، فهي تستطيع أن تراقب من مكانها تحركات الجندي وتختبئ في الوقت المناسب، إذا ما اقتضى الأمر ذلك. ليس لدينا شيء ندفن بوساطته الميت، قالت، إننا نحتاج إلى مجرفة. عند البوابة لكن من الجهة الأخرى وراء تلك التي مات فيها الرجل، ظهر جندي آخر، كان رقيباً جديداً غير سابقه. ماذا تريدين. نريد مجرفةً أو رفشاً. لا توجد أشياءٌ كهذه هنا. لكن يجب أن ندفن الجثة. لا تنشغلوا بدفنها، دعوها. تتعفن. إذا تركناها تتعفّن فسوف تلوّث الهواء كله. دعوه يتلوّث إذاً، فهذا أفضل لكم. لكن الهواء يتحرك وبالتالي سيتلوّث الهواء عندكم أيضاً. أجبرت الرقيب بحجّتها

المناسبة، على التفكير. لقد حلّ مكان الرقيب السابق الذي عمي، ونُقل على الفور إلى المحاجر الخاصة بالعسكر. لا حاجة للتأكيد بأن للقوى الجوية والبحرية معسكراتهما الخاصة، بيد أنها أقل اتساعاً، أو أهمية، لأن ملاك هاتين القوتين أقل عدداً. إن المرأة على حقّ، فكر الرقيب، ففي حالة كهذه لا يستطيع المرء أن يكون حذراً بما يكفي. كان جنديان مجهزان، كإجراء أمان، بقناعين واقيين من الغاز، قد صبّا زجاجتين كبيرتين من غاز النشادر فوق بركة الدم، وما زالت الأبخرة المتصاعدة تدمع أعين الجنود، مخلّفةً إحساساً واخزاً في أنوفهم وحلوقهم. قال الرقيب أخيراً، سأرى ما يمكن فعله. وماذا عن طعامنا، سألته، مغتنمةً الفرصة لتذكيره. لم يصل الطعام بعد. يوجد في غرفتنا وحدها أكثر من خمسة عشر محتجزاً، إننا جائعون، فما ترسلونه لنا لا يكفي أكثر من خمسة أشخاص. إن تزويدكم بالطعام ليس من اختصاص الجيش. يجب أن يعالج شخص ما هذه المشكلة، فالحكومة ملزمة بإطعامنا. عودي إلى الداخل، لا أريد أن أرى أحداً على هذا الباب، وماذا عن المجرفة ألحّت زوجة الطبيب، غير أن الرقيب كان قد اختفى. في الضحى صدح مكبر الصوت في الجناح، انتباه، انتباه، ابتهج المحتجزون متوقعين سماع الإعلان عن وصول طعامهم، إلاّ أنه كان بخصوص المجرفة، يجب أن يحضر أحدكم ويأخذها، واحد فقط. أنا سأذهب، قالت زوجة الطبيب، لأني تحدثت معهم منذ قليل. رأت المجرفة فور خروجها من الباب، وخمّنت فوراً، بالحكم على الوضعية التي استقرت فيها المجرفة، ومن قربها من البوابة وبُعدها عن الدرجات، أنهم قذفوها من فوق السور. يجب ألاّ أنسى أني عمياء، كما هو مفترض، فكرت زوجة الطبيب، وسألت، أين هي. إنزلي الدرجات وسوف أرشدك إليها، ردّ الرقيب. إنك تبلين بلاءً حسناً، استمري الآن في الاتجاه نفسه، تقدّمي، تقدّمي، قفي، دوري قليلاً إلى اليمين، لا، إلى اليسار قليلاً، أقل من هذا، إلى الأمام

الآن، تابعي إلى الأمام وستجدينها أمامك. خراء، قلت لك لا تغيّري اتجاهك. أبطأ، أبطأ، إنك تسرعين ثانيةً. لا تزالين مسرعةً. دوري الآن نصف دورة، وسأرشدك من هنا، لا أريدك أن تبقى تدورين هكذا حتى تصلي البوابة. لا تقلق فكرت لنفسها، سأنطلق من هنا إلى باب المبنى مباشرةً، وماذا يهم، ففي نهاية المطاف، حتى إن كنت ستشكّ في أني لست عمياء، لا يهمنّي هذا كثيراً، فلن تدخل إلى هنا لتطردني. ألقت المجرفة على كتفها، مثل حفار قبور ذاهب إلى العمل، وسارت بإتجاه الباب من دون أن تتردد لحظةً واحدة. ترى يا رقيب، علّق أحد الجنود متعجباً، ألا يوحي لك هذا أنها تستطيع أن ترى. يتعلّم العميان بسرعة كيف يتحرّكون في المكان، ردّ الرقيب بثقة. كان حفر القبر مضنياً. فالتربة صلبة، مرصوصةٌ ومليئةٌ بالجذور. تعاقب على الحفر سائق التاكسي، الشرطيان، والأعمى الأول.

عندما تواجه الطبيعة البشرية الموت يُتوقع منها أن يتلاشى حقدها وسُمُّها، صحيح أن الناس يقولون إن الأحقاد القديمة لا تموت بسهولة، والأمثلة على هذا كثيرة في الأدب والحياة الحقيقية، ورغم عمق الحقد هنا، إن جاز القول، فلم يكن حقداً معتّقاً، إذ إنه كيف تُقارن سرقة سيارة بحياة مَنْ سرقها، لا سيما إذا ما أخذنا حالة جثّته في الحسبان، فلا ضرورة لعينين تريان كي يعرف المرء أن وجه الجثة لم يعد فيه فم ولا أنفٌ. لم يستطيعوا أن يحفروا أعمق من ثلاثة أقدام. لو كان الميت سميناً لبرز بطنه فوق سطح الأرض، لكنه نحيف جداً، مجرّد كومة عظام، حتى أنه قد نحف كثيراً بسبب امتناعه عن الطعام في الأيام الأخيرة، والقبر كبير بما يكفي لجثتين أخريين من الحجم نفسه. لم تتل صلوات على الميت. بوسعنا أن نضع صليباً هنا، ذكّرتهم الفتاة ذات النظارة السوداء، لقد تكلّمت بدافع الندم، ولأن كل الموجودين هنا

يعرفون أن المتوفى لم يفكر في حياته لا بالله ولا بالدين، فقد آثروا الصمت على أي رأي آخر أمام الموت. علاوةً على ذلك، إن تغاضينا عن الزمن الذي يحتاجه هؤلاء العميان للبحث في مكان لا يستطيعون رؤيته، وإن تذكرنا أنّ صنع صليب ليس بهذه السهولة كما يبدو للوهلة الأولى. عاد الجميع إلى الجناح. لم يعد العميان يضلّون طريقهم في الأماكن المزدحمة، ما دامت غير مفتوحة تماماً مثل الساحة، إذ يمشون وذراع أحدهم ممدودة إلى الأمام، وعدّة أصابع تتحرك كقرون استشعار الحشرات. بوسعهم أن يجدوا طريقهم في أيٍّ مكان، حتى أنه من المحتمل أن العميان الأكثر موهبةً سرعان ما يتطور لديهم ما يُشار إليه بالرؤية الجبهية. خذوا مثلاً، زوجة الطبيب، إنه لأمرٌ خارق كيف أنها تنجح في الانعطاف، وتوجّه نفسها في متاهات الغرف هذه، كيف تتوقف عندما تبلغ باباً فتحته بدون تردد ولو للحظة، كيف أنها لا تضطر إلى عدّ الأسرّة كي تصل إلى سريرها. إنها جالسة الآن على سرير زوجها، تحدّثه بصوت خفيض كالعادة. بوسع المرء أن يعرف أنهما شخصان مثقفان، ولديهما دائماً ما يقوله أحدهما للآخر، إنهما مختلفان عن الأزواج الآخرين، فالأعمى الأول وزوجته مثلاً، وبعد اللحظات العاطفية الأولى عند التئام شملهما، نادراً ما يتكلّمان، والاحتمال الأرجح هو أن حاضرهما التعس يثقل على حبهما القديم، سيعتادان هذه الحالة مع مرور الزمن. أما الشخص الذي يشكو باستمرار من شعوره بالجوع، هو الطفل الأحول، رغم أن الفتاة ذات النظارة السوداء، في الواقع، تمنع اللقمة عن نفسها لتطعمها له، فقد مضت ساعات عدّة على آخر مرة سأل فيها عن أمه، لكن لا شك في أنه سيفتقدها ثانيةً بعد أن يأكل، عندما يتحرر جسده من أنانيّته الحيوانية النابعة من تلك الحاجة البسيطة لكن الملحاح، لتغذيته. سواء بسبب ما حدث في الفجر، أو لأسباب ما وراء إدراكنا، فالحقيقة المحزنة هي أنهم لم يستلموا

صناديق طعام عند وقت الغداء. حان وقت الطعام تقريباً -نظرت زوجة الطبيب إلى ساعتها، إنها تقارب الواحدة، لذلك ليس مفاجئاً أن العصائر المعدية النافدة الصبر دفعت بعض المحتجزين العميان من هذه الغرفة وغيرها للذهاب إلى الردهة انتظاراً لوصول الطعام، وذلك لسببين وجيهين، السبب العام، من وجهة نظر بعضِهم أنهم سيكسبون الوقت، والثاني، الخاص، من وجهة نظر الآخرين هو أن الذي يحضر أولاً ينال حصته أولاً. في المحصلة كان هناك قرابة عشرة محتجزين عميان يُصغون إلى جلبة البوابة الخارجية عندما تُفتح، إلى وقع أقدام الجنود الذين سيحضرون تلك الصناديق المباركة. كان بعض المحتجزين المصابين بالعدوى في الجناح الآخر، وبسبب خوفهم من أن يعموا إذا ما احتكوا مع العميان المنتظرين في الردهة يتلصّصون عبر فتحة في الباب، ينتظرون دورهم بقلق. مرّ زمن تعب المحتجزون من الانتظار فجلس بعضهم أرضاً. وفي ما بعد عاد اثنان أو ثلاثة منهم إلى غرفهم. بعد فترة قصيرة سُمع صرير البوابة المعدنية الذي لا يمكن أن تخطئه الأذن. راح المحتجزون من انفعالهم، يتدافعون منطلقين إلى الاتجاه الذي حسبوا الصوت يأتيهم منه، أي إلى الباب. غير أنّه سيطر عليهم فجأة إحساس قلق غامض بأنهم لن يمتلكوا الوقت الكافي ليحدّدوا الاتجاه، ويفسّروا الصوت، فتوقفوا وتراجعوا مرتبكين، في اللحظة التي أمكنهم فيها سماع وقع أقدام الجنود الحاملين صناديق الطعام، وأولئك الذين يرافقونهم للحراسة.

اتفق الجنود الذين يجلبون صناديق الطعام، وكانوا لا يزالون تحت وقع الصدمة المأسوية لليلة أمس، أنهم لن يضعوا الصناديق أمام البابين المفضيين إلى الجناحين، بل سيضعونها داخل الردهة ويعودون. دعوهم يقتسمونها في ما بينهم. لم يستطع الجنود للوهلة

الأولى، وذلك بسبب ضوء النهار الباهر في الخارج وهذا الانتقال السريع إلى ظلال الردهة، لم يستطيعوا أن يروا مجموعة المحتجزين العميان، وعندما أبصروهم فجأةً، عوّلوا مرعوبين، فأسقطوا الصناديق من أيديهم وهربوا كالمجانين إلى الخارج، أما الجنود المرافقون للحراسة، المنتظرون في الخارج فقد تصرفوا بمهارة في مواجهة هذا الخطر، فالله وحده يعلم كيف، ولماذا سيطروا على خوفهم المشروع، فتقدّموا إلى عتبة الباب وأفرغوا مخازن بندقياتهم. سقط المحتجزون العميان بعضهم فوق بعض، حتى بعد أن سقطوا بقيت الطلقات تخرق أجسادهم، وهذه الأخيرة كانت تبذيراً لا داعي له. جرى الأمر ببطء لا يصدّق. هذه الجثة، ثم تلك، بدا وكأنها لن تكفّ عن السقوط، كما تشاهدون أحياناً في الأفلام. سيقسم الجنود بشرفهم العسكري، هذا إذا كنا لا نزال في عهد محاسبة الجنود على ذخيرتهم، أنهم فعلوا ذلك دفاعاً عن النفس، وعن رفاقهم العُزَّل الذين كانوا يؤدون خدمة إنسانية عندما وجدوا أنفسهم فجأة مهدَّدين من قبل محتجزين عميان يفوقونهم عدداً. وعادوا باندفاعة جنون إلى بوابتهم، تحت حماية بندقيات رفاقهم الحرس، المرتجفة، الموجَّهة من قضبان البوابة الحديدية، وكأن مَنْ تبقّى من المحتجزين العميان أحياء سيقومون بهجوم انتقامي. صاح أحد الجنود الذين أطلقوا النار، غاضباً ممتقع الوجه، لن تجبروني على العودة إلى هناك مهما كلّف الأمر. وفي اليوم نفسه وبغمضة عين أصبح الجندي نفسه أعمى إضافياً بين العميان الآخرين، ولكونه عسكري أُنْقِذَ من الإلقاء به داخل المبنى بين المحتجزين العميان رفاق من أرداهم برصاص بندقيته، والله وحده يعلم ماذا كانوا سيفعلون به. التعقيب الوحيد الذي أدلى به الرقيب هو، الأفضل أن نتركهم يموتون جوعاً، فعندما يموت الوحش يموت السم معه. غالباً ما فكر آخرون وقالوا الشيء نفسه، كما نعرف. غير أن الرقيب أضاف مبتهجاً، وقد حثّته بقية

من اهتمام إنساني ثمين، من الآن فصاعداً سنضع لهم صناديق الطعام في منتصف الساحة، وندعهم يخرجون لإدخالها، وبذلك نبقيهم تحت المراقبة، وعند أدنى حركة مشكوك فيها، نطلق النار. اتجه إلى غرفة القيادة، فتح الميكروفون، وصاغ كلماته بأفضل ما يمكنه، مستعيداً كلمات مشوّشة يتذكر أنه سمعها في مناسبات كهذه وقال، يأسف الجيش أنه اضطر إلى أن يقمع بقوة السلاح تحركاً تحريضياً مسؤولاً عن خلق حالة خطرة وشيكة الحدوث لم يكن الجيش مسؤولاً عنها، مسؤولية مباشرة أو غير مباشرة، وليعلم الجميع، أنه من الآن فصاعداً سيخرج المحتجزون لإحضار طعامهم من خارج المبنى وسيتحملون النتائج المترتبة على أيٍّ محاولة لتكرار ذلك الخرق الذي حدث الآن والليلة الماضية. توقف، لا يعرف كيف ينهي حديثه، لقد نسي كلماته، كانت في ذهنه بالتأكيد، غير أنه لم يستطع سوى تكرار لسنا الملومين، لسنا الملومين.

إن إطلاق النار الذي صمَّ الآذان عما سواه داخل المبنى، قد تسبّب بنوبة هلع قصوى. في البدء اعتقدوا أن الجنود على وشك أن يقتحموا المبنى ويطلقوا النار على كلّ مَنْ يرونه، أن الحكومة قد غيّرت تكتيكها، اختارت أن تصفّي كل المحتجزين، فزحف بعضهم تحت الأسرّة، وجمد آخرون في مكانهم بفعل الرعب الشديد، وربما فكر البعض أن هذا هو الأفضل، أن انعدام الصحة أفضل من قلّتها، فإن كان على المرء أن يموت، فليكن موتاً سريعاً. كانت ردة فعل المحتجزين حاملي العدوى، أن لاذوا جميعاً بالفرار عندما بدأ إطلاق النار، بيد أن الصمت الذي أعقب ذلك شجعهم على العودة، فاتجهوا ثانية إلى الباب المفضي إلى الردهة. شاهدوا الجثث مكوّمةً بعضها فوق بعض.. والدم يسيل ببطء فوق البلاط، يشق طريقاً متعرجةً وكأنه سائل حي، بعدئذٍ

شاهدوا صناديق الطعام. حفّزهم الجوع، ها هوذا الطعام المرغوب جداً، صحيح أن هذه الصناديق مخصصةٌ للعميان، وحصّتهم لم تصل بعد، وفقاً للترتيبات، لكن من يعبأ بالترتيبات، فالشمعة التي تضيء الطريق تحثّنا على الإقدام، كما يذكرنا الأجداد دائماً عبر الأجيال، وقد مرّوا بتجارب كهذه. مع ذلك استطاع جوعهم أن يدفعهم ثلاث خطوات إلى الأمام، فتدخل العقل وحذّرهم أن أي طائش منهم يتقدّم أكثر سيتعرض للخطر الكامن في هذه الجثث وعلاوة على ذلك، في هذا الدم. من يستطيع أن يعرف أيَّ أبخرة، انبعاثات، روائح عفنة تصدر عن جروح الجثث. إنهم موتى لا يستطيعون أن يؤذوا، علّق أحدهم، محاولاً طمأنة نفسه والآخرين، غير أن كلماته زادت الأمر سوءاً. أنت ترى أنهم لا يستطيعون الحركة ولا التنفس، لكن مَنْ يستطيع الجزم بأن هذا العمى الأبيض ليس مرضاً روحياً، وإذا افترضنا أنه هكذا، فسوف تكون إذاً أرواح هؤلاء العميان المقتولين، حرّة الآن أكثر منها في أي وقت مضى، تحرّرت من أجسادهم، وبذلك هي حرّة في أن تفعل ما يحلو لها، علاوة على ذلك، كما يعرف الجميع، طالما كان فعل الشر أسهل الأفعال. إلا أن الصناديق المرئية الآن، تلفت انتباههم مباشرة، تلك هي احتياجات المعدة، لا يهتمون بشيء آخر حتى وإن كان في صالحهم. هناك سائلٌ أبيض يرشح من أحد الصناديق ويشق طريقه ببطء إلى بركة دم، ويشي منظره بأنه حليب، لا يمكن الخطأ بلونه. تقدّم اثنان من حاملي العدوى المحتجزين إلى الأمام، بدافع شجاعة أكبر، أو ربما جبرية أكبر فليس هيّناً التمييز بين الدافعين، أوشكا أن يضعا أيديهما النهمة على الصندوق الأول عندما ظهرت مجموعة من المحتجزين العميان من باب الجناح الثاني. قد تخدعنا المخيّلة أحياناً، ولا سيما في ظروف مروّعة كهذه، إذ تهيّأ لهذين الرجلين الغازيين أن الموتى قد نهضوا فجأة عن الأرض، وهم عميان، لا شك في ذلك، غير

أنهم أكثر خطورة، لأن فكرة الانتقام قد تملّكتهم على الأغلب. تراجعاً بحذر وصمت باتجاه باب جناحهم. ربما جاء المحتجزون العميان للاعتناء بالجثث كإحسان إليهم أو لسبب ما، وإن لم يكن الأمر كذلك، فقد يخلّفون وراءهم من دون انتباه، أحد الصناديق، مهما كان صغيراً. في الواقع كان عدد حاملي العدوى المحتجزين قليلاً، وربما الحلّ الأمثل هو أن يطلبوا من العميان، نرجوكم، أشفقوا علينا واتركوا لنا، على الأقل، صندوقاً صغيراً، لأنه من غير المرجح بعد ما حدث اليوم، أن يجلبوا لنا مزيداً من الطعام اليوم. تقدّم العميان، كما يمكن أن تتخيلوا، متلمّسين طريقهم، يتعثّرون، يجرّون أقدامهم جراً، وقد عرفوا، رغم ذلك وكأنهم قد نظموا أنفسهم، كيف يتوزعون المهام بصورة فعالة، خوّض بعضهم في بركة الدم والحليب اللزجين، وشرعوا فوراً في سحب الجثث ونقلها إلى الساحة، بينما قام آخرون بنقل الصناديق الثمانية، واحداً بعد الآخر، التي ألقاها الجنود أرضاً. كان بين المحتجزين العميان إمرأة تركت انطباعاً أنها موجودة في كل مكان في الوقت نفسه، تساعد في تحميل الصناديق، تتصرّف وكأنها تقود الرجال، وهذا أمر محال على امرأة عمياء، وسواء بالمصادفة أم عن عمد تلفّتت أكثر من مرّة صوب جناح حاملي العدوى، كأنها قادرة أن تراهم أو تحسّ بوجودهم أفرغت الردهة في وقت قصير، لم يبقَ فيها أثر إلا لبقع دم كبيرة وعلى حوافها بقعة الحليب البيضاء الصغيرة التي سالت من الصناديق، إضافة إلى ذلك كانت ترى على البلاط آثار أقدام حمراء أو رطبة فحسب. انسحب حاملو العدوى إلى داخل جناحهم، أغلقوا الباب خلفهم وعادوا للبحث عن بقايا فتات يأكلونها. كانوا قانطين إلى درجة أن أحدهم قال: وهذا يعكس شدة إحباطهم، إن كنّا سنعمى حقيقة في نهاية المطاف، إن كان ذاك هو قدرنا، فبوسعنا أيضاً الانتقال إلى الجناح الآخر الآن، على الأقل سنجد هناك شيئاً نأكله. ربما لن يتوقف الجنود عن تزويدنا

بالطعام، علّق أحدهم. هل أدّيت الخدمة الإلزامية، سأله آخر. كلا، على ما أذكر.

اجتمع نزلاء الغرفتين الأولى والثانية متذكرين أن الموتى من أفراد الغرفتين، ليقرّروا إذا ما كانوا سيأكلون أولاً ثم يدفنون الجثث، أو بالعكس. لم يبدِ أحد اهتماماً في معرفة مَنْ ماتوا. كان خمسة من الموتى من نزلاء الغرفة الثانية، ومن الصعب الجزم إذا ما كانوا قد عرف أحدهم الآخر، أم لا. إن توفّر لديهم الوقت والرغبة في أن يعرف بعضهم بعضاً.. والبوح بهموم قلوبهم. لم تستطع زوجة الطبيب أن تتذكر أنها رأتهم عندما وصلوا. لقد ميّزت الأربعة الآخرين، نعم، تذكر أنهم، بمعنى من المعاني، ناموا تحت السقف نفسه، هي، هم. رغم أن هذا هو كل ما عرفته عن أحدهم، وكيف بوسعها أن تعرف أكثر، إذ إن أي رجل يحترم نفسه لن يناقش أموره الخاصة مع أول شخص يقابله، مثل الرجل الذي ضاجع في غرفة فندق الفتاة ذات النظارة السوداء، وإن تكلمنا عنها تحديداً، فهي بدورها لم تعرف أنه قد احتجز هنا، وأنها قريبة جداً من الرجل الذي تسبّب لها برؤية كل شيء أبيض. كان سائق التاكسي والشرطيان هم الضحايا الآخرون، ثلاثة أشخاص أقوياء قادرين على الاعتناء بأنفسهم، وكانت غاية مهنهم، بطريقتين مختلفتين، خدمة الناس، وفي النهاية ها هم ملقيون هناك، حُصدوا بوحشية في ريعان شبابهم وينتظرون أن يقرّر الآخرون قدرهم. عليهم الانتظار ريثما يفرغ أولئك الأحياء من طعامهم. ليس بسبب أنانية الحياة، إنما لأن أحدهم قد تذكر، واعياً، أن دفن تسع جثث في تلك التربة القاسية بوساطة مجرفة واحدة، عمل شاق سيمتد حتى وقت الغداء. وبما أنه من غير المعقول أن يعمل المتطوّعون عن طيب خاطر، بينما الآخرون يملأون بطونهم، قرّروا، بناءً عليه، أن يتركوا الجثث

مكانها إلى وقت لاحق. وصل الطعام في حصص فردية بحيث يسهل توزيعه، غير أن قلق بعض المحتجزين العميان ضعيفي العقول زاد تعقيد الأمر الذي كان سيبدو جلياً في ظروف طبيعية، رغم أن الحكم التام والجزئي سينبهنا إلى ضرورة الاعتراف بأن الإفراط في الشك كان له مسوّغاته، يجب أن نتذكر فقط، على سبيل المثال، أن أحداً ليس بوسعه أن يعرف، في البداية، إذا كان الطعام يكفي الجميع. في الواقع، من الواضح جداً أنه من الصعوبة بمكان عدّ عميان أو توزيع الطعام عليهم من دون أعين تبصر الحصص أو العميان. علاوة على ذلك حاول بعض نزلاء الغرفة الثانية، بخساسة تستحق أكثر من مجرّد توبيخ، أن يعطوا انطباعاً بأن عددهم أكبر مما هو عليه. أثبت وجود زوجة الطبيب فائدته، كالعادة، إذ إن بضع كلمات في الوقت المناسب نجحت في حل مشكلات كان الكلام المسهب سيجعلها أسوأ. وهؤلاء الذين حاولوا ونجحوا في أخذ حصص مضاعفة، لم يكونوا أقل انحرافاً وسوء نيّة من أولئك. كانت زوجة الطبيب مدركةً لتلك التجاوزات، غير أنها فكرت أنه من الحكمة أن تصمت. حتى أنها لم تحتمل التفكير في النتائج المترتبة على اكتشافهم أنها ليست عمياء، ففي أقل تقدير ستجد نفسها رهن إشارة ونداء أيّ من الموجودين، وفي أسوأ الأحوال، ستصبح عبدةً لهم. مَنْ يعرف؟ ربما كانت الفكرة التي طُرحت لدى وصولهم المحجر بأن يتولى شخص في كل غرفة مسؤولية إدارة شؤونهم، ستفيد الآن، ستحلّ هذه المصاعب، وغيرها. واحسرتاه، مهما تكن سلطة الشخص المسؤول، وعلى نحو لا يمكن إنكاره، هشة، مقلقلةً، وتحتاج للمساءلة في كل لحظة، فهي ضرورية جداً في ظرف كهذا، ويجب أن تُمارس بكل وضوح لصالح الجميع، وعلى الأغلبية أن تعترف بها. إن لم ننجح في هذا، فكّرت لنفسها، سوف ينتهي بنا المطاف إلى أن يقتل بعضنا بعضا.

قطعت عهداً على نفسها أن تناقش هذه القضايا الحساسة مع زوجها، وتابعت توزيع الحصص.

تقاعس البعض بعد أن فرغوا من طعامهم، عن المشاركة في حفر القبور، بعضهم بدافع الكسل وبعضهم الآخر بسبب حساسية معداتهم. شعر الطبيب، وبسبب مهنته، بمسؤولية كبيرة، لنذهب وندفن الجثث، لم يجدوا ولا متطوعاً واحداً. فقد استلقى المحتجزون العميان في أسرّتهم، يريدون أن يُتركوا في سلام ليهضموا طعامهم، وغطّ بعضهم في نوم فوري، لا غرابة في ذلك، فبعد التجربة المريعة التي مرّوا بها، كرّست الأجساد نفسها، رغم فقر الوجبة، لإنجاز عملية الهضم. في ما بعد، مع هبوط المساء، عندما استعادت الأضواء الشاحبة بعضاً من قوتها بسبب خفوت ضوء النهار الطبيعي، مظهرة في الوقت نفسه وبالهشاشة المعتادة نفسها، وهذه هي الغاية من إنارتها، نهض الطبيب وزوجته وقد استحثا اثنين من نزلاء الغرفة ليرافقاهما إلى العمل، ولو من أجل موازنة العمل الواجب إنجازه، ولفصل الجثث التي تيبّست، عن بعضها. وحيث تقرّر أن كل غرفة ستدفن موتاها. فقد استفاد هؤلاء العميان مما يمكن تسميته وهم الضوء. في الواقع، لن يتغيّر في الأمر شيء! إن كان الوقت ليلاً أو نهاراً، أول خيوط الفجر أو الشفق، هدوء ساعات الفجر الأولى، أو صخب ساعات الظهيرة، فهؤلاء العميان يلفّهم وإلى الأبد بياضٌ ألق، كالشمس الساطعة عبر الضباب. ففي هذه الحالة الأخيرة لا يعني العمى الغوص في ظلمة عادية، بل العيش في داخل هالة منيرة. عندما قال الطبيب إنهم سيفصلون الجثث عن بعضها، أراد الأعمى الأول، الذي كان أحد مَنْ وافقوا على مساعدته، أن يعرف كيف سيعرفونهم، وهذا سؤال منطقي. فكرت زوجة الطبيب أنه من الحماقة أن تهرع إلى نجدته الآن خشية أن تدفع الأمور إلى نهاياتها. نجح

الطبيب بالخروج من هذا المأزق بلباقة، مستخدماً منهجه الراديكالي، أي باعترافه بخطئه، فقال بلهجة المستغرب من نفسه، لقد اعتاد الناس على استخدام أعينهم لدرجة أنهم يعتقدون بقدرتهم على استخدامها حتى عندما تكون عديمة الفائدة. في الواقع إن كل ما نعرفه هو أن بين القتلى أربعةً من جناحنا، سائق التاكسي، الشرطيين، وشخصاً آخر، لذلك فالحل الأمثل هو أن نختار عشوائياً أربع جثث وندفنها بكل الاحترام الواجب، وبذلك نفرغ من التزامنا نحوهم. وافق الأعمى الأول، وكذلك رفيقه، وشرعوا ثانيةً، كلٌّ بدوره، في حَفر القبور. لن يعرف هذان المساعدان، كونهما أعميين أن الجثث الأربع التي دفنوها هي بالضبط مَنْ حدد الطبيب هويتهم، ولا داعي للتخمين كيف جرى ذلك العمل الذي بدا عشوائياً من قبل الطبيب، إذ إن زوجته كانت تأخذ بيده وتضعها على ساق أو ذراع الجثة، ويقول هو بدوره، هذه الجثة. بعد أن فرغا من دفن جثتين، جاء أخيراً ثلاثة متطوعين للمساعدة من الغرفة نفسها. والأرجح أنهم ما كانوا ليأتوا لو أن أحداً أخبرهم أن الوقت ليل. يجب أن نعترف، حتى إن كان الإنسان أعمى، بوجود فارق من الناحية السيكولوجية بين حفر قبر في النهار أو بعد غروب الشمس. صدح مكبر الصوت في اللحظة نفسها عندما دخلوا غرفتهم، متعرقين، مغبّرين، وما زالت رائحة الجثث المتفسخة عالقة في أنوفهم، مكرِّراً التعليمات الاعتيادية. لم يشر قط إلى ما حدث، ولم يَذكر إطلاق النار، أو الضحايا الذين أطلق عليهم الرصاص عن قرب، ولا تحذيرات مثل، إن مغادرة المبنى بدون إذنٍ تعني الموت الفوري، أو يجب على المحتجزين دفن موتاهم بدون شعائر، لا شيء من هذا القبيل. شكراً لتجربة الحياة القاسية، المعلِّم الأساسي لكل الانضباطات، لقد أُخذت هذه التحذيرات على محمل الجد، أما الإعلان عن تقديم الطعام ثلاث مرات يومياً فقد بدا تهكمياً على نحو غريب، أو، وهذا أسوأ، مثيراً للازدراء. عندما صمت

مكبر الصوت، ذهب الطبيب بمفرده، لأنه كان بدأ يعرف كل ركن وصدع في الجناح، إلى باب الغرفة الثانية ليقول لنزلائها، لقد دفنّا موتانا. حسن، إن دفنت بعضهم، فبوسعك أن تدفن الباقين، أجابه صوت ذكوري من الداخل. كان الاتفاق أن تدفن كل غرفة موتاها، ونحن دفنّا أربع جثث. عظيم. غداً سندفن موتانا. قال صوت ذكوري آخر، ثم بنبرة مختلفة، سأله، ألم يظهر طعام جديد. كلا، أجاب الطبيب. لكن مكبر الصوت قال إنهم سيعطوننا ثلاث وجبات في اليوم. إني أشك في إيفائهم بوعدهم دائماً. سوف نتقاسم الطعام الذي قد يصل، قال صوت أنثوي. تلك فكرة جيدة، بوسعنا مناقشتها غداً، إن أحببت. موافقة، ردّت المرأة. كان الطبيب على وشك أن يغادر عندما سمع الصوت الذكوري الأول يسأل، مَنْ يصدر الأوامر هنا. توقف منتظراً أن يسمع رداً، جاء من الصوت الأنثوي نفسه، إن لم ننظم أنفسنا جدّياً، فسوف يسود المكان الجوع والخوف. عار علينا أننا لم نذهب مع الآخرين لدفن موتانا. لماذا لم تذهبي إلى الدفن ما دمت ذكية جداً، وواثقة من نفسك. لا أستطيع الذهاب بمفردي غير أني مستعدة للمساعدة. لا فائدة من الجدل، قال صوت ذكوري ثالث، فذلك هو أول ما سنفعله غداً صباحاً. تنهّد الطبيب، إن الحياة معاً تزداد صعوبة. كان عائداً إلى غرفته عندما شعر بحاجة ضاغطة لتفريغ أمعائه. لم يكن واثقاً، في النقطة التي توقف فيها، أنه يستطيع الوصول إلى المراحيض، لكنه قرر أن يحاول. كان يأمل أن شخصاً ما على الأقل قد تذكر أن يترك هناك ورق التواليت الذي جُلب لهم مع صناديق الطعام. ضاع في الطريق مرتين وكان متوتراً لأنه بدأ يحبط من فقدانه القدرة على ضبط نفسه، استطاع أخيراً أن ينزل سرواله وأفعى فوق المرحاض المفتوح. صدمته رائحته النتنة. تشكل لديه انطباعٌ أنه داس كتلة طرية، غائط شخص ما أخطأ جورة المرحاض، أو قرّر أن يفرّغ أمعاءه كيفما اتفق وبدون اعتبار للآخرين.

حاول أن يتخيّل كيف يبدو المكان في هذه الحالة، بالنسبة إليه كله أبيض، منير، ألق، لا سبيل أمامه ليعرف إن كانت الجدران والأرضية بيضاء أيضاً، وخلص إلى نتيجة عبثية مفادها أن الرائحة العفنة تصدر عن الضوء والبياض. سنجنّ من الرعب، فكّر لنفسه. ثم حاول تنظيف نفسه، لكن لا يوجد ورق تواليت. مرّر يده على الجدار خلفه حيث توقع أن يجد لفافة ورق التواليت أو المسامير المعلّقة بها، وحين يغيب الأفضل فإن أيَّ ورقة قديمة تفيد. لكنه لم يجد شيئاً. شعر بالخيبة، المرارة، وسوء الحظ، تفوق قدرته على الاحتمال. أعمى. أعمى، محشور هناك، يحاول أن يحمي سرواله من ملامسة الأرضية القذرة، أعمى وعاجز عن ضبط نفسه، بدأ يبكي بصمت. خطا، متلمساً طريقه، غير أنه اصطدم بالجدار المقابل. مدّ ذراعاً، ثم الأخرى، أخيراً وجد الباب، كان بوسعه سماع وقع أقدام شخص لا بُدّ أنه يبحث عن المراحيض، ويتعثر باستمرار. في أيَّ جهنم هي؟ كان الشخص يتمتم بصوت محايد، وكأنه في أعماقه لم يكن راغباً في أن يجدها. مرّ بجوار المراحيض بدون أن يلاحظ وجود شخص داخلها. لكن لا مشكلة، فلم تنحدر الأمور إلى درجة قلّة الاحتشام. إن جازت تسميتها كذلك، رجلٌ يُضبط في حالة حرجة، ثيابه في حالة فوضى، تحرك في اللحظة الأخيرة بدافع شعور مبهم بالخجل، فنهض الطبيب ورفع سرواله عالياً، ثم أنزله ثانية، عندما إعتقد أنه أصبح وحيداً ثانية، غير أنه أدرك بسرعة أنه قد إتسخ، إنه وسخ أكثر من أي لحظة أخرى في حياته. كثيرة هي الطرق لنصبح حيوانات، فكّر، وهذه أوّلها. مهما يكن فهو لا يستطيع أن يتذمّر حقيقة، فما زال هناك شخصٌ ما مستعدٌ لتنظيفه.

استلقى المحتجزون العميان في أسرّتهم بانتظار أن يشفق النعاس على بؤسهم. ساعدت زوجة الطبيب زوجها على تنظيف نفسه، جاهدةً

بأقصى حذر ممكن ألاّ ينتبه أحدٌ إلى ما تفعله. خيّم الآن ذلك الصمت المؤسي الذي يسود المشافي عندما ينام المرضى ويعانون حتى في نومهم. جلست زوجة الطبيب في سريرها مستيقظةً، ترتب الأسرّة، الظلال، الشحوب المقيم في الوجوه، ذراعاً تتحرك أثناء الحلم. تساءلت إذا ما كانت ستعمى مثلهم، ما هي الأسباب العصيّة على الفهم والتي حمتها، حتى الآن، من العمى. رفعت يديها، بإيماءة متعبة، لتردّ شعرها إلى الوراء، وفكرت، سَنَنْتن جميعاً وتصل رائحتنا النتنة إلى السماء العالية. في تلك اللحظة قد تُسمع التنهدات، الأنين، الصرخات الصغيرة، المخنوقة في البدء، أصوات تبدو ككلمات، لا بدّ أنها كلمات، غير أن معانيها ضاعت في التصعيد الذي حوّلها إلى صراخ وقُباع وأخيراً إلى تنفس شخيري ثقيل. احتجّ شخصٌ ما من ركن الغرفة الأقصى. خنازير، إنهم كالخنازير. ليسوا خنازير، بل مجرّد رجال ونساء عميان وربما لا يعرف بعضهم عن بعض شيئاً أكثر من هذا.

البطون الفارغة تستيقظ باكراً. فتح بعض المحتجزين العميان أعينهم قبل أن يبزغ الفجر، وفي حالتهم هذه لن يكون الجوع هو السبب، بل لأن ساعتهم البيولوجية، أو مهما سمّيتها، قد تلخبطت. اعتقدوا أن النهار قد بزغ، ثم فكروا، لقد أطلت النوم، غير أنهم سرعان ما عرفوا خطأهم، إذ كان النزلاء الآخرون في الغرفة ما زالوا يشخرون، وذاك صوت لا يمكن أن يخطئوه. الآن وكما نعرف من الكتب ومن التجارب الشخصية أكثر، فإن من يستيقظ مبكراً بحكم رغبته، أو لأن ضرورة ما أجبرته على الاستيقاظ يصعب عليه احتمال رؤية الآخرين مستغرقين في النوم، ولسبب وجيه في هذه الحالة التي نحن بصددها، فهناك فرق ملحوظ بين أعمى نائم وآخر فتح عينيه من دون هدف. هذه الملاحظات حول الطبيعة السيكولوجية التي لا علاقة واضحة لرهافتها بالنظر إلى

المقياس فوق الطبيعي لهذه الجائحة التي يحاول سردنا ربطها إليها، تفيد فقط في تفسير سبب استيقاظ جميع المحتجزين باكراً، فبعضهم كما أوضحنا مقدّماً، استيقظوا بسبب مخض معداتهم الفارغة، طلباً للطعام، بينما استيقظ الآخـرون بسبب جلبة المستيقظين باكراً، القلقين، الذين لم يترددوا في صنع مزيد من الصخب المتعذر احتماله وتجنبه عندما يتعايش الناس في الثكنات وأجنحة المشافي، ليس كل الموجودين هنا عقلاء ومهذبين، بل هناك سوقيون حقيقيون يسعلون ويتفّون كل صباح ويضرطون من دون اعتبار لوجود أي شخص، وإن قلنا الحقيقة، فإنهم يتصرفون على نحو سيىء طول اليوم. جاعلين جوَّ الغرفة أثقل باطراد، وليس بالإمكان فعل شيء، فالباب هو فتحة التهوية الوحيدة، والنوافذ عالية جداً على أن يطولوها.

كانت مستلقيةً بجانب زوجها، ملتصقةً به بقدر ما يسمح به عرض السرير، وكم كلّفهما ذلك في الليل، باختيارهما طبعاً، كي يحافظا على لباقتهما، وكي لا يتصرفا كأولئك الذين وصفهم شخص ما بالخنازير، نظرت إلى ساعتها، إنها الثانية وثلاث وعشرين دقيقة. دققت النظر فرأت عقرب الثواني متوقفاً، لقد نسيت أن تعبئ الساعة البائسة، بئسها من ساعة، بئسي من امرأة، نسيتُ أن أقوم بهذا العمل البسيط بعد ثلاثة أيام من العزلة. لم تستطع أن تضبط نفسها، فانفجرت في بكاءٍ عنيف، وكأن أسوأ الكوارث قد نزلت بها. اعتقد الطبيب أن زوجته قد عميت، إن أكثر شيء خافه قد حدث أخيراً، كاد أن يسألها، فاقداً صبره، هل عميت، عندما سمعها في اللحظة الأخيرة تهمس، لا، لا، ليس ما تظنّ، ليس ما تظنّ، ثم وبهمس عميق لا يكاد يُسمع، ورأساهما متلاصقان تحت البطانية، كم أنا غبية، لقد نسيت أن أملأ ساعتي، واستأنفت نشيجاً لا عزاء له. نهضت الفتاة ذات النظارة السوداء من سريرها في الجانب

الآخر من الممر وتقدمت باتجاه مصدر النشيج وذراعاها ممدودتان أمامها. أنت مضطربة هل يسعني أن أفعل شيئاً لأجلك، سألتها الفتاة وهي تقترب منها، ولمست بيديها الجسدين المتلاصقين في السرير. إن اللباقة تفترض بها أن تسحب يديها فوراً، وهذا ببساطة ما أمرها به عقلها، غير أن يديها لم تذعنا له، بل تابعتا تلّمسهما الرقيق، مداعبتين بلطف البطانية السميكة الدافئة. هل يسعني أن أفعل شيئاً لأجلك، كررت السؤال، وقد رفعت يديها الآن حتى أصبحتا طليقتين عاجزتين في ذلك البياض العقيم. نهضت زوجة الطبيب من السرير وما زالت تنشج، احتضنت الفتاة وقالت، لا شيء، مجرّد حزن مفاجئ. إذا أُحبطت أنت القوية بيننا، فلا خلاص لنا إذاً، قالت الفتاة محتجّة. نظرت زوجة الطبيب، وقد هدأت الآن، إلى الفتاة، كادت علائم التهاب الملتحمة تختفي تقريباً. فكّرت للأسف لا أستطيع أن أُبشّرها بذلك، وإلا لسُرَّت به، نعم الأرجح أنه سيفرحها. رغم أن أي رضا كهذا سيكون بلا طائل، ليس لأن الفتاة عمياء، لكن ما فائدة عينين جميلتين متألقتين، والجميع عميان هنا، لا يوجد مَنْ يراهما. جميعنا يمرّ في لحظات ضعفٍ، قالت زوجة الطبيب، وجميل أننا مازلنا قادرين على البكاء، فالدموع هي خلاصنا، على الأغلب، إذ إن هناك أوقاتاً إن لم نستطع البكاء فيها فسوف نموت. لا خلاص لنا. كررت الفتاة ذات النظارة السوداء. من يستطيع أن يحزر، فهذا عمى لا يشبه أي عمى وقد يختفي كما ظهر فجأةً. سيكون فات أوانه على مَنْ ماتوا. كلنا سنموت. لكن بالقتل، وأنا قتلت شخصاً. لا تلومي نفسك، إنها مسألة الظروف، كلّنا هنا آثمون وبريئون في آن معاً، وكان سلوك الجنود المفترض أنهم يحموننا، أسوأ بما لا يقاس، حتى لو استطاعوا الإتيان بأكبر الأعذار، وهو الخوف. ماذا لو لم يداعبني ذلك البائس، لكان ما زال حياً الآن، وما كان جسدي الآن ليختلف عما كانه وقتئذٍ. لا تفكري في الأمر، ارتاحي، حاولي أن

تنامي. أوصلت الفتاة إلى سريرها، هيا استلقي في سريرك. أنت لطيفة جداً، قالت الفتاة ذات النظارة السوداء، ثم أخفضت صوتها وأضافت، إني في حيرة من أمري، فقد اقترب موعد دورة طمثي ولم أجلب معي فوطاً صحيّة. لا تقلقي لدي بعضها. بحثت يدا الفتاة عن مكان ما لتمسكا شيئاً، غير أن زوجة الطبيب أمسكتهما بلطف وقالت، ارتاحي. أغمضت الفتاة عينيها، بقيت كذلك لدقيقة، ربما كانت ستنام لولا ذلك الشجار الذي اندلع فجأة، إذ إن شخصاً ما قد ذهب إلى المرحاض وعندما عاد وجد شخصاً آخر في سريره. لم يكن في الأمر سوء، لقد نهض الآخر من سريره للغرض نفسه، وقد مرّ أحدهما بالآخر، في الطريق من وإلى المرحاض. ومن الواضح أن أحداً منهما لم يخطر في ذهنه أن يقول للآخر، انتبه كي لا تخطئ بسريرك عندما تعود. وقفت زوجة الطبيب تراقب الرجلين الأعميين يتجادلان، لاحظت أنهما لا يومئان بأيديهما، ونادراً ما يحرِّكان جسديهما، لقد تعلّما بسرعة أن صوتيهما وسمعهما فقط يفيان بالغرض، صحيح أنّ لديهما أذرعاً يستطيعان أن يتعاركا، يتماسكا، ويلقيا بها، غير أن الأمر لا يستوجب كل ذلك الهرج، مجرّد سرير أُشغل خطأ، ويا ليت كانت كل خدع الحياة كهذه، إذ إن كل ما عليهما فعله هو أن يتفقا، سريري هو الثاني وسريرك الثالث، لنتذكر هذا الآن ودائماً، لو لم نكن عمياناً لما حصل هذا الخلط. أنت محق، مشكلتنا في عمانا. قالت زوجة الطبيب لزوجها، العالم كلّه هنا. ليس كله تماماً. فالطعام، مثلاً، هناك في الخارج على الضفة الأخرى ويستغرق قروناً كي يصل إليهم. خرج بعض الرجال من كلتا الغرفتين إلى الردهة وانتظروا الأوامر للخروج وإحضار الطعام. يعرفون أن عليهم الخروج إلى الساحة الأمامية لجلب صناديق الطعام التي، إن وفى الجنود بوعدهم، ستوضع في منتصف المسافة بين درجات المبنى والبوابة الرئيسية، وخالجهم الخوف من أن يكون في الأمر خديعةٌ ما

أو شرك. كيف نتأكد أنهم لن يطلقوا النار علينا. فبعد ما فَعلوه مؤخراً، يمكن أن نتوقع منهم كلَّ شيءٍ، لا يؤمن جانبهم. لا تتوقعوا أن أخرج لجلب الصناديق. ولا أنا. إن أردنا أن نأكل فيجب أن يخرج أحدٌ ما. ولست واثقاً إن كان من الأفضل أن نموت بالرصاص أو جوعاً، فأنا سأذهب. وأنا أيضاً. لا داعي لذهابنا جميعاً، قد لا يحبّذ الجنود ذلك. أو قد يخافون ويظنّوننا نحاول الهرب. محتمل جداً أنهم أطلقوا النار على الشاب ذي الساق المجروحة للسبب نفسه، يجب أن نحسم أمرنا. ليس بوسعنا أن نحتاط كثيراً، تذكّروا ما حدث في الأمس، تسع ضحايا بالتمام والكمال. كان الجنود خائفين منا. وأنا خائف منهم. أودّ أن أعرف إن كانوا قد عموا. من تقصد. الذين أطلقوا النار. برأيي، يجب أن يكونوا أول من عمي. كانوا متفقين مع أنّهم لم يتشاوروا في الأمر. ولم يكن بينهم مَنْ يسوّغ لهم فعلتهم. لأنهم لن يكونوا عندئذٍ قادرين على تصويب بندقياتهم. مرّ زمن طويل ومكبِّر الصوت لا يزال صامتاً. هل حاولتم دفن موتاكم، سأل أعمى من الغرفة الأولى، دافعه إلى ذلك كسر الصمت فحسب. ليس بعد. بدأت الروائح تنبعث منهم وتلوّث المكان، حسن دعهم يلوثون كلّ شيء وتصل رائحتهم النتنة إلى السماء العالية، فأنا لن أفعل أي شيء قبل أن آكل، وكما قال أحدهم ذات مرة، كُلْ أولاً ثم اغسل المقلاة. حكمتك غلط، فليس العرف كذلك، فالثكالى لا يأكلون ولا يشربون عموماً إلا بعد دفن موتاهم. بالنسبة إلي العكس هو الصحيح. بعد دقائق عدة قال أحد الرجال العميان، هناك شيء واحد يقلقني. ما هو. كيف سنوزّع الطعام. كما وزعناه سابقا، فعددنا معروف، وبذلك نعدّ الحصص وكل واحد منّا يأخذ حصته، إنها الطريقة الأنسب والأعدل. لكنها لم تكن ناجحةً، فقد بقي بعض المحتجزين بلا طعام، وهناك من أخذوا حصتين. لقد جرى التوزيع على أسوأ نحو. وسيبقى سيئاً إنْ لم يُظهر الناس قدراً من الاحترام والانضباط. لو يوجد

بيننا من يستطيع الرؤية ولو قليلاً. حسن، فسوف يحاول خداعنا ليفوز بحصة الأسد، على رأي المثل، فالأعور في مدينة العميان ملك. دعنا من الأمثال. لكن الأمر مختلف هنا. حتى الأحول لن ينجو هنا. برأيي، إن الحلّ الأمثل هو أن نقتسم الطعام مناصفة بين الغرفتين، عندئذٍ سيحصل كل محتجز على نصيبه. مَنْ الذي تكلّم. أنا. من أنت. أنا، أنا. من أي غرفة أنت. من الغرفة الثانية. ومن ستنطلي عليه هذه الخدعة، بما أن الغرفة الثانية أقل عدداً من الأولى فسوف يكون هذا التقسيم لصالحهم وسيأخذون حصة أكبر من حصتنا، لأن غرفتنا مليئة. كنت أحاول المساعدة فحسب. ويقول المثل أيضاً، إذا لم يستطع القسّام أن يفوز بحصة الأسد فهو إمّا أحمق وإمّا أبله. خراء، كفانا أمثالاً، فهذه الأمثال تستفزّني. ما سنفعله هو أن نأخذ الصناديق إلى غرفة الطعام، وكل جناح يختار ثلاثة من نزلائه ليشاركوا في التقسيم، لأنه مع ستّة أشخاص يعدّون سيقل خطر الخداع، وسوء استعمال السلطة. وكيف نثق أنهم صادقون في عدد الموجودين في غرفتهم. إننا نتعامل مع أناس نزيهين. هل هذا مَثلٌ أيضاً. كلا، هذا كلامي أنا. عزيزي الشخص، لست واثقاً في ما يخصّ النزاهة، غير أننا جائعون بالتأكيد.

وكأنهم كانوا طول الوقت بانتظار كلمة السر، إشعار ما، افتح يا سمسم، وجاءهم أخيراً عَبر مكبر الصوت. انتباه، انتباه، يستطيع المحتجزون الآن الخروج لإحضار طعامهم، لكن كونوا حذرين، إن اقترب أحدكم من البوابة فسيوجّه إليه تحذير أولي، وإن لم يتراجع فوراً، سيكون التحذير الثاني رصاصةً. تقدّم المحتجزون العميان ببطء بعضهم أكثر ثقة من بعض، إلى الجهة اليمنى حيث اعتقدوا أن الباب موجود، بينما فضّل الأقل ثقةً في مقدرتهم بلوغ الهدف، السير بجوار الحائط فلا مخاطرة مع ذلك بإضاعة الطريق، فعندما يصلون

الزاوية يسيرون بجوار الحائط الأيمن فيجدون الباب أمامهم. كرّر الصوت المتوعّد، الدعوة ثانيةً، عبر المكبر. أرعبت نبرة الصوت الجديدة المحتجزين، حتى من لم يكن لديهم مسوّغ للارتياب فيه لم يخطئوا في فهمها. أعلن أحدهم، لن أتزحزح من هنا، يريدون إخراجنا إلى الخارج كي يقتلونا جميعاً. وأنا لن أتحرك، قال آخر. ولا أنا، قاطعه ثالث. تجمدوا كالأعمدة، متردّدين، بعضهم يريد الخروج، غير أن الخوف استبدّ حتى بأكثرهم شجاعة، صدح المكبر من جديد، إن لم يخرج أحد خلال ثلاث دقائق لإدخال الصناديق فسوف نستعيدها. فشل التهديد في التغلب على خوفهم، إنما دفعه إلى مؤخرة عقولهم. مثل حيوانات صيد تنتظر فرصة للهجوم، تحركوا خائفين، يحاول بعضهم الاختباء وراء بعض، وصلوا المصطبة أمام الباب. لم يستطيعوا رؤية الصناديق التي لم تكن عند نهاية الحبل، حيث توقعوها، لأنهم لم يعرفوا أن الجنود، بسبب خوفهم من العدوى، رفضوا الاقتراب من الحبل الذي يستدلُّ به العميان. وُضِعَتْ الصناديق كلها قريبة إلى هذا الحد أو ذاك من المكان الذي أخذت منه زوجة الطبيب، المجرفة. تقدموا، تقدموا، أمرهم. حاول المحتجزون بارتباك أن يتقدموا في رتل منتظم، غير أن الرقيب صرخ عليهم، لن تجدوا الصناديق هناك، اتركوا الحبل، اتركوه، تحركوا نحو اليمين، يمينكم أنتم، يمينكم أنتم، حمقى، لستم بحاجة إلى أعين لتعرفوا يمينكم من شمالكم. جاء التحذير في الوقت المناسب، إذ إن بعض المحتجزين الحريصين على الشكليات في هذه الأمور، فسّروا الأمر حرفياً، إن كانت على اليمين، فهي منطقياً على يمين المتكلم، لذلك حاولوا المرور من تحت الحبل للذهاب بحثاً عن صناديق، الله وحده يعلم أين هي. إن هذا المنظر الغريب وفي ظروف أخرى سيتسبب بنوبة من الضحك، كان منظراً مضحكاً جداً، فبعض المحتجزين يزحف على أربع ووجوههم ملتصقة بالأرض عملياً، إنهم أشبه بخنازير،

أذرع ممدودة في الفراغ، بينما أخريات، ربما خوفاً من أن يبتلعهم هذا الفراغ الأبيض الذي لا سقف يحميهم منه، بقيت ممسكةً بالحبل بيأس وهم يصغون بانتباه، متوقّعين أن يسمعوا في أيّ لحظة صيحة النصر الأولى عندما تكتشف الصناديق. كان الجنود يفضّلون تسديد بندقياتهم وإطلاق الرصاص، من دون ندم، على أولئك المعتوهين الذين يتحركون أمام أعينهم كسرطانات عرجاء تحرك كلاّباتها المرتجفة، بحثاً عن سوقها المفقودة. لقد سمعوا ما قيل صباح اليوم في الثكنة من قبل قائد الفوج، إن مشكلة هؤلاء المحتجزين العميان يمكن القضاء عليها فقط بالقضاء على معظمهم، معظم الموجودين هنا ومن سيلحق بهم، من دون أدنى اعتبارات إنسانية زائفة، هذه كلماته حرفياً، تماماً كما يبتر المرء طرفاً مصاباً بالغرغرينا لينقذ بقية الجسد. إن داء الكلب في الكلب الميت، أضاف موضحاً الأمر، تقضي عليه الطبيعة. كان صعباً على بعض الجنود الأقل إحساساً تجاه جمالية اللغة المجازية أن يفهموا ما علاقة الكلب الكلبان بالأعمى لكن هذا كلام قائد الفوج، ونتكلم ثانية بلغة المجاز، فإنه يساوي وزنه ذهباً، لأن أحداً في الجيش لا يصل هذه الرتبة إن لم يكن مصيباً في كل ما يفكر ويقول ويفعل. اصطدم أعمى، أخيراً، بالصناديق وصاح أنه وجدها. إنها هنا، إنها هنا، إنْ استعاد هذا الرجل بصره يوماً ما، فهو بالتأكيد لن يعلن هذا النبأ الرائع ببهجة تفوق هذه. خلال ثوانٍ قفز الآخرون على الصناديق، فوضى أيدٍ أرجل، كل يجذب صندوقاً نحوه مدعياً أسبقيته إليه، أنا سأحمله. لا أنا سأحمله. بدأ أولئك الممسكون بالحبل يشعرون باشمئزاز، يخافون شيئاً آخر أن يحرموا من حصتهم بسبب عطالتهم وجبنهم آه، لقد رفضتم أن تزحفوا على الأرض وعقيرتكم في الهواء خشية أن يطلقوا عليكم النار، لذلك لا أكل لكم تذكرون ذلك المثل من يخف لسع النحل لا يأكل العسل. ترك أحد العميان الحبل، وقد استحسه

الإعلان الحساس، وذهب بذراعين ممدوتين باتجاه الهرج. لن أدعهم يسقطونني من الحساب، غير أن الأصوات خمدت فجأة ولم يعد يسمع إلا جلبة ناس يزحفون على الأرض، أصوات تعجّب مكتومة، جلبة أصوات كثيرة ومشوشة تأتيه من كل حدب وصوب، توقف متردداً، حاول أن يعود إلى الحبل الآمن، إلا أنه فقد حسّه بالاتجاه، فلا نجوم في سمائه البيضاء، وكل ما استطاع سماعه الآن هو صوت الرقيب يأمر أولئك الذين يتجادلون على الصناديق، أن يعودوا إلى الدرجات، فكل ما قاله الرقيب كان موجهاً إليهم فقط، إن الوصول إلى غايتك يتوقف على أين أنت الآن. لم يعد هناك عميان يمسكون بالحبل، إذ إن كل ما كان عليهم فعله هو العودة من حيث جاءوا، وهم الآن ينتظرون على قمة الدرج أن يصل الآخرون. لم يجرؤ الأعمى الذي ضل طريقه أن يتزحزح من مكانه، فأطلق في حالته المكربة تلك، صرخة عالية، أرجوكم ساعدوني، غير مدرك أن الجنود كانوا قد سدّدوا بندقياتهم إليه منتظرين أن يطأ ذلك الخط الفاصل، غير المرئي، بين الحياة والموت. هل ستبقى هنا طوال اليوم أيها الخفاش الأعمى، سأله الرقيب. وحقيقة الأمر أن الرقيب لم يوافق رئيسه في الرأي فمن يضمن أن القدر نفسه لن يطرق على الباب غداً. يكفي بالنسبة إلى الجنود أن يتلقوا أمراً كي يقتلوا وآخر كي يموتوا. لا تطلقوا النار إلا عندما آمركم بذلك، صاح الرقيب. هذه الكلمات أشعرت الأعمى أنّ حياته في خطر. خرّ راكعاً، وتوسّل، أرجوكم ساعدوني، قولوا لي إلى أين أتجه. تابع سيرك، أيها الأعمى، تابع سيرك في هذا الاتجاه، صاح به جندي من ورائه بنبرة ودٍّ زائفة. نهض الأعمى، تقدّم ثلاث خطوات، ثم توقف فجأة من جديد، فقد أثارت ريبته تركيبة عبارة الجندي، فهناك فرق بين أن تقول تابع سيرك في هذا الاتجاه وبين تابع سيرك، فعبارة، تابع سيرك في هذا الاتجاه تعني أن هذا هو الطريق، الطريق نفسه، في هذا الاتجاه،

سيوصلك إلى حيث أنت مدعو، يوصلك فقط إلى مواجهة الطلقة التي ستستبدل شكل أعمى أبيض بآخر. صدرت هذه المبادرة. التي يمكن وصفها بالإجرامية، عن جندي سيئ السمعة. وبّخه الرقيب، وفوراً بأمرين صارمين متعاقبين. قف. در نصف دورة، تبعهما نداء حاد، أمر وُجِّه إلى هذا الشخص العاق، الذي تشير كل المظاهر إلى انتمائه إلى طبقة بشر لا يُؤمن جانبهم عندما يحملون بندقية. تشجّع العميان الذين كانوا الآن على قمة الدرجات الست، من التشجيع اللطيف للرقيب، فأصدروا صخباً هائلاً كان له مفعول القطب المغناطيسي بالنسبة إلى الأعمى الذي ضلَّ طريقه. تقدَّم الآن وهو أكثر ثقةً بنفسه، في خط مستقيم تابعوا الصراخ، توسَّل إليهم، تابعوا الصراخ، بينما كان العميان فوق قمة الدرجات يصفقون وكأنهم يشاهدون شخصاً ما ينتصر في سباق ديناميكي طويل لكنه مرهق. هلّلوا مرحبين به، وهذا أقل ما يمكنهم فعله. فبمواجهة المحنة تعرف من هم أصدقاؤك، سواء بالدليل الظاهر، أو بالتنبؤ.

لم تدم هذه الصداقة الحميمة طويلاً. فقد اغتنم بعض المحتجزين العميان حاله الهرج وهربوا بعدد من الصناديق، بقدر ما استطاعوا حمله، طريقة غدر بارعة للاحتيال على أي سوء توزيع محتمل. أما حسنو النية أولئك الموجودون دائماً مهما قد يقوله البعض، فاحتجوا ساخطين أنهم لا يستطيعون العيش في حالة كهذه. إن كنا لا نستطيع أن يأتمن بعضنا بعضا فأين سينتهي بنا المطاف؟ إن هؤلاء الأوغاد بحاجة إلى مخبأ جيد، توعّد آخرون. لم يطلبوا شيئاً كهذا. غير أن الجميع فهموا ما تعنيه هذه الكلمات، تعبير غير دقيق لكن ما يشفع له أنه ذكي. اتفق العميان بعد أن اجتمعوا في الردهة، أن الطريقة العملية الأفضل لحل الجزء الأول من هذه الحالة الصعبة التي وجدوا أنفسهم فيها أن يوزعوا الصناديق المتبقية مناصفةً بين الغرفتين، ولحسن الحظ كانت

شفعية العدد. واتفقوا على متابعة التحري لاستعادة المفقود منها، أي المسروقة. ضيعوا بعض الوقت في الجدال، كما أصبحت عادتهم، في (الـ) أولاً و(الـ)ثانياً، أي هل يأكلون ثم يتحرّون أو العكس. وكان الرأي السائد يقول، بالنظر إلى عدد ساعات الصوم الإجباري، فالأنسب هو إشباع معداتهم وبعدئذٍ يتابعون التحرّي. ولا تنسوا أن عليكم دفن موتاكم، قال شخص من الغرفة الأولى. لسنا من قتلهم ومع ذلك تريدنا أن ندفنهم، أجابه شخص فطن. ضحك الجميع. مع ذلك سيكتشفون سريعاً أن المجرمين ليسوا في الغرفتين. رغم أن المحتجزين العميان الذين كانوا ينتظرون على بابي الغرفتين، وصول الطعام، أنهم سمعوا جلبة ناس بدا أنهم يسيرون بعجلة كبيرة، غير أن أحداً منهم لم يدخل إلى أيٍّ من الغرفتين، وهو يحمل صناديق طعام، ويقسمون بذلك. تذكر شخص أن الطريقة الأمثل لمعرفة أولئك الأشخاص هي عندما يعودون إلى أسرّتهم، فالأسرّة الفارغة الآن ستكون لهم. لذلك فما عليهم إلّا انتظار عودتهم من حيث كانوا يختبئون ويلعقون طعامهم، والانقضاض عليهم، وبذلك يتعلمون احترام مبدأ الحياة الجماعية المقدّس. رغم أن هذا الدفع بالخطة إلى نهاياتها ملائم ويُبقي على ذلك الشعور بالعدل راسخاً فقد كان سلبياً جداً بقدر ما يمكن أن يعني تأجيلاً، إذ إن أحداً منهم لم يستطع أن يتنبّأ بالزمن الكافي كي لا يبرد الفطور. لنأكل أولاً، اقترح أحد العميان، ووافقه الجميع أنه كان أحرى بهم أن يأكلوا أولاً. للأسف لم يبق إلا القليل بعد تلك السرقة المشينة. لا بدّ أن اللصوص في بعض الأماكن الخفية وسط هذه الأبنية الخربة يلتهمون الآن حصصاً مضاعفة مثنى وثلاثاً، والتي ثبت بالملموس أنها مكوّنة من القهوة مع الحليب البارد، البسكويت والخبز مع الزبد، بينما الناس المهذبون مضطرون أن يقنعوا أنفسهم بالقليل القليل جداً بالمقابل.

كان نزلاء الغرفة الأولى يمضغون، بحزن، البسكويت مع الماء، عندما سمع بعضهم مكبر الصوت يدعو حاملي العدوى إلى الخروج لإحضار طعامهم. اقترح أحد العميان، ولا بدّ أنه قد تأثر بالجو الكريه الذي خلّفته سرقة الطعام، لو نذهب وننتظرهم في الردهة، فلأنهم سيخافون على حياتهم عندما يروننا، ربما يرمون الصناديق أرضاً ويهربون. غير أن الطبيب قال، لا أعتقد أن هذا رأيٌ سليم، فمن الظلم أن نعاقب أولئك البريئين. حملت زوجة الطبيب والفتاة ذات النظارة السوداء، بعد أن فرغتا من طعامهما، الصناديق الكرتونية، زجاجات الحليب والقهوة الفارغة، الفناجين الورقية، وكل شيء غير صالح للأكل إلى الساحة. هناك اقترحت زوجة الطبيب، يجب أن نحرق هذه النفايات، ونتخلّص من هذا الذباب المقرف.

جلس المحتجزون العميان على أسرّتهم بانتظار عودة عصابة اللصوص. لصوص كلاب، هذا هو الوصف المناسب لهم، علّق صوت خشن، غير مدرك أنه كان يستجيب إلى بقية ذكريات شخص ما لا يلام على عجزه عن قول الأشياء بطريقة أفضل. غير أن الأنذال لم يظهروا، لا بدّ أنهم ارتابوا في شيء ما، لا بدّ أن شخصاً ما، داهية، بيننا قد أخبرهم.. شخصاً كالذي اقترح إعطاءهم مخبأ جيداً. مرّت الدقائق، استلقى بعض العميان، وغط بعضهم في النوم فوراً. كل شيء متوقع، قد تسوء الأمور. ما داموا يقدمون لنا الطعام الذي لا حياة لنا بدونه، فإن حالتنا هنا أشبه بالإقامة في فندق. أي تعذيب سيلاقيه الأعمى هناك في الخارج، في المدينة، بالمقارنة مع الوضع هنا، نعم إنه تعذيب حقيقي. يتعثر في الطرقات، الجميع يهرب من طريقه، عائلته تعيش حالة هلع، مرعوبة من الاقتراب منه، حب الأم، حب الابن، خرافة، ربما كانوا سيعاملونني كما أعامل هنا، يحجرونني في غرفة،

وإن كنت محظوظاً، يضعون لي طبق الطعام أمام الباب. إذا ما نظرنا إلى وضعنا، موضوعياً، بدون أفكار مسبقة أو امتعاض من شأنهما أن يشوشا تفكيرنا دائماً، فيجب أن نعترف ببعد نظر السلطات التي قررت أن توحّد العميان، كلاً مع قرينه، وهذا حكم حصيف بالنسبة إلى من يعيشون معاً، مثل المجذومين، ولا شك أن الطبيب هناك في الغرفة الأولى محق كل الحق في قوله، إننا يجب أن ننظم أنفسنا، فالمسألة، في الواقع، مسألة تنظيم. الطعام، أولاً، ثم التنظيم. كلاهما لا غنى عنه للحياة. يجب أن نختار بعض الرجال والنساء الثقات ونوليهم مسؤولية إقرار بعض الأحكام المقبولة من أجل حياتنا المشتركة هنا في هذا الجناح، أشياء بسيطة مثل تنظيف الأرض، ترتيب الأسرّة، والغسيل، إذ إننا لا نشكو من نقص شيء، فهم يزودوننا حتى بالصابون والمنظفات، نتأكد من نظافة أسرّتنا، فالشيء المهم هو ألا نفقد احترامنا لأنفسنا، نتجنب الصراع مع الجنود الموجودين هنا لحمايتنا، لا نريد المزيد من الضحايا. نرى مَنْ يستطيع بيننا، ومستعد، أن يقصّ علينا كل مساء قصصا، وحكايا، نوادر، أي شيء. فكروا كم نكون محظوظين لو يوجد بيننا من يحفظ الكتاب المقدس غيباً، فيمكننا عندئذٍ استذكار كل شيء مذ خلق الكون، المهم في الأمر أن يصغي بعضنا إلى بعض، مؤسف أننا لا نملك راديو، إذ طالما كانت الموسيقا تسليةً رائعةً، وبوسعنا متابعة البلاغات الجديدة، نعرف إن اكتشفوا علاجاً لمرضنا، مثلاً. كم سيفرحنا ذلك.

بعدئذٍ حدث المحتوم. سمعوا إطلاق نارٍ في الخارج. إنهم قادمون ليقتلونا، صاح شخص ما. إهدأ، قال الطبيب، يجب أن نفكر بمنطق، فإن أرادوا قتلنا، فسوف يدخلون ويطلقون النار علينا هنا، وليس من الخارج. كان الطبيب محقاً، فالرقيب هو من أمر بإطلاق النار في الهواء،

وليس جندي ما عمي فجأةً وإصبعه على الزناد. إذ لم يكن هناك طريقة أخرى مباشرة للسيطرة على المحتجزين الجدد وهم يتزاحمون للنزول من الشاحنات. فقد أبلغ وزير الصحة وزير الدفاع، سنرسل إليكم حمولة أربع شاحنات. كم عددهم. قرابة مئتين. أين سنكدس كل هؤلاء الناس، فالجناح المخصص للعميان فيه ثلاث غرف فقط، ووفقاً لمعلوماتنا إنها تتسع لمئة وعشرين شخصاً كحد أقصى، وفيها الآن نحو ستين أو سبعين محتجزاً، هذا غير الاثني عشر تقريباً الذين اضطررنا إلى قتلهم. هناك حل وحيد وهو فتح الجناحين على بعضهما. ذلك يعني خلط العميان مع حاملي العدوى غير العميان. في كل الأحوال، سيعمون عاجلاً أو آجلاً، أضف إلى ذلك، ووفقاً لهذه الحالة، أننا سنعدي جميعاً، على ما أعتقد، إذ إنه ليس هناك شخص لم يره أعمى. إني أتساءل، إذا كان الأعمى غير قادر على الرؤية، فكيف بوسعه أن ينقل هذا المرض بوساطة عينيه. جنرال، لا بدّ أن هذا هو المرض الأكثر منطقاً في العالم أجمع، أعين عمياء تنقل العمى إلى الأعين المبصرة، ماذا هناك أبسط من هذا. لدينا كولونيل هنا يرى أن الحل الأمثل يكمن في إطلاق النار على الأعمى فور إعلان عماه. إن التعامل مع الجثث بدلاً من العميان لن يجعل الأمر أفضل. أن تكون أعمى شيء مختلف عن أن تكون ميّتاً. نعم، لكن أن تموت يعني أن تعمى. سنتلقى إذاً مئتي أعمى إضافي. نعم. وماذا تفعل مع سائقي الشاحنتين. ضعهما في الحجر أيضاً. بعد ظهيرة اليوم نفسه تلفن وزير الدفاع إلى وزير الصحة قائلاً، أتود أن تسمع آخر الأخبار عن ذلك الكولونيل الذي كلمتك عنه سابقاً، لقد عَميَ. من الممتع أن نعرف رأيه في فكرته الرائعة تلك إذاً، لقد فكّر فيها مباشرة، وأطلق النار على نفسه، رصاصة في الرأس. هذا ما أسميه الموقف المتسق. الجيش مستعد دائماً ليقدّم مِثالاً يُحتذى به.

شُرّعت البوابة على مصراعيها. أمر الرقيب، جرياً على روتين الثكنات العسكرية، أن يصطف المحتجزون خمسة في كل رتل، غير أن المحتجزين العميان لم يكونوا قادرين على ضبط الرقم، فيكون الرتل أكثر أو أقل، وانتهى الأمر إلى أن احتشدوا جميعاً حول المدخل. وجوهر الأمر أنهم مدنيّون لم يتعوّدوا الأوامر، حتى أنهم لم يتذكروا أن يُدخلوا النساء والأطفال أولاً، كما يجري الأمر عادةً، عندما تتحطّم السفن. يجب أن نقول قبل أن ننسى إنه ليس كل إطلاق النار كان في الهواء، فقد رفض أحد سائقي الشاحنتين أن يدخل مع المحتجزين، احتج أنه لايزال قادراً على الرؤية، بالنتيجة، ثبت بعد ثلاث دقائق رأي وزير الصحة الذي قرر، أن تموت يعني أن تعمى. أصدر الرقيب التعليمات المذكورة آنفاً، سيروا إلى الأمام، هناك ست درجات، اصعدوها ببطء، إن تعثر أحدكم، فلا أحد يعلم ما قد يجري. نسي اقتراحاً واحداً وهو أن يسيروا بمحاذاة الحبل، لكن من الواضح لو أنهم استخدموه لاستغرقوا الأبدية كلها كي يدخلوا المبنى جميعاً. أُصغوا إليّ، حذّرهم الجندي، صافي الذهن، بعد أن أصبحوا جميعاً داخل البوابة، هناك ثلاث غرف في الجناح الأيمن، وثلاث في الجناح الأيسر، كل واحدة تتسع أربعين سريراً، يجب أن تبقى العائلات مع بعضها، تجنّبوا التزاحم، انتظروا عند المدخل واطلبوا مساعدة الموجودين في الداخل، سيكون كل شيء على ما يرام، استقروا واهدأوا سيصلكم طعامكم في ما بعد.

لن نكون مصيبين لو تخيلنا هؤلاء العميان، بعددهم الكبير هذا، يتقدّمون كالخراف إلى السلخ، يثغون كعادتهم، صحيح أنهم كانوا يتزاحمون بشكل ما، غير أن تلك حالتهم الوجودية، متلاصقين، مختلطي الأنفاس والروائح. بينهم هنا من لم يستطع التوقف عن البكاء، آخرون يصرخون خائفين أو غاضبين، وآخرون يشتمون وأطلق أحدهم

تهديداً مرعباً، قائلاً، إن تطلكم يداي فسوف أقتلع أعينكم، الأرجح أنه كان يقصد الجنود. لا مناص من أن يتلمس أول الواصلين إلى الدرج، بقدمه عمق وارتفاع الدرجات، غير أن ضغط الذين في إثره أوقع اثنين أو ثلاثة وثبت أخيراً أن اقتراح الرقيب كان نعمةً. دخل بعض الواصلين الجدد الردهة، لكن من الصعب توقّع أن يستطيع مئتا شخص دخولها بسهولة، إضافة إلى أنهم عميان وليس هناك مَنْ يرشدهم، وزاد من صعوبة هذه الحالة المؤلمة أن البناء عتيق وسيء التصميم، ولا يكفي من رقيب لا يعرف إلا بالشؤون العسكرية أن يقول، هناك ثلاث غرف في كل جناح، ويجب أن تعرفوا حالة المبنى من الداخل، أبوابه ضيّقة جداً وأشبه بعنق زجاجة، وممراته، مثل نزلاء المصحّ، متفاوتة الأشكال، وتنفتح لا أحد يعرف لماذا، ومن غير المرجح أن يعرف أين تنغلق، انقسمت طليعة المحتجزين غريزياً إلى رتلين، تحركا بجانب الجدران بحثاً عن باب يمكن أن يدخلوه، وهذه طريقة آمنة، من دون شك، مفترضين أنه ليس هناك أثاث يسد الطريق. عاجلاً أو آجلاً سيستقر النزلاء الجدد بعد طول أناة ومعرفة بالمكان، لكن ليس قبل أن تحسم المعركة الأحدث بين خطوط الرتل الشمالي الأمامية وبين حاملي العدوى على الجانب الآخر من الباب. كان يجب توقّع هذا. فقد كان هناك اتفاق وتنظيم أقرته وزارة الصحة، بأن يخصص هذا الجناح لحاملي العدوى، وإن كان صحيحاً أن بالإمكان التنبؤ، وبكل الاحتمالات، أنهم سيعمون جميعاً في النهاية، فالصحيح أيضاً، وبكلام منطقي صرف، أنه ليس هناك ضمانة، حتى يعموا في النهاية، إن العمى هو قدرهم المحتوم. إن هذا أشبه بشخص يجلس في بيته بأمان، ويحسب أن كل شيء على ما يرام، وإذ به فجأة يرى الرعاع الذين يخافهم كثيراً، يزحفون نحوه معولين. اعتقد حاملو العدوى في البدء أن أولئك مجموعة نزلاء مثلهم، يفوقونهم عدداً، غير أن الخديعة

لم تعمّر طويلاً، فهؤلاء عميان تماماً، لا يمكنكم الدخول إلى هنا، هذا الجناح لنا، غير مخصص للعميان، أنتم تنتمون إلى الجناح الآخر، صرخ بهم أولئك الذين يحرسون الباب. حاول بعض العميان المحتجزين أن يلتفوا للبحث عن مدخل آخر، لم يهتموا إن كان شمالاً أم يميناً، غير أن كثرة أولئك الذين ما زالوا يتدفقون من الخارج، صدمتهم بلا رحمة. دافع حاملو العدوى عن الباب باللكم والرفس. انتقم العميان لأنفسهم بقدر ما يستطيعون لم يكن بوسعهم رؤية أعدائهم، غير أنهم يعرفون من أين تأتيهم اللكمات. لا يستطع مئتا شخص أو أي رقم مشابه أن يدخل الردهة، وهكذا لم يطل الوقت حتى انسدّ الباب المفضي إلى الساحة، رغم اتساعه، وكأنه انسدّ بسدادة، لم يعد بوسعهم التحرك إلى الأمام أو إلى الوراء، وراح أولئك المحشورون، المضغوطون في الداخل، يحاولون حماية أنفسهم برفس ولكز جيرانهم الذين كانوا يختنقون. بالإمكان سماع الصراخ ونشيج أطفال عميان. وأمهات عمياوات يغمى عليهن، بينما الحشد الكبير الذي لم يستطع الدخول بعد، يتابع الدفع أكثر فأكثر وقد أخافه صراخ الجنود الذين لم يستطيعوا أن يفهموا سبب عدم دخول هؤلاء البلهاء بعد. مرّت لحظة مرعبة تراجع فيها المحتجزون بعنف إلى الوراء مجاهدين لتخليص أنفسهم من الفوضى، من الخطر الوشيك لانسحاقهم تحت الأقدام. لنضع أنفسنا مكان الجنود، الذين يرون فجأة عدداً كبيراً من أولئك الذين دخلوا المبنى وقد ارتدّوا فجأة إلى الخارج، ففكروا مباشرة في الاحتمال الأسوأ، إن المحتجزين الجدد على وشك العودة، ولنتذكر ما جرى سابقاً فمن المحتمل أن تحدث مجزرة. لحسن الحظ أثبت الرقيب ثانية أنه على مستوى الأزمة، فأطلق النار في الهواء، لينبِّههم، وصرخ عبر المايكروفون، إهدأوا، ليتراجع الواقفون على الدرجات، إلى الوراء قليلاً. افسحوا الطريق، توقفوا عن التدافع وليساعد بعضكُم بعضاً. كان يطلب الكثير جداً، استمر الصراع

في الداخل، غير أن الردهة فرغت تدريجياً، ويعود الفضل في ذلك إلى المحتجزين العميان الذين دخلوا إلى الجناح الأيمن، حيث استقبلهم نـزلاؤه العميان بالترحيب، وقادوهم إلى الغرفة الثالثة، أو بملء حرّيتهم، إلى الأسِرّة الفارغة في الغرفة الثانية. بدا للوهلة الأولى أن المعركة ستحسم لصالح حاملي العدوى، ليس لأنهم أقوى، وقادرون على الرؤية أكثر، إنما لأنهم تصوروا أن لا إعاقة تواجههم على باب الجناح الآخر، ففضّ المحتجزون الجدد الاشتباكات، كما كان الرقيب سيصفها في نقاشاته حول استراتيجية وأسس التكتيكات العسكرية. مهما يكن، لم يدم انتصار المدافعين طويلاً إذ إنّه عندما كان بعض المحتجزين لا يزالون يتدافعون إلى داخل الردهة، جاءت أصوات من داخل باب الجناح الأيمن تعلن أن الغرف الثلاث قد امتلأت، في اللحظة نفسها وعندما تلاشت السدادة البشرية التي تسد المدخل، استطاع عدد كبير من المحتجزين الدخول إلى الردهة والاحتماء تحت سقفها، حيث سيعيشون في مأمن من تهديدات الجنود. كانت النتيجة العملية والفورية لهذين الانزياحين، انطلاق شرارة المعركة ثانيةً عند مدخل الجناح الأيسر، ومرة ثانيةً تبودلت اللكمات، وعلا صراخ أكثر، وكأنّ ما كان موجوداً ليس كافياً. صاح بعض المحتجزين العميان المذهولين من ارتباكهم، وقد وجدوا باب الردهة المفضي إلى الفناء الداخلي وفتحوه عنوة، بأن هناك جثثاً في الخارج. تخيّلوا رعبهم. انسحبوا بأفضل ما يستطيعون، يرددون هناك جثث في الخارج، كأنهم هم الموتى اللاحقون، وخلال ثانية تحولت الردهة من جديد إلى دوامة عنيفة في قمة هيجانها. بعدئذٍ وباندفاعة مفاجئة ويائسة انحرفت الكتلة البشرية باتجاه القسم الأيسر داحرة كل ما أمامها، انهارت دفاعات حاملي العدوى، الذين لم يعد الكثير منهم حاملين للعدوى، بينما الآخـرون يفرّون كالمجانين في محاولة للهرب من قدرهم

الأسود. غير أنّهم هربوا من دون جدوى. دهمهم العمى الأبيض واحداً بعد الآخر، غرقت أعينهم فجأة في ذلك المد الأبيض الشنيع الذي يجتاح الممرات، الأجنحة، كل الفراغ داخل المبنى. هناك في الردهة، وفي الساحة، كان محتجزون عميان يجرجرون أنفسهم بائسين، متورمين من اللكمات، وآخرون من الأقدام التي وطئتهم، معظمهم كهول، نساء وأطفال قليلو الحماية أو معدوموها. بمعجزة لم يخلف الحشد وراءه جثثاً جديدة بحاجة إلى دفن. وعلى أرض الردهة إضافة إلى الأحذية التي أضاعت أقدامها، كانت هناك حقائب كبيرة وصغيرة، سلال، كل أنواع الممتلكات الشخصية، ضاعت إلى الأبد، وبوسع أي أمرئ يلقاها أن يؤكد ملكيته لها. دخل كهل ذو عين معصوبة، وهو بدوره إما أنه أضاع أمتعته، وإما أنه لم يجلب معه شيئاً. كان أول مَنْ تعثّر بالجثث من دون أن يصرخ. بقي بقربها وانتظر قرابة ساعة، عودة السلام والصمت. بحث عن طريقه ببطء وبذراعين ممدودتين أمامه. وجد باب الجناح الأيمن أمامه، سمع أصواتاً من الداخل، توقف ثم سأل، أيوجد عندكم سرير شاغر.

بدا أن قدوم المزيد من العميان ذو فائدة، أو اثنتين. الأولى ذات طبيعة سيكولوجية، إن جاز القول، فهناك بون شاسع بين انتظار وصول نزلاء جدد في أي لحظة، وبين أن ترى البناء كله وقد امتلأ أخيراً، وأنه من الآن فصاعداً سيكون بالإمكان إقامة وتوطيد علاقات دائمة بين النزيل وجيرانه، من دون الاضطرابات التي سادت حتى هذه اللحظة، بسبب الانقطاعات المستمرة وتدخلات الواصلين الجدد التي تلزمنا دائماً بإعادة تأسيس قنوات الاتصال. الثانية، فائدة عملية، ذات طبيعة مباشرة وجوهرية، هي أن السلطات في الخارج، المدنية والعسكرية، قد فهمت أن تقديم الطعام لعشرين أو ثلاثين شخصاً أمر

محتمل وسهل التحضير إلى هذا الحد أو ذاك، بسبب قلة العدد، وبوسعهما التغاضي عن الأخطاء العرضية أو التأخير في تسليم وجبات الطعام، غير أن الأمر مختلف تماماً عندما تواجهان هذه المسؤولية المفاجئة والمعقدة لإطعام مئتين وأربعين شخصاً، ولاننسَ، وهذه مجرّد طريقة تعبير لغوي، أن هناك على الأقل عشرين محتجزاً أعمى ينامون على الأرض لعدم وجود أسرّة لهم. في أيٍّ حال، يجب أن يؤخذ في الحسبان أن تقديم حصة عشرة أشخاص لإطعام ثلاثين شيء مختلف عن تقديم حصة مئتين وأربعين لإطعام مئتين وستين شخصاً. إن الفرق عصيّ على الإدراك تقريباً. والآن، إن الافتراض الواعي لازدياد المسؤولية، وربما لافتراض عدم تجاهلها. والخوف من احتمال حدوث اضطرابات أكثر، هذه كلها مجتمعة دفعت السلطات إلى تغيير إجراءاتها، بمعنى إصدار تعليمات تقضي بتقديم الطعام في الأوقات المحددة وبالكميات المناسبة. من الواضح أنه بعد ذلك الصراع المؤسي، الذي شاهدناه، فإن تكديس هذا الكم من المحتجزين العميان لن يكون سهلاً أو خالياً من الصراع، إذ يجب فقط أن نتذكر أولئك المحتجزين حاملي العدوى القادرين على الرؤية في ما مضى وقد فقدوها الآن، أولئك الأزواج المضيّعين وأطفالهم المفقودين، حالة أولئك الذين سقطوا أرضاً وداستهم الأقدام، مرات عدة بالنسبة إلى البعض الذين كانوا يفتشون عن أمتعتهم التي بقيت عالقةً في أذهانهم من دون أن يجدوها. أن ننسى سوء طالع هؤلاء المساكين وكأن شيئاً لم يكن، إن جاز التعبير، يعني أننا قد تبلّدنا كلياً. مهما يكن فمن غير الممكن إنكار أن الإعلان عن قرب تقديم الغداء كان مثل البلسم بالنسبة إلى الجميع. وإن يكن من الصعب إنكار أن استلام هذه الكمية الكبيرة من الطعام وتوزيعها، مع الأخذ بالحسبان غياب التنظيم الكافي لهذه العملية أو لأي سلطة قادرة على فرض الانضباط اللازم لإطعام كل تلك الأفواه، قد أدى إلى مزيد

من سوء الفهم، بيد أننا يجب ألا نسلم بأن المناخ العام قد تغيّر نحو الأفضل كثيراً، حيث لا يسعك أن تسمع في كل ذلك المبنى القديم سوى جلبة مئتين وستين فماً يمضغ الطعام. مَنْ سينظف كل هذه المخلّفات بعد ذلك. إنه سؤال تصعب الإجابة عليه. في عصر ذلك اليوم سيكرّر ذلك الصوت عبر المايكروفون تلك التعليمات عن السلوك المنضبط الواجب اتباعه لمصلحة الجميع، ثم سيتضح بأي درجة من الاحترام سيتعامل الواصلون الجدد مع هذه التعليمات. وكان أمراً عظيم الأهمية أن يقرر نزلاء الغرفة الثانية أخيراً، دفن موتاهم، فعلى الأقل سنتخلص من تلك النتانة، لأن رائحة الأحياء، مهما أنتنت، يبقى اعتيادها أمراً سهلاً.

في الغرفة الأولى، وربما لأنها الأقدم، وبناءً عليه، الأكثر استقراراً في التقدّم ومواصلة السعي للتكيّف مع حاله العمى، لم تكن لترى فيها بعد ربع ساعة من الانتهاء من الطعام، قصاصة ورق قذرة، أو طبقاً، أو بعض قطرات سقطت من وعاء ما على الأرض. كانوا يجمعون كل شيء، الأشياء الصغيرة توضع داخل الكبيرة، الأقذر داخل الأقل قذارة. كل هذا يتم وفق متطلبات الصحة العامة المخططة عن وعي، مع مراعاة أقصى فعالية ممكنة في تجميع المخلّفات والنفايات، لاختصار الجهد المطلوب لتنفيذ هذه الأعمال. إن الحالة العقلية الضرورية لإقرار سلوك اجتماعي من هذه الطبيعة، بحكم الظروف، لا يمكن أن ترتجل ولا أن تظهر عفوياً. إذا أنعمنا النظر في أصول التدريس لطريقة المرأة العمياء التي تشغل الركن الأقصى في الغرفة الأولى فيبدو أنها قد مارست تأثيراً حاسماً. إذ إن تلك المرأة المتزوجة من طبيب العيون لم تكلّ قط من أن تردد على مسامعنا، إن كنا غير قادرين على العيش ككائنات بشرية، فدعونا على الأقل نفعل كل ما بوسعنا كي لا نعيش كالحيوانات تماماً. غالباً ما كرّرت هذه الكلمات حتى غدت مثلاً أعلى، حكمةً، مبدأً، ونظام

حياةٍ لدى بقية نزلاء الغرفة. كلمات هي في العمق بسيطة وبدائية، ربما كانت مجرّد حالة عقلية، مبشّرة بأي تفهم للحاجات والظروف التي ساهمت حتى ولو بطريقة ثانوية في الترحيب بالكهل ذي العين المعصوبة عندما أطلّ برأسه من الباب وسأل مَنْ في الداخل، هل أجد عندكم سريراً شاغراً. كانت مصادفةً سعيدةً، دلالةً واضحةً على نتائج مستقبلية أن يوجد سرير شاغر، سرير واحد لا غير. ولكل امرئ أن يخمّن لماذا نجا من الغزو، إن جازت التسمية. لقد شهد ذلك السرير المعاناة المكتومة لسارق السيارة، ربما احتفاظه بجو المعاناة هو ما أبقى الناس بعيدين عنه. تلك هي تصريفات القدر، ألغاز غامضة، وليست هذه المصادفة الأولى، إضافة إليها، يجب أن نلاحظ أن كل ما اتفق أن كان في عيادة طبيب العيون عندما دخلها الأعمى الأول قد اجتمعوا في هذا الجناح، وحتى تلك اللحظة لم يعتقد أن الأمور ستذهب أبعد من هذا الحد. همست زوجة الطبيب في أذن زوجها بصوت خفيض، كالعادة، بحيث لا يرتاب أحد بوجودها قربه، ربما كان أيضاً من مرضاك، إنه كهل، أصلع، أبيض الشعر، ويضع عصابة سوداء فوق إحدى عينيه. أذكر أنك أخبرتني عنه. فوق أي عين عصابته. فوق العين اليسرى. لا بدّ أنه هو. تقدّم الطبيب في الممر بين الأسرّة وقال وهو يرفع صوته قليلاً، أود لو ألمس الشخص الذي انضم إلينا الآن، أن أطلب منه أن يسير نحوي وسأسير بدوري نحوه. اصطدم أحدهما بالآخر في منتصف الممر، الأصابع تلمس الأصابع، كنملتين تتعرفان إحداهما إلى الأخرى خلال مناورات قرني الاستشعار لديهما. رفع الطبيب يده إلى وجه الكهل، بعد أن استأذن منه، ووجد العصابة فوراً. لا شك أبداً، ها قد وصل الشخص المفقود، الرجل ذو العين المعصوبة، ماذا تقصد، سأله الكهل، من أنت. أنا، أو أنا من كان، طبيبك، اختصاصي العيون، تذكر، كنا نرتب موعد إجراء العمل الجراحي لرفع السواد من عينيك.

كيف عرفتني. من صوتك بالدرجة الأولى، فالصوت هو بصر من لا يستطيع الرؤية. نعم، الصوت، لقد بدأت أيضاً أميّز صوتك، مَنْ كان سيفكّر في هذا، دكتور، لا حاجة الآن لإجراء العملية. إن وُجِد علاج لهذه الحالة، سيحتاج كلانا لهذه العملية. أذكر، دكتور، أنك قلت لي إني وبعد إجراء العملية لن أميّز العالم الذي أعيش فيه، والآن أعرف كم كنت محقاً. متى عميت. ليلة أمس. وجلبوك إلى هنا مباشرة. لن يطول الوقت حتى تؤدي حالة الهلع السائدة هناك في الخارج إلى أن يقتلوا الشخص الذي يعلن عن عماه فور سماعهم للكلمة. لقد قتلوا عشرة هنا، قال صوت ذكوري، لقد وجدتهم، قال الكهل ذو العين المعصوبة، ببساطة. رأيت موتى الغرفة الثانية، لقد دفنا موتانا، أضاف الصوت نفسه، وكأنه يختتم تصريحه. قالت الفتاة ذات النظارة السوداء التي كانت قد اقتربت منه، أتذكرني، كنت ألبس نظارة سوداء. أتذكّرك جيداً، رغم السواد في عيني، فأتذكر أنك كنت جميلة جداً. ابتسمت الفتاة، شكراً لك، قالت ثم عادت إلى سريرها. صاحت من هناك، والطفل الصغير هنا أيضاً. وكان بالإمكان سماع صوت الطفل ينادي، أريد أُمي، وكأنه تعب من بكاء سابق لا طائل منه. وأنا أول من عمي، قال الأعمى الأول، وزوجتي هنا معي. وأنا الموظفة في العيادة. بقي لزاماً عليّ أن أعرّف بنفسي، قالت زوجة الطبيب وهي تعرّفه بشخصها. عندئذٍ وكأنه يرحب بهم بالمقابل، أعلن الكهل، معي راديو. راديو، هتفت الفتاة ذات النظارة السوداء وصفّقت بيديها، الموسيقا، شيء رائع. لكنه راديو صغير يعمل بواسطة البطاريات، وهذه لا تدوم إلى الأبد، ذكّرها الكهل. لا تقل لي إننا سنبقى هنا إلى الأبد، قال الأعمى الأول. إلى الأبد، كلا، إلى الأبد وقت طويل جداً. سنتمكن من سماع الأخبار، علّق الطبيب. وقليل من الموسيقا، ألّحت الفتاة ذات النظارة السوداء. لا يحب الجميع النوع نفسه من الموسيقا، غير أننا جميعاً مهتمون في معرفة ما يجري في

الخارج، والأفضل أن نوفّر البطاريات لذلك الشأن. موافق، قال الكهل ذو العين المعصوبة. أخرج الراديو الصغير من جيبه، شغّله وراح ينقّل المؤشّر بين محطات مختلفة، إلاّ أن يده لم تستطع أن تستقر على موجة واحدة، ثم أن البدء بكل ما يمكن سماعه كان صخباً متقطعاً، شذرات موسيقا، كلمات، حتى استقرت يده قليلاً وأصبحت الموسيقا أوضح. أتركها قليلاً، توسلت إليه الفتاة ذات النظارة السوداء. اتضح الكلام أكثر. هذه ليست أخباراً، قالت زوجة الطبيب، ثم وكأن فكرة مفاجئة خطرت لها الآن، فسألت، كم الساعة الآن، لكنها عرفت فوراً أن أحداً هنا لا يستطيع أن يعرف. استمرّ مفتاح الصوت في اعتصار الصخب من الراديو الصغير. واستقرّ بعدئذٍ إنها أغنية مبتذلة، غير أن المحتجزين بدأوا يتجمّعون حوله، من دون تدافع، كانوا يتوقفون بمجرد الإحساس بوجود شخص ما أمامهم، وبقوا هكذا، يصغون وأعينهم مفتوحة على اتّساعها مصوّبة ناحية انبعاث الصوت الصادح. كان البعض يبكي، كما هو مرجح، فالعميان فقط بوسعهم أن يبكوا، وكانت الدموع تنهمر وكأنها تندفع من نافورة. انتهت الأغنية. أعلن المذيع أنه مع الدقة الثالثة ستشير الساعة إلى تمام الرابعة. سألت إحدى العمياوات. ضاحكة، الرابعة بعد الظهر، أم الرابعة فجراً، وبدا كأنّ السؤال قد أحرجها هي نفسها. عدّلت زوجة الطبيب مواقع عقارب ساعتها، وملأتها. إنها الرابعة بعد الظهر، رغم أنه، في الواقع، لا علاقة للساعة بتلك التقسيمات، فالعقارب تجري من الواحد إلى الثانية عشرة، وكل ما عدا ذلك هو مجرّد أفكار في العقل البشري. ما هذا الصوت الضعيف، سألت الفتاة ذات النظارة السوداء، بدا لي أني سمعت، هذه أنا، قاطعتها زوجة الطبيب، سمعت المذيع يعلن أنها الرابعة فملأت ساعتي بحركة آلية، كما نفعل في كثير من الأحيان. بعدئذٍ فكرت زوجة الطبيب أنه ما كان ينبغي لها أن تعرض نفسها لهذه المخاطرة، فكل ما كان يلزمها

هو أن تنظر إلى ساعة يد أحد العميان الذين وصلوا اليوم، لا بُدّ أن في يد أحدهم ساعة لا تزال تعمل بانتظام. والكهل ذو العين المعصوبة يمتلك ساعة تعمل بانتظام، كما لاحظت في تلك اللحظة. سأله الطبيب بعدئذٍ، قل لنا كيف هي الأمور في الخارج. قال الكهل ذو العين المعصوبة، سأخبركم طبعاً، لكن أود أن أجلس أولاً، لأن قدميّ تؤلمانني جداً. جلس كل ثلاثة أو أربعة محتجزين على سرير، بقدر ما يتسع لهم، كلٌّ بجانب رفيقه، وأصغوا. راح الكهل ذو العين المعصوبة يخبرهم بما يعرفه، عما شاهده بعينه قبل أن تعمى، بما سمعه خلال الأيام القليلة الفاصلة بين انتشار الوباء وعماه.

إذا صحّت الشائعات التي جرت على الألسن فقد سُجِّلت أكثر من مئة إصابة خلال الأربع والعشرين ساعة الأولى، وكلها متشابهة الأعراض، عمى مفاجئ مع غياب مقلق لأي آفات مرضية، بياض ألق في مجال الرؤية، من دون ألم سابق أو لاحق. في اليوم الثاني قيل إن حالات العمى كانت اثنتي عشرة حالة، لا مئة، وهذا ما حدا الحكومة على الإعلان عن إمكانية الافتراض بالسيطرة على هذه الحالات بسرعة. من هذه النقطة فصاعداً، بصرف النظر عن بعض التعليقات المحتومة، لن تُتابع قصة الكهل ذي العصابة السوداء فوق إحدى عينيه، إلى نهايتها، لأنها ستُستبدل بنسخة خطابية معادة الصياغة، موزونة من جديد في ضوء الكلمات المناسبة والأكثر ملاءمة. وسبب هذا التغيير غير المتوقع مسبقاً هو لغة الراوي المضبوطة شكلانياً، على نحو أعلى، والتي تؤهِّله ليكون مراسلاً مُجاملاً، مهما تكن الأهمية التي قد يحوزها. ولأنّنا لن نكون قادرين بدونه على معرفة ماذا جرى في العالم الخارجي، بأي شكل كان. وكما قلنا، كمراسل مجامل يخبرنا عن هذه الأحداث غير العادية، يمكنه فقط، كما نعرف، أن يوصل إلينا الحقائق الموصوفة

باستخدام المصطلحات القويّة والمناسبة. بالعودة إلى موضوعنا، فقد أسقطت الحكومة بناءً عليه، فرضية أصولية رسمية مفادها أن البلد تتعرض لجائحة وباء لا سابقة له، ناتجة عن عامل إمراضي لم تُحدّد هويته بعد، يظهر تأثيره فوراً، ويتميّز بأن ليس له أي علامات كمون أو حضانة مسبقة. بدلاً من ذلك، قالوا إنه وفقاً لآخر الآراء العلمية، وبالتالي، وفقاً للتفسيرات الحكومية حتى هذه اللحظة، إنهم يواجهون مجموعة ظروف عرضية مشؤومة مؤقتة اتفق أنها تزامنت معاً، رغم أنه لم يجرِ إثبات ذلك بعد، رغم الإمكانية التي يتيحها تقدم علم نشوء الأمراض. تكثفت بلاغات الحكومة، بدءاً من تحليل المعطيات المتوفرة، إلى استكشاف الاقتراب من انعطافة واضحة في التأكّد عن طريق ثباتِ الوباء وأَعراضه، أنه في حالة انحسار. وأدلى معلّق تلفزيوني بتشبيه ذكي عندما قارن الوباء، أو أيّاً تكن تسميته، بسهم أطلق في الهواء، ولدى وصوله إلى مداه الأقصى سيتوقف للحظة وكأنه عُلِّق في الهواء، من ثم يبدأ سقوطه الحتمي رويداً رويداً، بمشيئة الله. وبهذا التصريح عاد المعلّق التلفزيوني إلى تفاهة الخطاب البشري وإلى ما يسمى وباء، وميل الجاذبية إلى تسريعه، حتى يختفي أخيراً هذا الكابوس المرعب الذي يعذّبنا. هذه هي الكلمات التي كانت تسوّقها وسائل الإعلام، باستمرار، وتختمها غالبا برغبة وَرِعة في أن يستعيد أولئك المساكين الذين عموا، بصرهم بسرعة، واعدينهم في الوقت نفسه بتضامن المجتمع كله معهم، على الصعيدين الرسمي والشعبي. لقد ترجم متفائل جريء من عامة الشعب، في ماضٍ بعيد، تشبيهات وجدالات مماثلة إلى أمثال، مثل، لا شيء يدوم، خيراً كان أم شرّاً. حكمة قيّمة من شخص تعلم من تقلّبات الحياة والحظ. وإن نقلت هذه الحكمة إلى أرض العميان فيجب أن تقرأ كالتالي، في الأمس كنا مبصرين، اليوم نحن عميان، وغدا سنبصر من جديد، مع ملاحظة استفهامية طفيفة

في نهاية الشق الثالث من العبارة، وكأنه تعقَّل في اللحظة الأخيرة وقرر وضع، إذا ما، مضيفاً بذلك لمسة شك على الخاتمة المشجّعة.

سرعان ما تكشفت هشاشة آمال كهذه، وعلى نحو مؤسٍ، وتلاشت توقّعات الحكومة وتنبؤات الجمعية العلمية، من دون أثر. كان العمى ينتشر، لا كالمدّ الذي يجتاح كل شيء أمامه، بل كتسلل غادر لألف جدول وجدول هائج تغرق الأرض برويّة، وتغمرها كلّياً، على حين غرّة. في مواجهة هذه الكارثة الاجتماعية التي توشك أن تأخذ بخناق البلد، أسرعت الحكومة إلى تنظيم مؤتمرات علمية تجمع اختصاصيي العيون والأعصاب، خصوصاً. لم يعقد مؤتمر دعا إليه البعض وذلك بسبب عامل الزمن الذي يستغرقه تنظيمه، ولا يمكن إغفاله، وأقيمت بدلاً منه مناقشات، حلقات درامية، طاولة نقاش مستديرة، بعضها مفتوح للعامة، وبعضها الآخر خلف أبواب مغلقة. كان الأثر النهائي لهذه الجدالات فاضحة الهشاشة، وحدوث حالات عمى مفاجئ خلال تلك الجلسات حيث يصرخ متحدث فجأة، أنا أعمى، أنا أعمى، كما حصل، على سبيل المثال، لبروفيسور، في طب العيون، هو أن كل وسائل الإعلام تقريباً تجاهلت هذه المبادرات، بصرف النظر عن السلوك الجدير بالثناء، بكل المعاني، لبعض المشاركين في المناقشات والذين قدموا قصصاً حسية زاخرة بكل أنواع حظ وسوء حظ الآخرين، وكانوا مستعدين لاغتنام أي فرصة لبثٍّ الحياة بأي شكل من أشكال التراجيديا التي تسمح بها الحالة.

إن الدليل على انهيار المعنويات العامة صدر عن الحكومة نفسها، إذ إنها غيّرت استراتيجيّتها مرتين في غضون ستة أيام. فقد كانت الحكومة في البدء، واثقة من إمكانية تطويق المرض بحجز العميان وحاملي العدوى داخل أماكن معيّنة، مثل مشفى المجانين الذي نحن

فيه الآن. بعدئذٍ اندفع بعض أعضاء الحكومة المتنفذين، بسبب التزايد المستمر لعدد حالات العمى، متخوفين من عدم كفاية المبادرات الرسمية لمواجهة المعضلة التي قد تكون كلفتها السياسية ثقيلة الوطأة، اندفعوا للدفاع عن فكرة واجب العائلات في حجز عميانهم داخل المنازل وعدم السماح لهم بالخروج إلى الشوارع، كي لا يزيدوا طينة مصاعب حركة المرور بلّة، أو أن يجرحوا مشاعر الأشخاص المبصرين الذين يعتقدون، غير مبالين كثيراً أو قليلاً بالآراء التي تؤكد خطأ اعتقادهم، أن العمى الأبيض ينتشر عن طريق الملامسة البصرية، مثل اللامّة[٥]. في الواقع من الخطأ أن نتوقع أي استجابة أخرى من شخص يحمل أفكاراً مسبقة عن الأمر. سواء أكانوا محزونين، أم لامبالين أم سعداء، فإذا ما بقيت أفكار كهذه في رؤوسهم، فإن رؤية شخص ما يسير نحوهم وقد سكنت وجهه كل أمارات الرعب المطبق وراح يصرخ أنا أعمى، أنا أعمى، لن تحتمل أعصابهم هذا الموقف. والأمر الأسوأ أن كل العائلات، لا سيما الصغيرة منها قد تحوّلت بسرعة إلى عائلة ناس عميان، لم يبق فيها أحد قادراً على توجيه البقية ورعايتهم، ولا أن يحمي الجيران منهم. كان واضحاً أن هؤلاء العميان، مهما يكن الأب، الأم، أو الإبن حريصين فلن يستطيع أحدهم العناية بالآخرين، وإلا فسوف يلقى مصير العميان نفسه في لوحة العميان الشهيرة، يمشون معاً، يسقطون معاً ويموتون معاً.

لم يكن أمام الحكومة، في مواجهة هذه الحالة، بديل غير أن تتحرك في الاتجاه المعاكس، توسّع المعيار الذي أقرّته حول الأماكن والفراغات التي يمكن مصادرتها، وتجلّى ذلك في الاستخدام الفوري

---

(٥) اللامة Evil eye: العين التي تصيب بالسوء (المورد)

والمرتجل للمصانع المهجورة، الكنائس المهملة، السرادقات الرياضية، المخازن الفارغة. وفي اليومين الماضيين جرى كلام عن نصب خيم عسكرية، أضاف الكهل ذو العين المعصوبة. في البداية، ومنذ اللحظة الأولى بقيت عدة منظمات خيرية تقدّم متطوعين لمساعدة العميان، لترتيب أسرّتهم، تنظيف المراحيض، غسل ثيابهم، تحضير طعامهم، الحد الأدنى من الرعاية الذي دونه تغدو الحياة غير محتملة. عَميَ هؤلاء المحسنون مباشرة غير أن شهامة تصرفهم هذا، سيخلّدها التاريخ. هل جاء أحدهم إلى هنا، سأل الكهل ذو العين المعصوبة. كلا، أجابته زوجة الطبيب، لم يأتِ أحد. ربما كانت شائعة. وكيف هو حال المدينة وحركة المرور، سأله الأعمى الأول، متذكراً سيارته وتاكسي السائق الذي أوصله إلى عيادة الطبيب، وساعد على حفر القبر. إن حركة السير في حالة عماء، قال الكهل، سرد لهم تفاصيل حوادث وحالات معينة، فعندما عمي أول سائق باص وهو يقود عربته في شارع مزدحم، ورغم الضحايا والأضرار الناجمة عن الكارثة، لم يهتم الناس كثيراً بالسبب بحدّ ذاته، أي، بسبب قوة العادة. وجد مدير العلاقات العامة في شركة النقل، القدرة على أن يعلن، بدون لفظ زائد، أن الكارثة نتيجة خطأ بشري، وإنه شيء يدعو للأسف بدون شك، وعزا الأمر إلى نوبة قلبية لا يمكن التنبؤ بها عند شخص، السائق، لم يشتك من قلبه قط. ثم أوضح المدير، أن موظفينا مثل الأجزاء الكهربائية والالكترونية في باصاتنا، تخضع لصيانة دورية صارمة، كما يتبين لكم، من خلال عرض المسببات والنتائج، ومن ضآلة النسبة المئوية للحوادث التي تسببت بها عربات شركتنا. نُشر هذا الشرح المضني في الصحف، غير أن عقول الناس كانت مشغولة. بهمٍّ أكبر من مجرد حادث سير بسيط لن تكون نتائجه أقل سوءاً إذا كانت فرامل الباص قد تعطلت، وهذا ما حدث بالضبط، بعد يومين، إذ تسبب عطل الفرامل بحادث آخر، غير أنه

والحالة هذه، وحيث أن الحقيقة تلبس على الأغلب قناعاً مزيّفاً كي تبلغ غايتها سرت شائعة بأن السائق قد عمي فجأة. كان مُحالاً إقناع العامة بحقيقة ما حدث، وظهرت نتيجة ذلك بسرعة، إذ أقلع الناس في غمضة عين عن ركوب الباصات، وسوّغوا ذلك بأنهم يفضلون أن يعموا بأنفسهم على أن يموتوا بسبب عمى الآخرين. وتلاهما الحادث الثالث سريعاً وللسبب نفسه، غير أن العربة كانت فارغة، وأثارت تعليقاً مبسطاً في نبرة عامية معروفة، كالتالي، كان يمكن أن أكون أنا. ولم يستطع أولئك الذين يتكلّمون بهذه النبرة أن يتخيّلوا كم كانوا على صواب. وعندما عمي طياران، في الوقت نفسه، يقودان طائرة تجارية، سقطت وانفجرت لحظة ارتطامها بالأرض، قُتل طاقم الطيارة وكلُّ المسافرين، مع أنه في حالة الطائرة هذه، كانت كل محرّكاتها وتجهيزاتها الكهربائية سليمة كما بيَّن الصندوق الأسود في ما بعد. لم يكن هذا النوع من المآسي عادياً مثل حادث الباص، فقد وضع حداً للأوهام المتبقية عند البعض. ومنذ تلك اللحظة لم يُسمع في المدينة هدير محرِّك ولا دوران عجلة، صغيرةً كانت أم كبيرةً، سريعةً أم بطيئةً. ورضي بعدئذٍ أولئك الذين كانوا يتذمّرون سابقاً من مصاعب حركة المرور المتزايدة باستمرار، والمشاة الذين، للوهلة الأولى، بدا أنهم لا يعرفون أين يسيرون بسبب كثرة السيارات المتوقّفة أو المتحرّكة التي تعوق تقدمهم باستمرار، وكذلك السائقون الذين كانوا يتمايلون دائماً على الاختناقات المرورية حتى ينجحوا أخيراً في إيجاد فراغ يصفّون فيه سياراتهم، أصبحوا الآن مشاة وبدأوا يحتجّون للأسباب نفسها، لكن لا بُد أنهم راضون الآن، بعد أن جهروا بتذمرهم الأول، لولا هذه الحقيقة الظاهرة للعيان، فحيث لم يبق شخص واحد يجرؤ على قيادة عربة ولا حتى للانتقال من مكان إلى آخر، فقد هُجرت السيارات، الشاحنات، الدراجات النارية والهوائية أيضاً، مبعثرة على عماها في

كل أنحاء المدينة حيث طغى حسّ الخوف على أي حس تملكي، كما يبيّن هذا المنظر الغريب لسيارة صغيرة تتدلى من الخطاف الأمامي لعربة قطر- سيارات لا بدّ أن سائقها كان أول سائق عربة - قَطْرٍ يدركه العمى. كانت الحالة سيّئة بالنسبة إلى الجميع، إلاّ أنها كانت كارثية بالنسبة إلى أولئك الذين عموا، ذلك أنهم حسب التعبير العامي، كانوا لا يرون أين يضعون قدمهم. إنه لمنظر مؤسٍ أن تراهم يتعثرون الواحد بعد الآخر بالسيارات المهجورة، فَتُرضُّ أرجلهم، يسقط بعضهم أرضاً، ويتوسّل، أما من أحد يساعدني على الوقوف، وكان بينهم أيضاً بعض الفظين بطبعهم، وربما جعلهم اليأس هكذا، يشتمون ويرفسون أي يد تمتد لمساعدتهم. دعني وشأني، كانوا يقولون، سيأتي دورك قريباً. عندئذٍ يخاف ذلك الشخص المتعاطف معهم وبولي الأدبار، يختفي في ذلك الغياب الكثيف ويعي فجأة تلك المخاطرة التي قاده لطفه إليها. ربما كانوا يعمون بعد عدة خطوات فقط.

هكذا تجري الأمور في الخارج، ختم الكهل ذو العين المعصوبة تقريره، وأضاف، أنا لا أعرف كل شيء، بوسعي إخباركم فقط عمّا استطعت رؤيته بعينيَّ، صمت قليلاً، وأردف مصحِّحاً، ليس بعينيَّ الاثنتين لأني عندئذٍ كنت أملك عيناً واحدة فقط وقد فقدتها الآن، حسن لم أفقدها غير أنها عديمة الفائدة. بالمناسبة، لم أسألك قط لماذا لم تضع عيناً زجاجية بدلاً من هذه العصابة. ولماذا أفعل ذلك، قل لي، ردّ الكهل. لأن هذا هو الشكل الطبيعي، ولأنه يبدو أفضل، إضافة إلى أنها صحيّة أكثر، إذ يمكن نزعها، غسلها وإعادتها كطقم الأسنان. نعم، يا سيد، لكن قل لي، كيف سيبدو الأمر لو أن كل الذين عموا وفقدوا أعينهم، أقصد فقدوها بالمعنى الفيزيقي، ماذا سيفيدهم الآن وضع أعين زجاجية، أنت محق، لن يفيدهم ذلك شيئاً. من سيهتم بعد أن عمينا

جميعاً، كما يبدو أنه يجري الآن، بالمسائل الجمالية والصحية، ثم قل لّي، يا دكتور، ما هي الإجراءات الصحية التي تأمل بها في هذا المكان. ربما لن تكون الأشياء على حقيقتها إلا في عالم العميان فقط، قال الطبيب. وماذا عن الناس، دكتور، سألت الفتاة ذات النظارة السوداء. الناس أيضاً، فلن يكون هناك أحد ليراهم. لقد خطرت لي فكرة، قال الكهل ذو العين المعصوبة، لنلعب لعبة كي لا نشعر بوطأة الوقت. كيف سنستطيع اللعب إن كنا لا نرى ما نفعله، سألت زوجة الأعمى الأول. حسن، لا أقترح عليكم لعبة حركية، بل أن يقول كلٌّ منا ما هو آخر شيء رآه قبل أن يعمى. قد يكون الأمر محرجاً، علق شخص ما. من لا يرغب في المشاركة بوسعه أن يبقى صامتاً، إذ إنه من المهم ألا يحاول أحدنا أن يخترع قصة ما. أعطنا مثالاً، قال الطبيب. بالتأكيد، قال الكهل ذو العين المعصوبة، فقد عميت أنا عندما كنت أنظر إلى محجر عيني العمياء. ماذا تعني. الأمر بسيط، لقد شعرت بحرقة داخل محجري الفارغ، فدفعني فضولي إلى نزع العصابة لأرى ما الأمر وعندئذٍ، في اللحظة نفسها، عميت. يبدو الأمر مجازياً، قال صوت مجهول، كعين ترفض الاعتراف بغياب ذاتها. أما أنا، قال الطبيب، كنت في البيت أقرأ بعض المراجع الخاصة بطب العيون، بخصوص هذا العمى، وآخر شيء رأيته هو يدايَّ وهما مستقرّتان فوق كتاب. بالنسبة إلي فالأمر مختلف، قالت زوجة الطبيب، إذ إن آخر ما رأيته هو سيارة الإسعاف من الداخل، عندما كنت أساعد زوجي في الصعود إليها. لقد قصصت ما جرى لي على الطبيب، قال الأعمى الأول، توقفت عند شارة مرور حمراء، كان المارة يعبرون الشارع من جهة إلى أخرى، في تلك اللحظة عميت، وقد أوصلني إلى بيتي ذلك الشخص الذي مات منذ يومين، بالطبع لم أستطع أن أرى وجهه. بالنسبة إلي، قالت زوجة الأعمى الأول، فإن آخر شيء أتذكر رؤيته هو منديلي، كنت حينئذٍ في البيت وحدي، أبكي

بمرارة، رفعت المنديل لأجفف به عيني وفي تلك اللحظة عميت. أما أنا، قالت موظفة العيادة، دخلت المصعد وفي اللحظة التي مددت فيها يدي لأضغط الزر، عميت، وبوسعكم تخيّل ألمي، فقد علقت في المصعد وحدي، لم أعرف إن كنت سأصعد أم سأهبط، ولم أستطع أن أجد الزر لأفتح الباب. لقد كانت حالتي أكثر سهولة، قال مساعد الصيدلي، إذ تناهى إلى سمعي أن الناس يعمون، بعدئذ بدأتُ أتساءل كيف سيبدو الأمر إن أنا عميت، أغمضت عينيَّ لأجرب الأمر وعندما فتحتهما كنت أعمى. يبدو ليَ الأمر مجازاً آخر، علّق الصوت المجهول نفسه، إن أنت أردت أن تعمى فسوف تعمى إذاً، ساد صمت. كان المحتجزون العميان الآخرون قد مضوا إلى أسرّتهم، وليس ذلك بالأمر السهل، صحيح أنهم يعرفون أرقام أسرّتهم، غير أنهم، كي يصلوا إلى السرير الذي يريدون، مضطرون أن يعدّوا من إحدى نهايتي الغرفة، إما من السرير الأول فصاعداً، وإما من السرير الثاني والعشرين فنازلاً، عندما انتهت دمدمة العدّ الرتيبة كالابتهالات، قصت عليهم الفتاة ذات النظارة السوداء ما جرى لها. قالت، حدث ذلك في غرفة فندق عندما كان يعتليني رجل، وصمتت هنا إذ أحست بخجل كبير من قول ما كانت تفعله، غير أن الكهل ذا العين المعصوبة أردف متسائلاً، ورأيت كلَّ شيء أبيض. نعم. فأضاف، ربما يكون عماك مختلفاً عن عمانا. بقي شخص واحد ليروي قصته، إنها عاملة الفندق. كنت أرتّب سريراً، حيث عَميَ شخص ما، رفعت الشرشف الأبيض أمامي وفردته فوق السرير، أدخلت طرفيه تحت جانب الفراش، كما يفعل الناس، ورحت أمسّده براحتيَّ وفجأة لم أعد أرى. أذكر كيف كنت أمسّده ببطء. إنه شرشف تحتي، أضافت وكأنها تضمّن قولها دلالة ما. هل انتهى الجميع من سرد قصص رؤيتهم الأخيرة، سأل الكهل ذو العين المعصوبة. سأروي قصتي إن لم يتبق غيري، قال صوت مجهول. إن كان هناك غيرك فبوسعه سرد

قصته من بعدك، تفضّل أبداً. آخر شيء رأيته كان لوحة. لوحة، ردد الكهل ذو العين المعصوبة، وأين رأيتها. في متحف، لوحة تصوّر حقل ذرة فيه أبقار وشجر سرو، وشمس تبثّ فيك انطباعاً بأنها مُشَكَّلة من شظايا شُموس أخرى. تبدو لي مثل لوحة فنان هولندي. أعتقد ذلك، غير أن فيها كلباً يغرق، وقد غمرت المياه نصفه، مخلوق بائس. في هذه الحالة يجب أن تكون لوحة فنان إسباني، إذ إن أحداً قبله لم يرسم كلباً في تلك الوضعية، ولم يتجرأ أحد من بعده أن يحاول ذلك. ربما. وكان فيها عربة محمّلة بالشعير، تجرها أحصنة تعبر جدولاً. هل كان في اللوحة إلى اليسار، بيت. نعم. فهي إذاً لوحة فنان إنكليزي. ممكن، غير أني لا أعتقد ذلك، لأن فيها إمرأة تحتضن طفلاً. إن تصوير الأُمهات والأطفال شائع جداً في اللوحات. صحيح، لاحظت ذلك. الشيء الذي لا أفهمه هو كيف أن لوحة واحدة تضم عدة صور، ومن قِبَل رسَامين كثر. وكان فيها رجال يأكلون. يوجد في تاريخ الفن كثير من وجبات الغداء، العصرونيات، العشاءات، بيد أن هذا التفصيل غير كافٍ لنعرف من كان يأكل. كانت المأدبة تصوِّر ثلاثة عشر رجلاً. آه، بسيطة إذاً، أكمل. وفيها أيضاً إمرأة عارية لها شعر جميل، مستلقية في محارة طافية فوق البحر، وحولها ورود كثيرة. من الواضح أنه رسّام إيطالي. وفيها صورة معركة أيضاً. إن هذه التفاصيل، مثل تفاصيل لوحات الولائم ولأمهات وهن يحتضن أطفالهن، غير كافية لتدل على الرسّام. فيها أيضاً جثث ورجال جرحى. من الطبيعي عاجلاً أم آجلاً أن يموت كل الأطفال. والجنود أيضاً. وينظر الحصان مرعوباً، وحدقتا عينيه جاحظتان تكادان تخرجان من محجريهما، هكذا بدت الأحصنة بالضبط. وما هي الصور الأخرى التي كانت في لوحتك تلك. واحسرتاه، لم أتمكن من مشاهدتها، لقد عميت عندما كنت أنظر إلى الحصان. قد يسبب الخوف العمى، قالت الفتاة ذات النظارة السوداء.

لم أسمع أبلغ من هذه العبارة، ولا وجود لعبارة أبلغ منها، كنّا عمياناً تماماً، وفي اللحظة التي عمينا فيها أعمانا الخوف، وسوف يبقينا الخوف عمياناً. من الذي تكلّم، سأل الطبيب. رجل أعمى، أجابه صوت، مجرّد رجل أعمى، لأن العمى هو كل ما لدينا هنا. عندئذٍ سأل الكهل ذو العين المعصوبة، تُرى كم من العميان مطلوباً لتشكيل حالة عمى، لم يستطع أحد أن يجيبه- طلبت منه الفتاة ذات النظارة السوداء أن يفتح الراديو، فربما نسمع نشرة أخبار. أذيعت نشرة الأخبار بعد قليل من استماعهم إلى موسيقا. وفي لحظة معينة ظهر المحتجزون العميان في باب الجناح وقال أحدهم، مؤسف أن أحداً لم يفكر بإحضار غيتار. لم تكن الأخبار مشجعة جداً، إذ كان هناك شائعة متداولة بأن حكومة إنقاذ ووحدة وطنية، على وشك التشكيل.

وفي البدء، عندما كان لا يزال بالإمكان عدّ الموجودين هنا على أصابع اليدين، وحيث كانت كلمتان أو ثلاث كافية لجعل الغرباء شركاءً في التعاسة، وكان بوسعهم بثلاث أو أربع كلمات أخرى أن يغفر أحدهم للآخر كلَّ أخطائه، حتى الكبيرة منها، وإن تعذّر ذلك، فالأمر ببساطة هو التحلّي بالصبر لأيام عدّة، بعدئذٍ اتضح جلياً كم من الأحزان المجّانية يجب أن يعاني التعساء المساكين في كل مرّة تطلب فيها أجسادهم الراحة، أو، كما نقول، إرضاء حاجاتها. على الرغم من هذا، ومع أنه من المعلوم أن اللباقة التامة نادرة نوعاً ما، وأن الطبائع حتى الحذرة والمحتشمة منها لها نقاط ضعفها، يبقى من الضروري التسليم بأن أوّل أشخاص احتجزوا هنا كانوا قادرين، برادع ضميري، إلى هذا الحدّ أو ذاك على الاحتمال بنبالة ذلك النزق الذي تفرضه عليهم طبيعة النوع البشري الداعرة، البارزة. أما الآن، ومع كل هذا العدد من الأسرّة، مئتين وأربعين، إن لم نحتسب مَنْ ينامون على الأرض، فإن

أي مخيّلة مهما تكن خلاّقةً وخصبةً في اجتراح المقارنات، الصور، والاستعارات، لن تنجح في وصف القذارة هنا. والأمـر لا يقتصر على المراحيض والدرك الذي انحطت إليه بسرعة، فأحواضها نتنة مثل أحواض الجحيم الطافحة بـالأرواح الآثمة، بل إنه يطول أولئك النزلاء الذين لم يُظهروا أيّ احـترام، أو الحاجة الملحّة التي دفعت البعض إلى تحويل الكوريدورات والممرات الأخرى إلى مراحيض بين الفينة والأخرى في بداية الأمر، إلى أن أصبح الأمر عادة. إنه التفكير المستهتر أو الأرعن. ليس مهماً، ولا أحد يراني، فيُقعون ويفعلونها في مكانهم. وعندما أصبح من المحال دخول المراحيض، بأي طريقة، حوّل المحتجزون العميان الفناء الداخلي إلى مرحاض مكشوف. بينما كان أولئك الخلوقون بطبعهم أو بحكم تربيتهم، يمضون جُلَّ نهارهم يضبطون أنفسهم، يراوغونها قدر الإمكان حتى يهبط الليل، مفترضين أن الليل قد حلَّ عندما ينام معظم نزلاء الغرف، يخرجون عندئذٍ وهم يقبضون معداتهم بأيديهم أو يضمّون أرجلهم إلى بعضها بقوّة، بحثاً عن بقعة صغيرة نظيفة، إن وجدوا، في الفناء الذي استحال إلى بساط لا نهائي من الغائط الموطوء. والأسوأ في الأمر هو احتمال ضياعهم في ذلك الفناء الواسع، حيث لا توجد علامات يستدلون الطريق بوساطتها سوى قلّة من جذوع الأشجار التي نجت من هوس الاستكشاف عند نزلاء المشفى السابقين. وتلك التلال الصغيرة، أيضاً، التي ما كادت تغطي الموتى وقد تسطحت الآن من وطء الأقدام لها. يأتيهم ذلك الصوت عبر المكبّر، عصر كل يوم مثل ساعة منبّه رُبطت لترنَّ في التوقيت المطلوب، مكرِّراً على مسامعهم التعليمات والمحظورات المألوفة، ويؤكد على فائدة المواظبة على استخدام مواد التنظيف، يذكّر النزلاء بوجود تلفون في كل جناح يمكنهم عبره طلب تزويدهم بكل المواد الضرورية التي تنفد. غير أنهم كانوا بحاجة لخرطوم مياه قوي لإزالة كل ذلك الغائط،

وجيش من السمكريين لإصلاح أحواض المراحيض وجعلها قادرة على التصريف من جديد، وبعدئذٍ المياه، كثير من المياه لتنظيف الأنابيب التي تجري فيها، وبعد ذلك، نتوسل إليكم، إننا بحاجة إلى أعين، زوج أعين، يدٍ قادرة على أن تقودنا وترشدنا، صوتٍ يقول لي، من هذه الطريق. إن لم نهبَّ إلى مساعدة هؤلاء العميان فسوف يتحولون إلى حيوانات، والأسوأ من ذلك، إلى حيوانات عمياء. وهذه الجملة الأخيرة لم ينطقها الصوت المجهول الذي تكلم عن اللوحات وصور من هذا العالم، في الهزيع الأخير من الليل، بل زوجة الطبيب المستلقية بجانب زوجها، ورأساهما تحت البطانية نفسها. يجب إيجاد حل لهذا المأزق الكريه، فأنا لا أستطيع احتماله ولا التمادي في ادعاء العمى فكّري في عواقب الأمر، فسوف يحاولون بالتأكيد تحويلكِ إلى عبدة لهم، خادمة عامّة وضيعة، ستكونين رهن إشارة ونداء كلٍّ منهم، سيطلبون منكِ إطعامهم، تغسيلهم، وضعهم في السرير وإيقاظهم في الصباح، وعليك إيصالهم من مكان إلى آخر، أن تنظّفي لهم أنوفهم وتكفكفي دموعهم. سيوقظونك من النوم، وسيوبخونك إن تأخرت عليهم. كيف بوسعك، أنتَ على الأخص، أن تتوقع مني الاكتفاء بالنظر إلى هؤلاء البائسين من دون أن أحرّك ساكناً لمساعدتهم. إنكِ تفعلين أكثر مما يتوجب عليك. ما هي فائدتي إذا ما صرفت كل اهتمامي إلى إخفاء قدرتي عن الرؤية، عن الآخرين. سيكرهك البعض لأنكِ تستطيعين أن تبصري. لا تظني أن العمى يجعلنا أُناساً أَفضل. وهو لا يجعلنا أسوأ. فقط أنظر إلى ما يحدث أثناء توزيع الطعام، مع أننا لا نزال في بداية الطريق. إن شخصاً مبصراً، تماماً، بوسعه أن يُشرف على توزيع الطعام على كل الموجودين هنا. إن مشاركتي في توزيعه بنزاهة، بالفطرة السليمة، ستضع حداً لكل تلك الشكاوى، كل تلك الملاسنات التي تدفعني إلى الجنون، ليس بوسعك تخيّل رؤية أعميين يتعاركان. طالما كان العراك،

إلى هذا الحد أو ذاك، شكلاً من العمى. لكن هذه الحالة مختلفة. افعلي ما ترينه مناسباً، لكن لا تنسي حالتنا هنا، فنحن بكل بساطة عميان، مجرّد عميان خالي الوفاض من الكلام اللطيف والمواساة، إن عالم ملاجئ العميان الصغيرة الخيرية، الرائعة ولّى إلى غير رجعة، ونحن الآن في مملكة العميان القاسية، الوحشية، الحقود. فقط لو ترى ما أنا مجبرة على رؤيته، لرغبت لو أنك أعمى. أصدّقك، لكن لا حاجة بي إلى ذلك لأني أعمى. سامحني، حبيبي، فقط لو تعرف. أعرف، أعرف، لقد أمضيت حياتي أنظر في أعين الناس، إنها الأجزاء الوحيدة في الجسد حيث لا تزال الروح موجودة فيها، وإنْ ضاعت تلك الأعين. سأخبرهم غداً، صمتت ثم أضافت، إن لم أستيقظ في الصباح وقد دخلت عالمهم أخيراً.

لم يكن ذلك قد حدثَ بعد، عندما استيقظت في الصباح التالي، مبكرةً جداً كالعادة، كانت لا تزال ترى بالوضوح نفسه. لا يزال نزلاء الغرفة نائمين. تساءلت كيف ستخبرهم بالأمر إن كانت ستجمعهم حولها وتعلن الأمر لهم، ربما من الأفضل أن تخبرهم بطريقة حكيمة، من دون مباهاةٍ، أن تقول لهم مثلاً، وكأنها تحاول تخفيف خطورة الأمر. تخيّلوا، من سيعتقد أني ما زلت قادرةً على الرؤية بين الكثير ممن عموا. أو أن تدّعي، وربما هذا أكثر حكمةً، إنها كانت عمياء فعلاً وقد استعادت نظرها فجأةً، ربما تكون هذه الطريقة لبثّ الأمل في نفوس الآخرين. إنْ استعادت هي بصرها، سيقول بعضهم لبعض، فربما سنستعيده نحن، أيضاً. وقد يقولون لها، من ناحية أخرى، اخرجي من هنا، انقلعي ما دمت قد استعدت بصرك. سترد عليهم عندئذٍ بأنها لا تستطيع أن تترك زوجها وحده، وبما أن الجنود لن يسمحوا لأعمى أن يغادر المحجر، فلن يكون أمامهم خيار سوى أن يسمحوا لها بالبقاء. كان بعض

المحتجزين يتقلّبون في أسرّتهم، كعادتهم كل صباحٍ، ويطلقون ريح بطونهم، بيد أن هذا لم يجعل الجوَّ ملوّثاً أكثر، لأنه بدا قد أُشبِع تماماً. ولم تكن فقط الروائح المنبعثة من المراحيض وكنيفاتها هي التي تجعل المرء يتقيأ، بل إنها روائح البشر المئتين والخمسين المكدّسين هنا، وأجسادهم التي تنتقع في عَرَقها، غير قادرين ولا عارفين كيف يغسلون أجسادهم، وثيابهم التي يلبسون تزداد قذارةً يوماً بعد يوم، ينامون في الأسرة نفسها التي يتغوّطون فيها. ماذا سيفيد الصابون، المبيّض، المطهرات المتروكة في مكان ما حول المبنى، إذا كانت غرف الدوش قد انسدت والمرشّات فُصِلت عن الأنابيب، والكهاريز امتلأت بالماء القذر الذي ينداح إلى خارج غرف الغسيل، مرطّباً ألواح الأرضية في الممرات، يرشح عبر شقوق البلاط. أيّ جنونٍ هو أن تفكّري في التدخّل، راجعت زوجة الطبيب تفكيرها، حتى إن كانوا لن يجعلوني رهن خدمتهم، وسيجعلونني كذلك بالتأكيد، فأنا نفسي لن أستطيع القيام بالغسيل والتنظيف مهما أوتيت من قوّة، فهذا ليس عملاً فردياً. بدأت شجاعتها التي بدت صلبة من قبل، تنكمش حتى نأت نهائياً عندما واجهت الواقع المذل الذي دهم منخريها ووخز عينيها الآن، عندما آن أوان الانتقال من الكلام إلى الفعل. أنا جبانة، دمدمت مغتاظةً، أُفضّل لو كنت عمياء، على أن أدور هكذا مثل مبشّر رعديد. استيقظ ثلاثة محتجزين عميان، أحدهم مساعد الصيدلي، كانوا على وشك الذهاب إلى الردهة لجلب حصة الطعام المخصصة للغرفة الأولى. لا يمكن الزعم، مع اعتبار عماهم، أن التوزيع كان تقريبياً، بزيادة أو نقصان صندوق، على العكس، إنه لأمرٌ محزنٌ أن ترى كيف يتلخبطون في العدّ فيعودون من البداية، ويصرّ بعضهم بسبب طبيعتهم الشكاكة، أن يعرفوا بدقّة ماذا يحمل الآخرون، وتنفجر الملاسنات في نهاية المطاف، الدفع الفظ، صفع النساء العمياوات، كلّها أمورٌ لا مناص منها.

استيقظ نزلاء الغرفة جميعاً الآن، مستعدين لتلقي حصتهم من الطعام، وقد طوّروا بالتجربة طريقة توزيع سهلة وعادلة، إذ يضعون كل الطعام في نهاية الغرفة، بجانب سريري الطبيب وزوجته، والفتاة ذات النظارة السوداء والطفل الأحول الذي كان ينادي على أمه الآن، ويحضر النزلاء كلّ بدوره لاستلام الطعام، بدءاً من السريرين الأولين على يمين ويسار مدخل الغرفة، يليهما الثانيان على اليمين واليسار، وهكذا دواليك، بدون تدافع أو إساءات. صحيحٌ أنهم يستغرقون وقتاً أطول إلا أن ما يشفع لذلك هو الحفاظ على الوئام داخل الغرفة. وأول ما يجب ذكره، أن أولئك الذين يوزعون الطعام هم آخر من يأكل، باستثناء الطفل الأحول، طبعاً، الذي يأكل حصته قبل أن تستلم الفتاة ذات النظارة السوداء حصتها، وبذلك يؤول جزء من حصتها إلى معدته، دائماً. أدار المحتجزون العميان رؤوسهم صوب باب الغرفة، آملين سماع وقع أقدام مَنْ ذهبوا لإحضار الطعام، صوت الأقدام المترنّحة، لشخص ما يحمل شيئاً لا يمكن الخطأ به، بيد أن الضجة التي سمعوها فجأة ليست تلك التي تعوّدوها، فهذه ضجة أناس يركضون بسرعة. وهو عمل فذ لأناس لا يستطيعون أن يروا أين يضعون أقدامهم. مع ذلك ليس بوسعك أن تصف حالتهم عندما ظهروا في باب الغرفة، لاهثين. ماذا يمكن أن يكون قد حدث في الخارج ليدفعهم إلى العودة راكضين، وكانوا ثلاثتهم يحاولون دخول الباب في الوقت نفسه كي يعلنوا الخبر غير المتوقّع. لم يسمحوا لنا بأخذ نصيبنا من الطعام، قال أحدهم، وردد الآخران كلماته. مَن، الجنود، سألهم صوت ما. كلا، المحتجزون العميان. محتجزون عميان ماذا، كلنا عميان هنا. لا نعرف من هم، قال مساعد الصيدلي لكني أظنهم من المجموعة التي وصلت أخيراً. ولماذا لا يسمحون لكم بجلب الطعام، ما دام ليست هناك مشكلة. يقولون إنَّ ما فات مات، وإنَّ الذي يريد، من الآن فصاعداً، أن يأكل فيجب أن

يدفع نقوداً. تعالت الاحتجاجات من جانبي الجناح، هذا لايمكن، لقد أخذوا طعامنا، لصوص. شيء مخزٍ، عميان ضد عميان. لم أعتقد قط أني سأرى شيئاً كهذا. لنذهب ونشتك للرقيب، اقترح أحدهم بعزم أكبر، أنه يجب أن يذهبوا جميعاً ليطالبوا بحقهم. ليس بالأمر السهل، قال مساعد الصيدلي إنهم كثر، لقد تشكّل لدي انطباع بأنهم مجموعة كبيرة، والأسوأ في الأمر أنهم متسلحون، ماذا تقصد، إنهم يملكون هراوات، على الأقل، فذراعي لا تزال تؤلمني من الضربة التي تلقيتها، قال أحد الآخرين. لنحاول حلَّ هذه المشكلة سلمياً، قال الطبيب. سأذهب معكم لأتحدث إلى هؤلاء الناس، لا بدّ أن هناك سوء فهم. بالطبع، دكتور، أنا أؤيدك، قال مساعد الصيدلي، لكني، وبسبب الطريقة التي تصرفوا بها، أشك أنك ستستطيع إقناعهم. ليكن ما يكون، يجب أن نذهب، لا يمكننا ترك الأمور على هذه الحال. سآتي معكم، قالت زوجة الطبيب. غادرت المجموعة الغرفة وتخلّف عنها ذاك الذي كان يشكو من ألم الضربة في ذراعه، فقد شعر أنه أدى واجبه، فتخلّف عنهم، ليحكي للآخرين عن مغامرته الخطرة، إذ كانت حصتهم من الطعام على بعد خطوتين منهم يحول دونها حائط بشري متسلّح بهراوات، أصرّ على هذه التسمية الأخيرة.

تقدموا معاً كفصيل، يشقون طريقهم بين نزلاء الأجنحة الأخرى. لاحظت زوجة الطبيب فور وصولهم الردهة أن أي محادثة دبلوماسية غير ممكنة، وربما من الأفضل عدم الخوض فيها. فقد تحلقت مجموعة عميان في منتصف الردهة، حول صناديق الطعام، متسلحين بعصي وقضبان معدنية انتُزِعت من الأسرّة. يشهرونها أمامهم كالهراوات أو الرماح في مواجهة النزلاء العميان المحيطين بهم ويحاولون بشكل أخرق شق طريقهم عبر خط الدفاع هذا، وبعضهم يأمل بإيجاد منفذ،

ثغرة أهمل أحد المدافعين سدّها جيداً، وكانوا يصدون الضربات بسواعدهم المرفوعة عالياً، زحف بعضهم على أربع حتى اصطدم بأرجل الأعداء الذين ردوهم بضربة على ظهورهم، أو برفسة قويّة، يضربون على عماها، كما يقول المثل. رافقت هذه المشاهد احتجاجات ساخطة، صرخات مسعورة، نريد طعامنا. من حقنا أن نأكل. أوغاد. هذا سطو. وفي هذه الحالة التي تبدو لا تُصدَّق صاح صوت حاذق أو ذاهل، اطلبوا الشرطة. ربما كان بينهم رجال شرطة. غير أن العميان كما يعرف الجميع، لا يعبأون بالمهن أو المناصب، ثم أن شرطياً عميَ ليس مثل شرطي أعمى. وبالنسبة إلى الشرطيين اللذين عرفناهما، فقد ماتا، وتم دفنهما بعد جهد جاهد. تحركت امرأة عمياء، بدافع أمل أحمق بأن سلطة ما قد تعيد إلى مشفى المجانين هذا هدوءه السابق، تفرض العدالة، تعيد بعض الأمن للعقول، تحركت نحو المدخل الرئيس بأقصى حذر ممكن وصاحت بأعلى صوتها، ساعدونا، هؤلاء الأوغاد يحاولون سرقة طعامنا. تظاهر الجنود بعدم سماع ندائها. فالأوامر التي تلقاها الرقيب من الكابتن لدى زيارته الرسمية للموقع، واضحة جداً، إن انتهى بهم الأمر إلى أن يقتل بعضهم بعضاً، ستكون الحالة أفضل، إذ سيقلّ عددهم. شتمت المرأة العمياء واهتاجت كما كنَّ المجنونات يفعلن في الأيام الخوالي، وهي نفسها مجنونة تقريباً، غير أن اليأس المطبق هو الذي دفعها إلى ذلك. صمتت أخيراً، عندما لاحظت ألاّ طائل من توسّلها، عادت إلى الداخل لتبكي حالها ونسيت أين كانت ذاهبة، فتلقت ضربة على رأسها أطاحت بها أرضاً. أرادت زوجة الطبيب أن تهرع إلى نجدتها، لكنها لم تستطع أن تخطو خطوتين بسبب الفوضى الكبيرة. بدأ المحتجزون العميان الذين جاؤوا في طلب طعامهم ينسحبون كيفما اتفق وقد فقدوا حسهم بالاتجاه، تعثر بعضهم ببعض، سقطوا، نهضوا، سقطوا ثانية، حتى أن بعضهم لم يحاول النهوض، استسلموا، بقوا

منبطحين على الأرض، منهكين يائسين، يهدّهم الألم، وجوههم ملتصقة ببلاط الردهة. هلعت زوجة الطبيب عندما رأت أحد العميان السفاحين يخرج مسدساً من جيبه، رفعه عالياً بفظاظة. تسببت الطلقة بانهيار قطعة كبيرة من جص السقف تناثر فوق رؤوسهم المكشوفة، وبمزيد من الهلع صرخ السفاح، ليهدأ الجميع. اغلقوا أفواهكم. إن تجرأ أحدكم على رفع صوته سأطلق النار عليكم ولا يهمني من يُصاب، وعندئذٍ سينقص المحتجزون واحداً. تسمّر المحتجزون العميان. تابع المسلّح كلامه. ليعلم الجميع ألاّ عودة عن قرارنا، من الآن فصاعداً سنتقاضى ثمن الطعام. لقد حذّرتكم جميعاً، لا يفكرنّ أحدكم في الخروج للبحث عن الطعام، فسوف نضع حراسة على باب المبنى، وكلّ من يخالف هذه الأوامر عليه أن يتحمّل عواقبها. سنبيعكم الطعام، إن من يريد أن يأكل يجب أن يدفع. وكيف سندفع، سألت زوجة الطبيب. قلت ألا يتكلم أحد منكم، صاح السفاح المسلّح، ملوّحاً بمسدسه أمامه. يجب أن يتكلم شخص ما، يجب أن نعرف كيف سنتصرف. أين نذهب للحصول على الطعام. هل نذهب جميعاً، معاً، أم يذهب كلٌّ بمفرده. هذه المرأة ليست هيّنة، علق أحد أفراد المجموعة، لو تقتلها برصاصة، فسوف نرتاح من فم يأكل. لو كنت قادراً على رؤيتها لنالت رصاصة في بطنها فوراً. بعدئذٍ قال مخاطباً الجميع، عودوا إلى أجنحتكم فوراً، وعندما ندخل الطعام، سنقرر ماذا نفعل. وماذا عن الدفع، أضافت زوجة الطبيب، كم سندفع ثمن القهوة مع الحليب والبسكويت. إنها تطلبها حقاً، تلك المرأة، قال الصوت نفسه. دعها لي، قال الآخر، وغيِّر نبرته. ستعيِّن كل غرفة شخصين لجمع كل ما تملكون، كل شيء، نقود، مجوهرات، خواتم، قلائد، أقراط، ساعات، كل ما تملكون، كل شيء، ويذهبان إلى الغرفة الثالثة في الجناح الأيسر، حيث سنضع الطعام، وإن أردتم نصيحة صادقة، فلا تفكروا في محاولة خداعنا. نعرف أن بينكم من سيحاول

إخفاء بعض ممتلكاتهم، لكني أُحذّركم، فكروا في الأمر ثانية، لأننا إن شعرنا أنكم لم تدفعوا ما يكفي، فلن تنالوا طعاماً، وسنترككم تلوكون أوراقكم النقدية وتمضغون ألماساتكم. سأل أعمى من الغرفة الثانية، وماذا نفعل، هل نسلّم كل ما لدينا دفعة واحدة، بدل أن ندفع بمقدار ما نأكل. يبدو أني لم أشرح الأمر بشكل كافٍ، قال الأعمى المسلّح، ضاحكاً، ثم أردف، أن تدفعوا بقدر ما تأكلون فهذا سيعقّد عملية الحساب كثيراً، الأفضل أن تسلّموا كل ما لديكم وبعدئذٍ نرى كم تستحقون من الطعام في المقابل، لكن دعوني أحذركم ثانية، لا تحاولوا إخفاء أي شيء لأن ذلك سيكلفكم كثيراً. وكي لا يتهمنا أحد بأننا لم نكن صريحين منذ البداية. لتعلموا أننا بعد استلام ما تدفعونه سنجري تفتيشاً، الويل لكم إن وجدنا ولو بنساً واحداً. والآن لينصرف الجميع من هنا فوراً وبأقصى سرعة ممكنة. رفع يده وأطلق ثانية في الهواء. انهار جص من السقف ثانية. وبالنسبة إليكِ قال السفاح، فلن أنسى صوتكِ. وأنا لن أنسى وجهك، ردت زوجة الطبيب.

يبدو أن أحداً لم ينتبه إلى سخافة قول المرأة العمياء إنها لن تنسى الوجه الذي لا تستطيع رؤيته. انسحب المحتجزون العميان بأقصى سرعة ممكنة يبحثون عن الأبـواب، وسرعان ما كان نـزلاء الغرفة الأولى يخبرون رفاقهم -النزلاء عما جرى. قال الطبيب، بالحكم على ما سمعنا لا أعتقد أن بوسعنا الآن سوى الانقياد، لا بدّ أن عددهم كبير، والأسوأ من كل ذلك أنهم مسلّحون. يمكن أن نتسلح أيضاً، قال مساعد الصيدلي. نعم، نقتطع بعض العصي من الأشجار إنْ لا يزال فيها أغصان تطولها الأيـدي، وبعض القضبان المعدنية ننتزعها من الأسرّة، رغم أننا لا نكاد نمتلك القوة لاستخدامها ببراعة، بينما يمتلكون هم على الأقل سلاحاً نارياً واحداً. إني أرفض تسليم ممتلكاتي

إلى أولاد القحبة أولئك، قال شخص ما. وأنا كذلك، انضم إليه آخر. تلك هي القضية، فإما أن نسلّم جميعاً وإما ألاّ يسلّم أحد أيّ شيء، قال الطبيب. لا خيار آخر أمامنا، قالت زوجة الطبيب، إضافة إلى أن النظام هنا يجب أن يكون كذلك المعمول به في الخارج، بوسع من يرغب أن يمتنع عن الدفع، غير أنه لن يُعطى ما يأكله، وليس بوسعه أن يأمل بالعيش على حسابنا نحن البقية. وماذا عن أولئك الذين لا يملكون شيئاً يدفعونه، سأل مساعد الصيدلي. سيأكلون أي شيء يقرر الآخرون إعطاءه لهم، على رأي المثل، من كلٍّ حسب مقدرته، ولكل حسب حاجته. توقف الجميع عن الكلام. عندئذٍ سأل الكهل ذو العين المعصوبة، حسن إذاً، من سنكلف بالمهمّة. أنا أقترح الطبيب، قالت الفتاة ذات النظارة السوداء. لم يحتج الأمر إلى تصويت، فقد وافق كلٌّ من في الغرفة. يجب أن نكون اثنين، ذكّرهم الطبيب، فمن يرغب بمساعدتي. أنا مستعد، إن لم يكن هناك غيري، قال الأعمى الأول. حسن، لنبدأ بالجمع، إننا بحاجة إلى كيس، حقيبة، حقيبة يد صغيرة، أيٍّ منها. أستطيع التخلّي عن هذه، قالت زوجة الطبيب، وشرعت فوراً في تفريغ حقيبة كانت قد وضعت فيها مستحضرات التجميل، وأشياء مختلفة، عندما لم تكن قادرة على تخيّل هذه الظروف المجبرة على العيش فيها الآن. وجدت بين القوارير، العلب، وأنابيب المراهم، أشياء من العالم الخارجي، وجدت بينها مقصاً مدبباً حادّاً. لم تستطع أن تتذكر أنها وضعته في الحقيبة، لكنه بين يديها الآن. رفعت رأسها عالياً، كان المحتجزون ينتظرون وزوجها قد ذهب إلى سرير الأعمى الأول، ويتحدث إليه الآن. والفتاة ذات النظارة السوداء تُطمئن الطفل الأحول أن الطعام سيصل قريباً، وخلف الكومودينة الصغيرة بجوار السرير رأت فوطة صحية ملطخةً بالدم، يبدو أن الفتاة ذات النظارة السوداء كانت حريصة، بدافع حشمة عذرية لا داعي لها، على إخفائها عن أعين الآخرين العاجزين عن رؤيتها.

نظرت زوجة الطبيب إلى المقصّ، وحاولت أن تفهم سبب تحديقها إليه بهذه الطريقة، بصراحة، ما هي الفائدة التي ترجوها من هذا المقص الطويل، المستقر في راحة يدها، بشفرتيه -النيكل -المسطحتين، ورأسيه المدببين اللامعين. هل أفرغتها، سأل الطبيب. نعم، خذ، قالت، وناولته الحقيبة بيد بينما وضعت اليد الأخرى وراء ظهرها لتخفي المقصّ. ما الأمر سأل زوجها. لا شيء، ردّت، وكان بوسعها أن تجيب، ببساطة، لا شيء مما يسعك رؤيته، لا بدّ أنك وجدت صوتاً غريباً إلى حدٍّ ما، هذا كل ما في الأمر، ولا شيء غيره. تقدّم الطبيب والأعمى الأول نحوها، تناول الطبيب الحقيبة بيده المترددة وأضاف، حضّري ما لديك سنبدأ الجمع الآن. خلعت زوجته ساعة يدها، وساعة يده أيضاً، نزعت أقراطها، حلقتين صغيرتين في كلٍّ منها ياقوتة، قلادتها الذهبية، خاتم زواجها، وخاتم زوجها أيضاً، خلعتهما بسهولة. لقد نحفت أصابعنا كثيراً، فكّرت لنفسها، وبدأت تضع الأشياء في الحقيبة وفوقها الأوراق النقدية التي جلبتها معها، أوراق كثيرة مختلفة القيمة، وبعض النقود المعدنية. هذا كلُّ ما لدينا. قالت لزوجها. متأكدة، سألها وأضاف، فتشي ثانية. هذا كلُّ نفيس لدينا. كانت الفتاة ذات النظارة السوداء قد جمعت كلّ ما لديها. ولم يكن مختلفاً كثيراً، قلادتي عنق، لكن لا خاتم زواج. انتظرت زوجة الطبيب حتى استدار زوجها الأعمى الأول، وانحنت الفتاة ذات النظارة السوداء فوق الطفل الأحوال وهي تقول له، اعتبرني أمك، سأدفع عنك، عندئذٍ سارت متسحبة نحو الجدار في أقصى الغرفة، وهذا كالجدران الأخرى، دُقَّت فيه مسامير كبيرة يبرز منها جزء كبير، لابُد أن المجانين كانوا يستخدمونها ليعلقوا عليها أشياءهم الثمينة، وأشياء أخرى تافهة. اختارت أعلى مسمار استطاعت أن تصله، وعلّقت المقص عليه. بعدئذٍ عادت وجلست على سريرها. كان زوجها والأعمى الأول يسيران ببطء نحو باب الغرفة، سيتوقفان لجمع الأشياء من كلا

الجانبين، من أولئك الذين لديهم ما يقدمونه. احتج البعض، إننا نُسلب بطريقة شائنة، وهذه حقيقة واضحة، بينما جَرَّد آخرون أنفسهم من كل ما يملكون بلا مبالاة، وكأنهم يفكرون، رُغم كل الاعتبارات، ألاّ شيء في هذا العالم ينتمي إلينا بالمعنى المطلق، وهذه حقيقة أكثر شفافية. سأل الطبيب، عندما وصلا باب الغرفة. بعد أن فرغا من جمع الممتلكات، هل سلّمنا كل ما نملك. أجابت بعض الأصوات المستاءة، أن نعم، واختار آخرون الصمت، وسنعرف في الوقت المناسب إن كانوا صمتوا تجنباً للكذب. نظرت زوجة الطبيب إلى المقصّ وتفاجأت لرؤيته هناك في الأعلى يتدلى من أحد المسامير، كأنها ليست من علّقه. ثم فكّرت أن فكرة جلبه معها كانت ممتازة، فبوسعها الآن تشذيب لحية زوجها، تجعله يبدو حسن الطلعة لأنه من المستحيل على رجل يعيش في هذه الظروف أن يحلق لحيته بشكل طبيعي. عندما نظرت صوب الغرفة كانت ظلال الممر قد ابتلعت الرجلين تماماً، وهما في طريقهما إلى الغرفة الثالثة في الجناح الأيسر حيث سيدفعان ثمن الطعام، حسب التعليمات. سنأكل اليوم، وغداً أيضاً، وربما طوال هذا الأسبوع. وبعدئذٍ. هذا سؤال لا جواب له، لقد دفعنا كل ما نملك ثمن طعام.

لم تكن الممرات مزدحمة كالعادة، وهذا مدهش لأنه من الطبيعي والمحتوم أن يتعثر المحتجزون عندما يخرجون من غرفهم، يصطدمون، ويسقطون، ويتبادلون السباب والبذاءات، لكن أحداً منهم لا يبالي بذلك، فعلى المرء أن ينفّس عن مشاعره، ولا سيما عندما يكون أعمى. سمعا أمامهما أصوات وقع أقدام. لا بدّ أنهم مبعوثو الغرف الأخرى التي امتثلت للأوامر ذاتها. ما هذه الحالة التي نعيش فيها، دكتور، سأل الأعمى الأول، وكأن عمانا لا يكفي حتى نقع في قبضة لصوص عميان، يبدو أن هذا هو قدري، في البدء سارق السيارة، والآن

هؤلاء الرعاع الذين يسرقون طعامنا بقوة السلاح. هنا يكمن الفرق، إنهم مسلّحون. غير أن هذه الذخيرة لا تدوم إلى الأبد. لا شيء يدوم إلى الأبد، بيد أنه في هذه الحالة من الأفضل أن تدوم. لماذا. لأنها إن نفدت فهذا يعني أنها قد استخدمت وبذلك سيكون هناك مزيدٌ من الجثث. إننا في حالة مستحيلة. إنها مستحيلة مُذ دخلنا هذا المكان، ومع ذلك لا نزال مستمرين في تحمّلها. إنك متفائل، دكتور، كلا، لست متفائلاً، لكني لا أتخيل أن هناك أسوأ من وضعنا الحالي. حسن لست مقتنعاً كلياً أن هناك حدوداً للشر والبليّة. قد تكون محقاً، قال الطبيب، ثم أضاف وكأنه يتحدث إلى نفسه، يجب أن يحدث شيء ما هنا، خاتمة مناقضة تماماً، إما أن تأتي بشيء ما أسوأ، في نهاية المطاف، وإما من الآن فصاعداً ستتحسن كل الأمور رغم أن كل الإشارات توحي بغير ذلك. كادا يصلان الغرفة الثالثة، بعد أن شقّا طريقهما بثبات، رغم اضطرارهما لانعطافات كثيرة. لم يغامر الطبيب ولا الأعمى الأول بدخول هذا الجناح من قبل، إلا أن تصميم الجناحين متطابق تماماً، إذ إن أي شخص ألف تصميم الجناح الأيمن، لن يجد صعوبة في التنقل في الجناح الأيسر، والعكس صحيح، والفرق الوحيد هو أن المرء ينعطف يساراً هنا أو يميناً. سمعا أصواتاً لا بد أنها أصوات من سبقوهما. علينا أن ننتظر، قال الطبيب بصوت خفيض. لماذا. لأن من في الداخل يريدون أن يعرفوا بدقّة ما حمله لهم النزلاء، فالزمن غير مهم بالنسبة إليهم وليسوا في عجلة من أمرهم، بعد أن أكلوا. لقد حان وقت الغداء تقريباً. حتى إن كان بوسعهم أن يبصروا، فهذا لا يغيّر في الأمر شيئاً فهم لا يلبسون ساعات يد. انتهت المقايضة بعد ربع ساعة، أكثر أو أقل دقيقة، مرّ شخصان من أمام الطبيب والأعمى الأول، وبدا واضحاً من حديثهما أنهما يحملان طعاماً. انتبه لا توقع شيئاً، قال أحدهما، بينما الآخر يدمدم، ما لا أعرفه هو إن كان الطعام سيكفي الجميع. سنضطر إلى شدّ

أحزمة بطوننا. تقدم الطبيب زالقاً يده على الحائط، والأعمى الأول في إثره، حتى لامست يده عارضة الباب. نحن من الجناح الأيمن الغرفة الأولى، قال بصوت مرتفع. حاول أن يخطو إلى الأمـام فاصطدمت قدمه بحاجز ما، أدرك أنه سرير وُضع بالعرض ليستخدم كطاولة مقايضة. فكّر الطبيب، إنهم منظّمون، فهذا ليس تدبيراً ارتجاليا. سمع أصواتاً، وقع أقدام. كم عددهم، لقد أكّدت زوجته أنهم عشرة، لكن يمكن أن يكونوا أكثر، ولم يذهبوا جميعاً بالتأكيد إلى الردهة لجلب الطعام. قال الأعمى المسلّح الذي يترأسهم، ساخراً، هيا دعنا نرى الثروات التي جاءتنا بها الغرفة الأولى في القسم الأيمن، وأضاف بصوت أخفض مخاطباً شخصاً ما لا بدّ أنه يقف بجواره، سجّل لديك. انذهل الطبيب، ماذا يمكن أن يعني هذا، إذ إن الشخص قال، سجّل، فلا بد إذاً من وجود شخص قادر على الكتابة، شخص ما ليس أعمى، هكذا يصبحان اثنين. يجب أن نكون حذرين، فكر لنفسه، فربما يقترب هذا الوغد منّا غداً من دون أن نلاحظه. لا فرق كبيراً بين ما فكر فيه الطبيب وبين ما كان يجول في رأس الأعمى الأول. لقد غرقنا، فبوجود جاسوس ومسدّس لن نكون قادرين على رفع رؤوسنا. في الداخل، فتح زعيم اللصوص الأعمى الحقيبة، وبدأ يخرج محتوياتها بيدين متمرستين، يمسّ الأشياء والنقود ويسميّها، من الواضح أنه يستطيع تمييز الذهب وغير الذهب، ويعرف فئة الأوراق والقطع النقدية بمجرّد لمسها. شيء سهل على شخص متمرس. استطاع الطبيب بعد دقائق عدّة أن يسمع صوت تثقيب الأوراق الذي لا يمكن الخطأ فيه، وهذا ما جعله يدرك فوراً وجود أعمى آخر يكتب باستخدام آلة بريل، والمعروفة أيضاً بإسم أناغليبروغرافي، أمكنه سماع الصوت بوضوح تام الآن، الحرف الناتئ الذي يثقب الورق ويرتطم باللوحة المعدنية تحته. هذا يعني أنه يوجد بين هؤلاء العميان المجرمين شخص كفيف، مثل أولئك الذين يولدون

عمياناً، لابُد أنهم جاءوا بهذا المسكين الآخر عن طريق الخطأ، لكن ليس هذا هو وقت التحديق الفضولي وطرح الأسئلة، مثل، هل أنت من أفراد المجموعة التي وصلت أخيراً، أو هل عميت منذ زمن طويل، كيف فقدت بصرك؟ إنهم محظوظون ليس لأنهم ربحوا في اليانصيب كاتباً، إنما لأنهم يستطيعون استخدامه كمرشدٍ أيضاً، إن كفيفاً متمرساً هو شخص متميّز، يساوي ثقله ذهباً. لا يزال السفاح ذو المسدس يستكشف ومن حين إلى آخر يسأل الكاتب، ما رأيك في هذا، فيترك ذاك الكتابة كي يدلي برأيه. إنه تقليد رخيص يقول له، فيضيف الآخر ذو المسدس عندئذٍ، إن كان بينها الكثير من هذه النوعية فلن يحصلوا على طعام، أو أن يقول، جيدة، عندئذٍ يعلق الآخر، لا شيء أفضل من التعامل مع ناس شرفاء. أخيراً وضعت أمامهما على السرير ثلاثة صناديق طعام. خذها، قال الزعيم المسلّح. عدَّها الطبيب وعلَّق قائلاً، ثلاثة لا تكفي، تعوّدنا على استهلاك أربعة صناديق عندما كان الطعام لنا وحدنا. وفي اللحظة نفسها شعر الطبيب ببرودة فوهة المسدّس على رقبته. لم يكن الأعمى سيء النية واكتفى بأن قال سأعمل على حذف صندوق مقابل كل شكوى إضافية، فخذ هذه وأشكر الله أنّكم ما زلتم تنالون ما تأكلونه. دمدم الطبيب، حسن، وحمل صندوقين بينما تولى الأعمى الأول أمر الثالث. سارا ببطء أكبر الآن لأنهما محمّلان، وعادا من حيث جاءا. عندما وصلا الردهة التي بدت فارغة إلا منهما قال الطبيب، لن تتاح لي فرصة ثانية. ماذا تقصد، سأل الأعمى الأول. لقد وضع المسدس على عنقي، كان بوسعي أن أخطفه من يده. إنها مخاطرة. لم تكن بالحجم الذي تتصوّره، فقد عرفت أين كان يستقر المسدس بينما يستحيل عليه أن يعرف أين كانت يداي، إني مقتنع أنه كان في ذلك الوقت أعمى أكثر من كلينا، لكن للأسف لم أفكر في ذلك، أو أني فكرت فيه وافتقدت الشجاعة لفعله. وماذا بعدئذٍ، سأل الأعمى الأول ماذا

تقصد. لنفترض أنك خطفت المسدس من يده، فأنا لا أصدق أنك كنت تستطيع استخدامه. لو كنت واثقاً من أن استخدامه سينهي المشكلة لاستخدمته. لكنك لست واثقاً. كلا، في الواقع لا. إذاً فالأفضل أن يبقوا محتفظين بأسلحتهم ماداموا لا يستخدمونها ضدنا. إن تهديد شخص ما بسلاح لا يفرق كثيراً عن استخدامه ضده. لو اختطفت المسدس من يده لتسببت بإندلاع الحرب الحقيقية، ومن المرجح جداً أننا ما كنا لنخرج أحياء من هنا. أنت محق، قال الطبيب، سأزعم بأني فكرت ملياً في ذلك كله. ثم لا تنسَ، دكتور، ما قلته لي منذ قليل. ماذا قلت لك. إنه يجب أن يحدث شيء ما. لقد حدث ولم أغتنمه. يجب أن يكون شيئاً آخر غير هذا.

عندما دخلا الغرفة ووضعا الطعام الهزيل الذي جلباه على طاولة، فكّر بعض النزلاء أنهما ملومان لعدم احتجاجهما والمطالبة بالمزيد، فذلك هو الهدف من انتدابهما كممثلين عن الجناح. أخبرهم الطبيب بعدئذ عما جرى، وكذلك عن الكاتب الأعمى، وعن السلوك المشين للرجل الأعمى المسلّح، وأخبرهم أيضاً عن المسدس بحد ذاته. أخفض الساخطون أصواتهم، ووافقوا أخيراً على أن لا شك في أن مصالح الغرفة هي في أيدٍ أمينة. وُزِّع الطعام أخيراً. كان بينهم من لم يستطع إلاّ أن يذكّر أولئك المتسرّعين، أن القليل أفضل من اللاشيء. علّق شخص ما قائلاً، الأفضل لنا لو أصبحنا مثل ذلك الحصان الشهير الذي مات عندما تخلص من عادة الأكل. ابتسم الآخرون ابتسامةً شاحبةً وأردف أحدهم، لن يكون الأمر سيئاً جداً لو أن الحصان لا يعرف حقيقة أنه سيموت، عندما يموت.

لقد أدرك الكهل ذو العين المعصوبة أن الراديو الصغير، رغم هشاشة بنيته وفقاً لعمره النظري، يجب أن يُستثنى من بين النفائس التي

اضطروا إلى تسليمها مقابل الطعام، باعتبار أن فائدة هذا الجهاز في المقام الأول مرهونة بوجود أو عدم وجود بطاريات في داخله، وكم ستدوم، ثانياً. وبالحكم على الأصوات المبحوحة التي تصدر عنه، فمن الواضح أنه لا يمكن أن نتوقع له العمر الطويل، بناءً عليه قرر الكهل ذو العين المعصوبة ألاّ نشرات أنباء عامة بعد الآن، إضافة إلى أن المحتجزين العميان في الغرفة الثالثة في الجناح الأيسر قد يعلمون بأمره ويغيّرون رأيهم، ليس بسبب قيمة الراديو المادية التافهة فعلياً على المدى المنظور، كما سنرى لاحقاً، بل بسبب أهميته الآنية عظيمة الفائدة من دون شك، هذا إن أغفلنا الافتراض العملي بأنه حيث يوجد، على الأقل، مسدس واحد، فقد توجد بطاريات. قرّر الكهل أنه من الآن فصاعداً، سيستمع إلى الأخبار ورأسه تحت البطانية، وإن سمع أي خبر مهم فسوف يبلّغه إلى الآخرين فوراً. طلبت منه الفتاة ذات النظارة السوداء أن يسمح لها بالاستماع إلى بعض الموسيقا من حين إلى آخر، حجتها في ذلك، كي لا تنسى الموسيقا. بيد أنه كان حازماً، فأصر أن الجدير بالاهتمام هو معرفة ماذا يجري في الخارج، ومن يريد سماع الموسيقا فليستمع إليها في ذاكرته، ففي نهاية المطاف يجب أن نستخدم ذاكرتنا في شيء مفيد. إن الكهل محق في ذلك إذ إن موسيقا الراديو كانت مثيرة كأي ذكرى مؤلمة، ولذلك أخفض صوت الراديو إلى أدنى حد ممكن، بانتظار نشرة الأخبار، عندئذٍ يرفع الصوت قليلاً ويصغي بانتباه كي لا تفوته كلمة واحدة، ثم يختصر الأنباء بكلماته هو وينقلها إلى جاره، وهكذا دواليك. تدور الأخبار ببطء في الجناح، وتزداد تحريفاً مع انتقالها من أذنٍ إلى أخرى، وهكذا يُبالغ في التفاصيل أو يُحذف منها، وفقاً لتفاؤل أو تشاؤم من ينقلون المعلومات. عندما جفّت الكلمات ووجد الكهل ذو العين المعصوبة ألاّ شيء عنده ليقوله، ولم يكن ذلك لأن الراديو، حينئذٍ، قد تعطّل أو أن

البطاريات قد نفدت، فقد أثبتت تجارب الحياة بحق أن أحداً غير قادر على السيطرة على الزمن، ولم يكن متوقعاً أن يدوم هذا الجهاز الصغير طويلاً، غير أن هناك شخصاً ما قد صمت قبل أن يسكت هو. منذ أول يوم لوقوعهم في قبضة السفاحين العميان والكهل ذو العين المعصوبة يصغي إلى الأنباء وينقلها إلى الآخرين، غير مصدّق الكذب الصفيق للنبوءات المتفائلة المُسوَّقة رسمياً. والآن، الوقت ليل، وهو مستلقٍ ورأسه فوق البطانية يصغي بانتباه إلى الراديو الذي تحوّل صوته إلى صفير بسبب ضعف البطاريات، سمع فجأة المذيع يصيح، أنا أعمى، ثم صخب شيء ما يضرب المايكروفون، أعقبته سريعاً أصوات مشوّشة، هتافات، ثم خيّم الصمت. لقد اختفت المحطة الوحيدة التي كان قادراً على التقاطها في هذا الجهاز. أبقى الكهل أذنه على الراديو الهامد لبعض الوقت، وكأنه ينتظر عودة صوت المذيع واستئناف إذاعة نشرة الأنباء. أيّاً يكن فقد أحسّ، أو بالأحرى شعر أنها لن تستأنف أبداً. فالمرض الأبيض لم يَعمِ المذيع فحسب، بل امتد كالنار، في خط بارود أبيض، بسرعة وتعاقبٍ حتى شمل كل من كان موجوداً في الاستديو. عندئذٍ أسقط الكهل ذو العين المعصوبة الراديو على الأرض. إن كان السفاحون سيقومون بالتفتيش عن مجوهرات مخبّأة، فإن الراديو غير المسجّل في سجلاتهم سيكون دليلاً ومسوغاً لهم. هل خطرت هذه الفكرة للكهل. سحب البطانية فوق رأسه كي يستطيع أن يبكي بحريّة.

غطّ نزلاء الغرفة تدريجياً في نوم عميق تحت ضوء المصابيح الضبابي المصفر، بعد أن نعمت أجسادهم بثلاث وجبات في ذلك اليوم، وهذا نادراً ما حدث من قبل. لئن استمرت الأمور على هذا المنوال، فسوف نصل ثانية إلى الاستنتاج بأنه حتى في أسوأ المحن قد تجد خيراً كافياً يمكّنك من احتمال المحنة، المذكورة آنفاً، بالصبر على الحالة الراهنة،

على عكس التنبؤات الأولى المقلقة. إن حصر توزيع وتخصيص الطعام في يد جهة واحدة له أوجه إيجابية، في نهاية المطاف، مهما كثر أولئك المثاليون الذين قد يحتجون بأنهم يفضلون خوض الصراع من أجل الحياة بطرائقهم الخاصة، حتى وإن كان عنادهم يعني الجوع. نام غالبية نزلاء الغرف بعمق، غير مهتمين بشأن الغد، ناسين أن من يدفع مقدماً يلقى دائماً خدمة سيّئة في النهاية. وناموا أخيراً، واحداً بعد الآخر، أولئك الذين حاولوا من دون طائل البحث عن طريقة مشرّفة للخروج من هذه المهانة التي يعانون، ناموا وهم يحلمون بأيام أفضل من هذه، أكثر حريّة هذا إن تكن أكثر وفرة. زوجة الطبيب وحدها كانت لا تزال مستيقظة في الغرفة الأولى، في الجناح الأول. استلقت على سريرها تفكّر في ما أخبرها زوجها عندما شك للحظة أن بين اللصوص شخصاً قادراً على الرؤية، شخصاً قد يستخدمونه كجاسوس. الغريب في الأمر أنهما لم يناقشا الموضوع ثانية، وكأنه لم يخطر للطبيب، بسبب اعتياده تلك الحقيقة، أن زوجته لا تزال قادرة على الرؤية. خطر الأمر لها، لكنها لم تقل شيئاً، لا حاجة بها إلى نطق كلمات واضحة. إن ما يعجز هو عن فعله، في نهاية المطاف، أستطيعه أنا. ما الذي تستطيعينه، سيسأل الطبيب، متظاهراً بعدم الفهم. ما الفائدة من بصري، فكّرت زوجة الطبيب. بينما عيناها شاخصتان الآن إلى المقصّ المعلّق على الحائط. لقد عرّضها بصرها إلى رعب أكبر مما استطاعت تخيّله طرّاً، أقنعها أنه من الأفضل لها لو عميت. استوت في سريرها بحذر. رأت قبالتها الفتاة ذات النظارة السوداء والطفل الأحول نائمين. لاحظت أن الفتاة قد ألصقت سريرها بسرير الطفل لتكون أكثر قرباً منه إذا ما احتاج إلى مواساة، أو إلى مَنْ يكفكف دموعه في غياب أمه. لماذا لم أفكر في هذا من قبل. كان بوسعي مجاورة السريرين لننام معاً بدون هذا القلق المستمر عليه خشية من أنه قد يقع عن السرير.

نظرت إلى زوجها الذي نام بسرعة وبعمق بسبب الإرهاق. لم تتح لها الفرصة لتخبره أنها قد أحضرت مقصاً، أنها ستشذّب له لحيته ذات يوم، وهذا عمل يستطيعه الأعمى شريطة ألا يُدني المقص من بشرته. لقد وجدتْ عذراً مناسباً لعدم ذكر المقص. سرعان ما سأجد نفسي مطلوبة من كل الرجال لا أفعل شيئاً سوى تشذيب لحاهم. جلست على حافة السرير، وضعت قدميها على الأرض وبحثت عن حذائها. كانت على وشك أن تلبسه غير أنها تراجعت في اللحظة الأخيرة، حدقت إليه عن كثب، ثم هزّت رأسها، ومن دون جلبة أعادته إلى مكانه. سارت ببطء عبر الممر بين الأسرّة نحو باب الغرفة. اصطدمت قدمها ببراز لزج على الأرض، بيد أنها أدركت أن وضع الكوريدور في الخارج أسوأ كثيراً. بقيت تنظر إلى الجانبين لترى إن كان أحد المحتجزين مستيقظاً، رغم ألاّ أهمية البتة سواء أكان أحدهم أو كلٌّ من الغرفة مستيقظين، ما دامت لا تصدر أي جلبة، حتى إن حصل ذلك، فكلنا يعرف كيف يمكن أن تضغط حاجات الجسد، ولا نختار توقيتها. باختصار، ما لم ترده هو أن يستيقظ زوجها ويشعر بغيابها في الوقت المناسب ليسألها، إلى أين تذهبين، السؤال الذي غالباً ما يوجهه الأزواج إلى زوجاتهم والسؤال الآخر، أين كنت؟ شاهدت إحدى النساء العمياوات جالسة في سريرها، مسندة كتفيها إلى إطاره الرأسي الخفيض، وقد تسمرت نظرتها الفارغة على الجدار المقابل، إلا أنها لم تستطع أن تراها. توقفت زوجة الطبيب هنيهة، كأنها مترددة في أن تلمس ذلك الخيط غير المرئي المتأرجح في الهواء، وكأن أرق لمسة ستمزقه، لا محالة. رفعت المرأة العمياء ذراعها، لا بُدّ أنها أدركت وجود اهتزاز بسيط في الجو، بعدئذٍ تركتها تسقط، بعد أن تلاشى اهتمامها بالأمر، يكفيها الشخير المنبعث من السرير المجاور ويحرمها من النوم. تابعت زوجة الطبيب سيرها بسرعة أكبر وهي تقترب من الباب. نظرت، قبل أن تسير إلى الردهة،

في الممر الذي يوصل إلى باقي الغرف في هذا الاتجاه، ومن ثم إلى المراحيض، المطبخ، فإلى حجرة الطعام. هناك نزلاء عميان ينامون مستندين إلى الحائط، أولئك الذين فشلوا لدى وصولهم بالحصول على سرير، إما لأنهم تخلّفوا بسبب الاعتداء، وإما لأنهم كانوا يفتقدون القوة للمنافسة على سرير والفوز به. رأت على بعد عشرة أمتار رجلاً أعمى يعتلي امرأة عمياء، كان عالقاً بين فخذيها. كانا حذرين قدر استطاعتهما، إنهما من النوع الحذر، لكنك لا تحتاج إلى سمع مرهف لتعرف ما الذي يجري، لاسيما عندما يعجز أولهما، ثم يليه الثاني، عن كبح تنهداتهما وأنينهما، بعض الكلمات غير الواضحة، وتلك أمارات اقتراب نهاية الأمر. توقفت زوجة الطبيب مكانها لتراقبهما، ليس بدافع الحسد، فلديها زوجها الذي يكفيها، إنما دفعها إلى ذلك انطباع من نوع آخر لم تستطع تسميته، ربما شعور تضامن، وكأنها تفكر في أن تقول لهما، لا تنزعجا من وجودي هنا، أعرف أيضاً ماذا يعني هذا، تابعا. ربما كان شعوراً بالحنو. حتى إن كانت لحظة السعادة القصوى هذه ستدوم طول حياتكما، فلن تستطيعا التوحد في جسد واحد، كان الرجل والمرأة يستريحان الآن جنباً إلى جنب، يمسك أحدهما بيد الآخر. إنهما شابان، وربما كانا عاشقين ذهبا إلى السينما وعميا هناك، أو ربما جمعتهما مصادفة عجيبة في هذا المكان، وإن كان الأمر هكذا فعلاً، فكيف تعارفا، يا إلهي، تعارفا من الأصوات طبعاً. ليس صوت الدم وحده، الحب الذي يقول الناس إنه أعمى، له صوته الخاص. لقد اعتقلا معاً على الأرجح، بيد أن تحاضن الأيدي هذا ليس حديث العهد، إنهما يتحاضنان الأيدي منذ البداية.

تنهدت زوجة الطبيب، رفعت يديها إلى عينيها مضطرة، فهي ما كادت ترى، ولم يفزعها ذلك، كانت تعرف السبب، إنها الدموع، ثم

تابعت سيرها وعندما وصلت الردهة توجهت إلى الباب المفضي إلى الساحة الأمامية. نظرت إلى الخارج، هناك ضوء خلف البوابة الرئيسة، يحدّد الملامح الرئيسة للظل الأسود للجندي. والمباني على الطرف الآخر من الشارع غارقة في الظلام. خرجت إلى المصطبة. لا خطر في ذلك. حتى إن رأى الجندي ظلّها، فلن يطلق النار إلا إذا نزلت الدرج، إن اقتربت أكثر، وبعد أن يحذّرها أيضاً، من خلف ذلك الخط غير المرئي الذي يشكّل بالنسبة إليه تخم الأمان. وجدت الصمت غريباً بعد أن تعوّدت صخب الجناح. بدا الصمت يشغل فراغ غياب، وكأن الإنسانية قاطبة قد اختفت، وخلّفت وراءها فقط ضوءاً وجندياً يحرسه. جلست على الأرض، أسندت ظهرها إلى عارضة الباب، في الوضعية المماثلة لوضعية المرأة العمياء داخل الجناح، وحدقت أمامها مباشرة. كان الليل بارداً، والريح تهب على واجهة المبنى، بدا لها ضرباً من المحال أنه لا تزال ريح تهب في هذا العالم، أن يكون الليل أسود، ولم تكن تفكّر في نفسها، إنما في العميان الذين لا ينتهي يومهم. ظهر ظل جندي آخر فوق حزمة الضوء، ربما حانت استراحة الجندي، الذي سيقول قبل أن يدخل الخيمة لينام، لا شيء للتبليغ عنه، لا أحد منهم لديه فكرة عما يحدث خلف الباب الذي تستند إليه، ربما لم يسمعوا حتى صوت إطلاق النار، فالطلقة العادية لا تثير ضجة كبيرة. وصوت المقصّ أقلّ صخباً بكثير، فكّرت زوجة الطبيب. لم تضيّع الوقت في مساءلة نفسها من أين جاءتها فكرة كهذه، بل استغربت فقط بطئها، كيف أن الكلمة الأولى خرجت ببطء شديد، واستغربت أيضاً الكلمات الأخريات اللاتي أعقبنها، وكيف اكتشفت أن الفكرة موجودة هناك، في مكان ما، وأن الكلمات فقط هي التي كانت مفقودة، كجسد يبحث في السرير عن تجويف استعدّ له بمجرّد تفكيره في الاستلقاء. اقترب الجندي من البوابة، رغم أنه يقف من جهة الضوء فقد بدا واضحاً أنه ينظر في هذا الاتجاه. لا بدّ أنه لاحظ

الظلّ الساكن، رغم انعدام الضوء الكافي، في تلك اللحظة، ليعرف أنه مجرّد ظل امرأة تجلس على الأرض، تحتضن ساقيها بذراعيها وذقنها مستقرة على ركبتيها. وجّه الجندي حزمة ضوء البطارية عليها. لا مجال للشك الآن، إنها امرأة على وشك أن تنهض ببطء كبطء فكرتها السابقة، غير أن الجندي لا يعرف هذا، فكل ما يعرفه أنه خائف من شكل تلك المرأة التي تبدو ستستغرق دهراً لتنهض على قدميها. تساءل في ومضة تفكير إذا ما كان عليه أن يصدر انذاراً، وفي اللحظة التالية قرر عكس ذلك، إنها مجرّد امرأة وها هي سترحل، على أيّ حال، وجّه بندقيته، كإجراء احتياطي، صوّبها، إلا أن هذا يعني أنه سيَضع ضوء البطارية جانباً، وفي تلك اللحظة بالذات لمعت الحزمة المضيئة في عينيه، مثل حرقة مفاجئة، وبقي في شبكيّته انطباع أنه دائخ. كانت المرأة قد اختفت عندما صحا من رؤيته، ولن يكون هذا الحارس قادراً على أن يقول لمن سيستلم النوبة منه، ألاّ شيء للتبليغ عنه.

دخلت زوجة الطبيب إلى الجناح الأيسر، فإلى الممر الذي سيقودها إلى الجناح الثالث. هنا أيضاً نزلاء عميان ينامون على الأرض. إنهم أكثر عدداً من أولئك في الجناح الأيمن. سارت ببطء وبدون جلبة، شعرت بلزوجة البلاط تعلّق على أخمص قدميها. نظرت إلى داخل الغرفتين الأولى والثانية، ورأت ما توقعته، أجساداً مستلقية تحت البطانيات. وهناك أعمى لم يستطع النوم أيضاً، قالت لنفسها بصوت بائس. كان بوسعها سماع الشخير المتقطّع. الجميع نائمون تقريباً. لم تفاجئها الرائحة التي تملأ منخريها، إذ إنها لا تشمّ سواها في كل هذا البناء، إنها رائحة جسدها وثيابها. توقفت بعد أن انعطفت إلى الممر المؤدي إلى الغرفة الثالثة. هناك رجل أمام الباب، حارس آخر. يمسك بيده عصا يؤرجحها ببطء من جهة إلى أخرى، وكأنه يعوق مرور أي

شخص قد يحاول الاقـتراب. لا يوجد في هذا الممر نزلاء يفترشون الأرضـ، وبلاطه نظيف. لا يـزال الأعمى يؤرجح عصاه إلى الأمـام وإلى الوراء، يبدو أنه لا يكلّ، لكن لا، فبعد بضع دقـائق نقل العصا إلى يده الأخرى وبدأ يؤرجحها من جديد. تقدّمت زوجة الطبيب بمحاذاة الحائط المقابل لكن بدون أن تحتك بـه. إن المنحنى الذي تـأخذه أرجحة العصا مـا كـاد يصل منتصف الممر العريض، وهذا قد يدفع المرء للقول إن هذا الحـارس يؤدي واجبه بسلاح خـالٍ من الذخيرة، أصبحت زوجة الطبيب في مواجهة الحـارس الأعمى، وبوسعها الآن رؤية داخل الغرفة خلفه. بعض الأسرّة فـارغة. كم عددهم، تساءلت وتقدّمت قليلاً، إلى نقطة لا تطولها عصاه، وتوقفت ثـانية، أدار الأعمى رأسه إلى الجهة حيث تقف، وكأنه قد أحس بشيء غير عـادي، تنهيدة، رعشة في الهواء. إنه رجل طويل، بيدين كبيرتين. في البدء، مدّ يده الممسكة بـالعصا إلى الأمـام وبحركة سريعة كنس الفراغ أمامه، بعدئذٍ تقدّم خطوة صغيرة. خـافت زوجة الطبيب، لثانية واحدة، أنّه قد يكون قـادراً على رؤيتها، ومـا يفعله الآن ليس إلا اتّخاذ المكان المناسب لمهاجمتها، وفكرت هلعة، إن تينك العينين مبصرتـان. نعم، بالطبع لاتبصران، إنهما عمياوان مثل بـاقي النزلاء تحت سقف هذا المبنى، وبين جدرانه، كلهم عميان طراً، ما عداها. سأل الرجل بصوت خفيض، يكاد يكون همساً، من هناك، لم يصرخ كحارس حقيقي. مَنْ هنـاك، صديق أم عدو. صديق، هو الرد المنـاسب، عندئذٍ سيقول هو، اعبر، لكن ابقَ بعيداً، غير أن الأمور لم تسر على هذا المنوال. هزّ رأسه وكأنه يقول لنفسه، ما هذا الهراء، كيف لأي شخص أن يتواجد هنـا والكلّ نيام في هذه الساعة. عـاد بـاتجاه البـاب وهو يتلمّس بيده الحرّة، وقد هدّأته كلماته الداخلية، وترك ذراعيه تتدليان. شعر بـالنعاس، مضت دهور وهو ينتظر أن يستيقظ أحد رفاقه ويستلم النوبة عنه، إلا أن حدوث هذا مرتبط بسماع

ذلك الشخص لمنبّه ساعة الواجب داخله، ويستيقظ من نفسه، لأنه لا توجد هنا ساعة منبّه ولا أيّ وسيلة أخرى. وصلت زوجة الطبيب، بحذر، إلى الجانب الآخر من الباب ونظرت إلى الداخل. لم تكن الغرفة ممتلئة. أجرت حساباً سريعاً وخلصت إلى أنهم تسعة عشر أو عشرون نزيلاً. ورأت في نهاية الغرفة كومة من صناديق الطعام، وأخرى فوق الأسرّة الشاغرة، وفكّرت بنفسها، كما كان متوقعاً منهم لم يوزّعوا كل الطعام الذي استلموه. بدا أن الأعمى قد قلق ثانيةً، إلا أنه لم يحاول الاستكشاف. مرّت دقائق، واستطاعت سماع سعلة جافة منبعثة من الداخل، لا بدّ أنها صدرت عن شخص مدخّن. أدار الأعمى رأسه بانتباه، سيحظى أخيراً بقسط من الراحة. لم ينهض أحد من النائمين. بعدئذٍ وكأنه خاف أنهم قد يفاجئوه وقد تخلى عن مكانه وخرق التعليمات التي على الحرس الامتثال لها، جلس ببطء على حافة السرير الذي يسدّ مدخل الغرفة. بقي رأسه ينوس بضع لحظات، ثم استسلم أخيراً لنهر النوم الجارف. ولا بُدّ أنه فكر حينئذٍ، لا يهمّ فلا أحد يستطيع أن يراني. أحصتهم زوجة الطبيب ثانية، إنهم مع الحارس، عشرون، لقد جمّعت على الأقل بعض المعلومات الحقيقية، ولم تُضِع رحلتها الليلية هذه سّدى. لكن هل هذا هو السبب الحقيقي لقدومي إلى هنا، سألت نفسها، وفضّلت عدم الإلحاح على الإجابة. لقد نام الأعمى، أسند رأسه إلى عارضة الباب وانزلقت عصاه من دون ضجة على الأرض، ها هنا أعمى أعزل لن يثير موته ضجة كبيرة. أرادت زوجة الطبيب أن تفكر بوعي أن هذا قد سرق الطعام، سرق حقّ الآخرين، أخذ الطعام من أفواه الأطفال، لكن رغم هذه الأفكار لم تشعر بأيّ احتقار، ولا بأدنى حد من الغيظ، بل بتعاطف غريب تجاه هذا الجسد المتدلي أمامها، الرأس المتأرجح إلى الوراء، الرقبة الطويلة التي انتفخت أوداجها. لأوّل مرّة مُذْ غادرت الغرفة شعرت برجفة باردة تجتاح جسدها، وكأن البلاط

قد حوّل قدميها إلى جليد، كأنهما قد سفعتا. لنأمل أنها ليست الحمى، فكّرت لنفسها. لا يمكن، الأرجح أنه تعب لا نهائي، الرغبة في أن تتكور داخل نفسها، عيناها، عيناها بخاصة، لقد انقلبتا إلى الداخل أكثر، فأكثر، حيث الفرق بين الرؤية وعدم الرؤية لا يُرى بالعين المجرّدة. جرجرت قدميها ببطء مقتفية آثارهما، إلى جناحها، مرت بمحتجزين عميان بدوا لها مسمّرين، كما بدت لهم، حتى أنها لم تحتج إلى التظاهر بأنها عمياء. لم يعد العاشقان يحتضن أحدهما يد الآخر، كانا نائمين مستلقيين رابضين أحدهما بجانب الآخر، هي محتمية في تجويف جسده طلباً للدفء، وعندما أمعنت النظر رأت أنهما لا يزالان يحضنان أحدهما يد الآخر، بعد كل شيء، ذراعه تطوّق جسدها، أصابعهما متشابكة. وفي داخل الغرفة كانت المرأة التي لا تستطيع النوم لا تزال جالسة في سريرها، منتظرة أن يتغلّب تعب جسدها على مقاومة عقلها العنيد. بدا الآخرون جميعهم نياماً. بعضهم غطى رأسه، وكأنهم ما زالوا يبحثون عن أي عتمة ممكنة. وعلى الكومودينة الصغيرة، بجوار سرير الفتاة ذات النظارة السوداء، رأت زجاجة القطرة العينية. لقد شفيت عيناها تماماً، غير أنها لا تعرف ذلك.

لو أن الأعمى الذي أوكل إليه الأوغاد حفظ سجل الكسب الحرام، قرّر الانتقال مع آلته الكاتبة (بريل) وأوراقه السميكة، ربما بسبب إشراقة مفاجئة هدّأت شكوكه، إلى صف المعسكر الآخر، فلا بدّ أنه سينهمك الآن في وضع مسوّدة سجل زمني مفصّلة مثيرة للأسى عن الغذاء غير الكافي والحرمانات الأخرى الكثيرة التي عاناها أولئك النزلاء الجدد والذين يتعرضون لسلب حقيقي. إنه سيبدأ قصته بالقول، إن المغتصبين، في الجناح الذي جاء منه، لم يكتفوا بطرد النزلاء العمياء المحتجزين من الغرفة الثالثة ليسيطروا على المكان كله، بل، علاوةً

على ذلك، منعوا نزلاء الغرفتين الأخريين من الاقتراب أو استخدام مواد التنظيف، كما يسمّونها. ثم إنه سيضيف أن النتائج الفورية لهذا الظلم الشائن دفعت كل أولئك النزلاء إلى التقاطر على مراحيض الجناح الأيمن، ويمكن لأي شخص قادر على تذكّر حالة هذا المكان قبل وصولهم أن يتخيّل النتائج التي ترتّبت على ذلك. سيشير أيضاً إلى أنه من المحال أن يخرج أحد إلى الفناء الداخلي من دون أن يتعثر بأعمى يتخلّص من إسهاله أو في حالة من التلوّي، العَصْر العقيم الذي يكون قد توقّع منه الكثير ولا يتمخّض عن شيء في النهاية. ولكونه شخصاً شديد الانتباه، فلن يفوته أن يسجّل، بروِيّة، ذلك التناقض الصارخ بين الكمية الضئيلة التي يأكلها النزلاء وذلك الكم الكبير الذي يطرحونه، وربما يرينا هذا أن العلاقة الشهيرة بين السبب والنتيجة، كما تسمّى، ليست صحيحة دائماً، على الأقل من وجهة نظر كميّة. سيخبرنا أيضاً أنه بينما تغص غرفة اللصوص الرعاع، في هذه الساعة، بصناديق الطعام، لن يطول المقام هنا بالنزلاء المساكين حتى ينحطوا درك متلقّطي الفتات عن الأبواب القذرة. ولن ينسى المحاسب الأعمى أن يدين، في دوره المزدوج كمشارك في العملية ومؤرّخ لها، هذا السلوك الإجرامي لأولئك المُضطّهِدين العميان، الذين يفضلون أن يفسد الطعام على أن يعطوه إلى من هم في أشد الحاجة إليه. لأنّه بينما توجد أطعمة قد تبقى صالحة لأسابيع عدة، فهناك بعضها، لا سيما الطعام المطبوخ، يجب أن يؤكل مباشرة، لأنه يفسد بسرعة أو يغطيه العفن، ولا يعود صالحاً للاستهلاك الآدمي، هذا إن كان بالإمكان عدّ هذا الحشد المؤسي كائنات آدمية. وسوف يكتب المؤرّخ، مغيّراً الموضوع لا الفكرة، بقلب ينفطر من الأسى، أن الأمراض هنا ليست أمراض الجهاز الهضمي فقط، سواء بسبب فقدان الطعام، أو قلّته، بينما كان المقودون إلى هنا أصحاء رغم عماهم، بل إن بعضهم كانت تنضح سيماؤهم بالصحة

والعافية، فقد أصبحوا الآن كالآخرين، غير قادرين على رفع أنفسهم عن الأسرّة القذرة، فقد هدّتهم الأنفلونزا التي لا أحد يعرف كيف تنتشر. ثم أن الغرف الخمس كلها لا توجد فيها حبة أسبرين واحدة لتخفيض حرارتهم وتسكين صداعهم، وقد قُضيَ على ما كان باقياً منها، بعد أن فتشوا حتى بطانات جزادين النساء. وسيمتنع المؤرّخ، بدافع الحذر، عن تقديم تقرير مفصّل عن كل الأمراض الأخرى التي تصيب نزلاء هذا المحجر اللاإنساني، الذين يقاربون الثلاثمئة نزيل، غير أن بوسعه أن يذكر على الأقل حالتي سرطان مستفحل، لأن السلطات لم تعانِ من أي تردد إنساني عندما جمعت العميان وحجرتهم هنا، فقد قرروا أن القانون يجب أن يسري على الجميع وأن الديمقراطية تتعارض مع المعاملة التفضيلية. ومن تصريفات القدر القاسي، أنه لايوجد بين هؤلاء النزلاء إلا طبيب واحد اختصاصيٌّ في طبِّ العيون، وهو، آخر مَنْ يحتاجونه هنا. سيكون التعب قد نال من الكاتب الأعمى عندما يصل في وصفه إلى هذه الدرجة البائسةوالمؤسية جداً، فيزيح آلته الكاتبة (بريل) جانباً ويبحث بيدٍ مرتجفة عن كسرة خبز يابسة كان قد وضعها جانباً ريثما يقوم بواجبه كمؤرّخ، في نهاية الأمر. بيد أنه لن يجدها، لأن أعمى آخر، قويت حاسة الشمّ لديه بدافع الضرورة، قد سرقها. سيقرّر المحاسب الأعمى عندئذٍ. متخلياً عن تعابيره الأخوية، الدافع الغيري الذي جاء به إلى هذا القسم، أنه من الأفضل بالنسبة إليه، إن لم يفت الأوان، أن يعود إلى الغرفة الثالثة في الجناح الأيسر، فهناك، على الأقل، لن يعاني من الجوع مهما استفزّ ظلم أولئك السفاحين مشاعره الصادقة الساخطة.

المحيِّر في الأمر حقيقة هو أن مَنْ يذهبون لإحضار الطعام يعودون كل مرّة بكميّة أقل من السابق وتتعالى في الغرف الاحتجاجات

الساخطة. ويوجد دائماً مَنْ يقترح عملاً جماعياً، تظاهرةً كبيرةً، مدعّمين رأيهم بحجّة قويّة عن قوّة عددهم التراكمية التي تتعزّز يوماً بعد يوم وتتصعد في التوكيد الديالكتيكي بأن الإرادات العاقدة العزم، تحقق وجودها، عموماً، فقط بالتضافر بعضها مع بعض، قادرة أيضاً في ظروف معيّنة على أن تتضاعف في ما بينها إلى ما لا نهاية. مهما يكن، ما أن يهدأ النزلاء حتى يغتنم أحدهم وهو أكثر تعقّلاً ومقدرةً على التفكير الموضوعي البسيط، الفرصة ليذكّر المتحمّسين بمخاطر العمل المقترح وبالنتائج الكارثية التي سيتسبّب بها المسدّس. يقول المغالون إنهم يعرفون ما ينتظرهم، وبالنسبة إلى أولئك المتخلّفين فالأفضل لهم ألا يفكروا أنّ ما قد يحدث في المعركة المحتملة هو أننا سنرتد على أعقابنا مرعوبين من الرصاصة الأولى. إن أكثرنا سيفضّل الاندفاع إلى حتفه على أن يسقط بالرصاص. ولكونه قراراً متوسطاً فقد تم إقراره في إحدى الغرف، ثم عُمِّم على الغرف الأخرى، أنهم لن يرسلوا لاستلام الطعام، الأشخاص نفسهم الذين تعرضوا إلى السخرية، بل مجموعة أكبر، قرابة عشرة أو إثني عشر شخصاً على وجه الدقة، سيحاولون التعبير عن الاستياء العام، بصوت واحد. طُلب إلى المتطوعين أن يتقدّموا إلى الأمام، لكن وربما بسبب التخذيرات السابقة من قِبل الأكثر حذراً لم يتقدم إلا قلّة قليلة في كلّ غرفة. لحسن الحظ لم تكن هناك أيُّ أهمية تذكر لهذا العرض الواضح للضعف الأخلاقي، حتى أنه لم يتسبَّب بأي خجل، عندما ثبت أن الاستجابة الصحيحة يجب أن تكون التعقل، كما بيّنت نتيجة الحملة التي نظمتها الغرفة التي روّجت للفكرة. لقد طورد الرجال الثمانية الشجعان بالهراوات على الفور، وإن يكن صحيحاً أن رصاصة واحدة فقط قد أُطلِقت، فالصحيح أيضاً أنها لم تسدّد عالياً مثل الرصاصات الأولى، ودليل ذلك هو زعم المحتجين

بأنهم سمعوا أزيزها وهي تمرّ بمحاذاة رؤوسهم. ربما سنكتشف في ما بعد إن كانت هناك نيّة للقتل، لكننا سنسلّم الآن بصحّة ما يقوله لنا مراقب الحدث، وهو إما أن الرصاصة لم تكن أكثر من تحذير، رغم خطورته، وإمَّا أن زعيم الرعاع قد أخطأ تقدير طول قامة المحتجين أو أن خطأه، وهذه فكرة محبطة، يكمن في أنه خالهم أطول مما هم عليه، وفي هذه الحالة لا مناص من أخذ نيّة القتل على محمل الجدّ. لنترك الآن هذه التساؤلات التافهة جانباً ونلتفت إلى الأمور الأساسية محطّ الاهتمام العام، فلو أفصح المحتجون، بمحض المصادفة، عن هويّة غرفتهم، ففي هذه الحالة ستحرم تلك الغرفة، فقط، من الطعام مدّة ثلاثة أيام، وهذا من حسن حظهم، فقد كان ممكناً أن يفقدوا نصيبهم في الطعام إلى الأبد، كما يمكن أن يحدث عندما يعض شخص ما اليد التي تطعمه. لذلك فلن يجد نزلاء تلك الغرفة المحتجّة، خلال هذه الأيام الثلاثة، طريقة أخرى سوى الانتقال من باب إلى آخر لاستجداء فتات الخبز، بدافع الشفقة، وقطعة لحم أو جبن صغيرة إن أمكن. لم يموتوا من الجوع، بيد أنهم اضطروا لسماع التقريع، عبارات مثل، ماذا تتوقعون، ما الذي كان سيحل بنا جميعاً الآن لو طاوعناكم. إلاّ أن التقريع الأسوأ، الكلمة الأقسى طراً لإهانتهم كان قول الآخرين لهم، اصبروا، اصبروا. عندما انقضت الأيام الثلاثة واعتُقِدَ أن يوماً جديداً على وشك أن يبزغ، تبيّن بجلاء أن عقوبة ذلك الجناح التَعس بمحتجزيه الأربعين المتمرّدين لم تنتهِ بعد، لأن حصة الطعام التي كانوا ينالونها حتى الآن ما كادت تسدّ رمق عشرين شخصاً، واليوم تقلّصت حتى لا تكاد تكفي عشرة. بوسعكم الآن وبناء على ذلك، تخيّل مهانتهم وشناعة وضعهم، بالإضافة إلى، وأيّاً يكن من يسوؤه هذا التعبير، الحقائق هي الحقائق، خوف نزلاء الغرفتين الذين وجدوا أنفسهم محاصرين بالحاجة،

فانقسمت ردّة فعلهم بين واجبات التعاضد الإنساني الكلاسيكي وبين التقيّد بالمبدأ القديم الذي لم يفقد قداسته، الأقربون أولى بالمعروف[6].

كانت الأمور عند هذا المستوى عندما طالب السفاحون بدفع مزيد من المال والنفائس، لأنهم يعتقدون أن ما قدموه من طعام يفوق كثيراً قيمة الدفعة الأولى، علاوة على ذلك، ووفقاً لكلام السفاحين، فقد تجاوز كرمهم الحد. ردّت الغرف بقنوط أنه لم يعد لديها مال تدفعه، وقد سلّمت كل ما لديها من نفائس، وأنه، وهذه حجّة شائنة، لن يكون قرارهم عادلاً إنّ تجاهلوا الفرق بين قيمة المساهمات المختلفة، أي وبلغة بسيطة، ليس من العدل أن يدفع البريء عن الآثم، وبناءً عليه ينبغي ألا يمنعوا الطعام عن شخص ما لا تزال قيمة مدفوعاته، على الأرجح، تساوي قيمة ما يأكله. من الواضح أن أيّاً من الغرف لا تعرف قيمة ما سلّمته الغرف الأخرى، إلا أن كل غرفة تعتقد أنها صاحبة الحق في الاستمرار في أن تأكل بينما استنفدت الأخريات اعتماداتها. لحسن الحظ، الشكر لحقيقة أن هذه النزعات الأخيرة قد قضي عليها في المهد، فقد كان السفاحون عنيدين وأصرّوا على إذعان الجميع لأمرهم، وإن كانت هنا فروقات في التخمين فإن المحاسب وحده يعرفها. كانت الاتهامات داخل الغرف حامية الوطيس ولاذعة وتصبح عنيفة أحياناً. ارتاب البعض في أن نزلاء معينين أنانيين مخادعين قد أخفوا بعض ممتلكاتهم النفيسة أثناء عملية الجمع، وبذلك يكونون قد أكلوا على حساب من سلّم كل ممتلكاته من أجل المصلحة العامة. ادّعى آخرون، متبنّين الحجّة الجماعيّة السائدة الآن، أن قيمة ما سلّموه تكفي كي يستمر تقديم الطعام لهم لأيام عدّة أخرى، بدلاً من

---

(٦) في الأصل الإحسان يبدأ في الأسرة.

أن يُرغموا على إطعام الطفيليين. أما بالنسبة إلى التهديد الذي أطلقه الرعاع، منذ البداية، بأنهم سوف يفتشون الغرف ويعاقبون كلّاً من يتبيَّن أنه عصى أوامرهم، فقد تم تنفيذه داخلياً في كل الغرف، وسط خلاف بين الشرفاء والمخادعين الماكرين. لم يجدوا الكثير، غير أنهم وجدوا ساعات يد وخواتم، معظمها لدى الرجال لا النساء. أما بالنسبة للعقوبات فقد نفّذتها العدالة الداخلية، ولم تتعد صفعات عشوائية، وبضع لكمات خفيفة سيّئة التسديد، وتبودلت بعض الإهانات اللفظية التي اختيرت من بين التعابير القديمة المطنبة، أنت تسرق حتى أمك. متخيّلين أن خزياً كهذا، وأنواعاً أخرى أكثر فظاعة لم تكن لترتكب إلاّ يوم فقدوا بصرهم، وفقدوا بوصلة احترام الذات. تسلّم الرعاع الدفعة الجديدة بمزيد من التهديد في انتقام قاسٍ، ولحسن الحظ لم ينفذوه، وكان الافتراض بأنهم قد نسوه، إلا أن الحقيقة هي أنهم يضمرون شيئاً آخر كما سيظهر قريباً. إذا ما نفّذوا تهديداتهم ومارسوا انتهاكات أخرى، فسوف يفاقمون خطورة الوضع، وربما ينجم عن ذلك عواقب دراماتيكية فورية، ذلك أن غرفتين، كي تخفيا جريمتهما في الامتناع عن تسليم كل ما كانتا تمتلكانه، قدّمتا ممتلكاتهما الآن باسم غرفتين أخريين، محمِّلتين تينك الأخريين آثاماً لم ترتكباها، وكانت إحداهما بريئة تماماً، إذ إنها سلّمت كل ممتلكاتها في اليوم الأول. لحسن الحظ، فإن المحاسب الأعمى، وكي يوفّر على نفسه عناء عمل إضافي، عمد إلى تدوين مدفوعات كل غرفة على ورقة منفردة، وكان هذا الإجراء في مصلحة الجميع الأبرياء والمذنبين، لأن هذه اللخبطة المالية ستلفت انتباهه بالتأكيد عندما يدخلها إلى الحسابات الخاصة بكل غرفة.

أرسل السفاحون بعد أسبوع رسالة صفيقة إلى حد بعيد، يطلبون فيها النساء. أرسلوا لنا النساء. أثار هذا الطلب غير المتوقّع، رغم أنه

ليس غير عادي بالإجمال، احتجاجاً عنيفاً كما يمكن للمرء أن يتوقع. عاد المبعوثون المذهولون الذين جاؤوا بالأمر، من فورهم، ليبلغوا أن الغرف الثلاث على اليمين والاثنتين على اليسار، من دون أن يستثنوا الرجال والنساء الذين ينامون في الممرات، قد قرّروا بالإجماع تجاهل هذه الضريبة المنحطّة، مجادلين بأن الكرامة الإنسانية، وهي أنثوية هنا، لا يمكن أن تنحط إلى هذا الدرك، وأن خلوّ الغرفة الثالثة على اليمين من النساء ليس مسؤوليتهم، ولا يمكن أن تُلقى على كاهل أبوابهم. كان الردّ مقتضباً وقاسياً. إن لم ترسلوا لنا النساء فلن تأكلوا. عاد المبعوثون، مخزيين، بهذا الأمر إلى الغرف، إمّا أن تذهب النساء إليهم وإمّا فلن يعطونا شيئاً نأكله. احتجت العازبات على الفور، أو على الأقل مَنْ ليس لهنّ شريك دائم، لم يكنَّ مستعدات أن يدفعن ثمن طعام أزواج الأخريات وما يمتلكونه بين أرجلهم، وبلغت وقاحة إحداهن أن قالت، سأذهب إليهم إن أحببت ذلك، لكن أيّاً يكن ما أكسبه فهو لي وحدي، وإن أمتعني الأمر فقد أمكث معهم، عندئذٍ سأضمن لنفسي سريراً وطعاماً دائمين. هذه هي كلماتها من دون لَبس، غير أنها لم تترجمها عملاً، فقد تذكرت في الوقت المناسب الرعب الذي ستقاسيه إن وقع على عاتقها احتمال السعار الجنسي لعشرين رجلاً متهوّرين، يوحي إلحاحهم بأن الرغبة قد أعمتهم. مهما يكن فقد استُقبِلَ هذا التصريح باستخفافٍ في الغرفة الثانية على اليمين، لم يكن مدوّياً، إذ إن أحد المبعوثين، وبإحساس خاص بالحالة، دَعَّم رأيها عندما اقترح أنه يجب على النساء المتطوعات لهذه الخدمة أن يتقدّمن إلى الأمام، معللاً اقتراحه بأن ما يفعله المرء بمبادرة منه يكون أقلّ وطأة مما يفعله مكرهاً، كان سيختم مرافعته تلك بالمثل القائل، إن للروح الراغبة قدمين سريعين، بيد أن تردّداً بسيطاً ومنبهاً آخر إلى ضرورة الاحتراس منعاه من قوله. رغم ذلك، وحالما صمت تعالت

الاحتجاجات الغاضبة من كل الجهات، وانصبت على رؤوس الرجال، المهزومين أخلاقياً، من دون شفقة أو تعاطف، متهمةً إياهم بأنهم جلقون، قوّادون، طفيليّون، مبتزّون، مّستغِلّون، ديّوثون، وفقاً للخلفية الثقافية والاجتماعية والمكانة الشخصية للنساء الساخطات عن حق. عبّر بعضهن عن الندم لاستسلامهن، بدافع الشهامة والتعاطف التامين إلى عروض مرافقيهن الجنسية، والذين لسوء الحظ يظهرون الآن عقوقاً في محاولتهم هذه لدفعهن إلى أسوأ الأقدار. حاول الرجال تسويغ موقفهم، بأن الأمر ليس كما تصورته النساء وأنهن لايجب ان يمسرحن الأمر، وأيّ جريمة في أن تناقش الأمور، ثم أن بوسع الناس الوصول إلى تفاهم وقد جرت العادة في الأزمات وحالات الخطر أن يُطلب من المتطوعين التقدّم أولاً، وهذه بلا شك واحدة من الأزمات، إننا جميعاً مهدّدون بالموت جوعاً، نحن وأنتن. هدّأ هذا المنطق بعض النسوة، غير أن واحدة من الأخريات نزل عليها الإلهام فجأة، فقامت بصبّ الزيت على النار ثانيةً عندما سألت ساخرةً، وماذا كنتم ستفعلون لو أن هؤلاء الأوغاد طلبوا الرجال بدلاً من النساء، أجيبوا بصوت عالٍ ليسمع الجميع. أجيبوا. أجيبوا، رددت النساء وراءها مسرورات بأنهن حشرنهم في الزاوية، في شرك منطقهم الذي لا فكاك منه. أردن أن يَرَيْنَ الآن المدى الذي سيصله المنطق الذكوري المجيد. تجرأ أحد الرجال وردَّ محتجاً، لا يوجد لوطيّون هنا. ولا عاهرات أيضاً، أجابته بالمِثْلِ المرأة التي طرحت ذلك السؤال المغيظ، حتى إن وجدن، قد لا يكنَّ مستعدات ليعيهرن أنفسهن من أجلكم. هزَّ الرجال أكتافهم وقد أسقط في أيديهم، مدركين أن الجواب الوحيد القادر على إقناع هؤلاء النسوة الحقودات، هو، إن طلبوا الرجال فسوف نذهب، لكن أحداً منهم لم يتجرأ على نطق هذه الكلمات القليلة الواضحة غير الممنوعة، وكانوا على درجة من الرعب أنهم نسوا ألاّ ضير في قول ذلك، حيث أن أولاد القحبة أولئك يفضّلون أن يقضوا وطرهم مع النساء وليس مع الرجال.

يبدو أن ما لم يخطر للرجال، الآن، قد خطر للنساء لأنه ما منْ تفسير آخر لذلك الصمت الذي هبط تدريجياً على الغرفة التي جرت فيها هذه المواجهات، وكأنهن قد فهمن أن كسب المعركة بالحصافة اللفظية لا يختلف عن خسرانها المحتوم لاحقاً، ربما كان السجال في الغرف الأخرى مشابهاً، حيث أن التعقّل والجنون البشريين، كما نعرف، متشابهان في أي مكان. هنا، صدرت الكلمة الفيصل عن امرأة في الخمسين من العمر وبرفقتها والدتها العجوز ولا سبيل آخر أمامها لإطعامها فقالت، أنا سأذهب. لم تعلم تلك المرأة أن كلمتيها كانتا صدى لتينك اللتين نطقتهما زوجة الطبيب في الغرفة الأولى على اليمين، أنا سأذهب. ربما كانت المحتجّات هنا قليلات، أو أقل عنفاً بسبب قلة عددهن، فبالإضافة إلى زوجة الطبيب هناك الفتاة ذات النظارة السوداء، زوجة الأعمى الأول، موظفة العيادة، عاملة الفندق، امرأة لا أحد يعرف شيئاً عنها، والمرأة التي لا تستطيع أن تنام وهذه كانت تعِسةً وبائسة وسيكون من الأفضل لو يتركونها في سلام، لأنه ليس هناك منطق يفسِّر لماذا يحق للرجال فقط أن يستفيدوا من مؤازرة النساء لهم. بدأ الأعمى الأول بالتصريح أن زوجته لن تخضع إلى عار تقديم جسدها إلى غرباء مقابل أي شيء كان، فليس لديها رغبة في فعل ذلك، وهو لن يسمح لها به، لأنه ليس للكرامة سعر، وعندما يبدأ شخص ما بتنازلات صغيرة، فإن الحياة تفقد كل معناها في النهاية. سأله الطبيب عندئذٍ عن المعنى الذي يراه في هذه الحالة التي يعيشونها، يتضورون جوعاً، غارقين في القذارة حتى أذنيهم، يركبهم القمل، تلسعهم البراغيث، وبق الفراش، وأنا أيضاً لا أحبّذ أن تذهب زوجتي، غير أن ذلك هو قرارها، وأعرف أن كبريائي الرجولي، ما نسميه الكبرياء الذكوري، هذا إن كنا لا نزال نحتفظ بشيء من تلك التسمية بعد المهانات العديدة هذه، سيعذّبني كثيراً، بل إنه يعذّبني الآن، ولا

أستطيع منه فكاكاً، بيد أن هذا هو الحل الوحيد على الأرجح، هذا إذا ما أردنا أن نبقى أحياء. كل شخص يتصرّف وفق منظومته الأخلاقية أيّاً تكن، هذا رأيي، وليس لديَّ نيّة في تغيير أفكاري، أجابه الأعمى الأول بالمثل، وبعدوانية. عندئذٍ قالت الفتاة ذات النظارة السوداء، لا يعلم الآخرون كم امرأةً في هذه الغرفة، لذلك بوسعك أن تحتفظ بزوجتك لاستخدامك الشخصي حصراً وسوف نطعمك وإيّاها، وسيسرّني أن أرى كيف ستشعر عندئذ بكرامتك، كيف سيكون طعم الخبز الذي نشتريه لك. ليست تلك هي المسألة، قال الأعمى الأول، المسألة هي، غير أن الكلمات خذلته، بقيت معلّقةً في الهواء. في الواقع لم يعرف ما هي المسألة، فكل ما قاله سابقاً كان مجرّد آراء معيّنة فارغة، لا شيء أكثر من آراء تنتمي إلى عالم آخر، لا إلى هذا العالم، وما كان ينبغي عليه فعله، بلا شك، هو أن يرفع يديه إلى السماء شاكراً حظهُ أن عاره يمكن أن يبقى، إن جاز القول، في البيت، على أن يحتمل غيظ معرفة أنه يعتاش على جسد زوجات الآخرين. وإن أردنا الدقة فعلى جسد زوجة الطبيب، لأن بقيّتهن، باستثناء الفتاة ذات النظارة السوداء، غير المتزوّجة، الحرّة، ونعرف معلومات أكثر من كافية عن نموذج حياتها المنغمسة في اللذّات، إنْ كنَّ متزوجات فأزواجهن ليسوا هنا. بدا أن الصمت الذي أعقب تلك العبارة المعترضة، ينتظر شخصاً ما لينطق الكلمة الفيصل، الأخيرة، ولهذا السبب لم يطل انتظارها حتى تكلّم مَنْ كان يجب أن يتكلم، زوجة الأعمى الأول التي قالت بصوت لا تشوبه أدنى ارتعاشة، لست مختلفة عن الأخريات وسأفعل ما يفعلنه. ستفعلين ما أقول أنا، قاطعها زوجها. كفَّ عن إصدار الأوامر، إنها عديمة الفائدة هنا، إنك أعمى مثلي. هذه قلّة حشمة. هذا رأيكَ أنت، فلا تأكل إذاً من الآن فصاعداً. هذا كان ردّها القاسي، غير المتوقّع من إمرأة كانت حتى اللحظة طيّعة جداً ومبجِّلة لزوجها. انفجرت ضحكة صغيرة مفاجئة،

ندّت عن عاملة الفندق. آه، كُلْ، كُلْ، ماذا بوسعه، هذا المسكين. وفجأة انقلبت ضحكتها بكاءً، تغيَّرت كلماتها فقالت، ماذا بوسعنا أن نفعل، هذه هي المسألة، مسألة الصبر على مضض لا رافع له، مثل هزّة رأس قانطة، إلى حد ان موظفة العيادة لم تفعل سوى تكرار، ماذا بوسعنا أن نفعل. نظرت زوجة الطبيب إلى المقص المعلق على الحائط، ومن نظرة عينيها بوسعنا أن نحكم أنها تسأل نفسها السؤال عينه، هذا إن لم تكن تبحث عن إجابة عن السؤال الذي طرحته على المقصّ، ماذا تريد مني.

مهما يكن فلكل شيءٍ أوانه المناسب، فكونك تستيقظ مبكّراً لا يعني أنك ستموت قريباً، إن نزلاء الغرفة الثالثة على اليسار منظّمون جداً، لقد قرّروا أن يبدأوا بالنساء الأقرب إليهم، في الغرفتين الأولى والثانية. إن تطبيق منهج الدوران هذا، تعبير أكثر من مناسب، يتيح لهم كل المزايا وبدون تراجعات لأنه، في المقام الأول، سيسمح لهم أن يعرفوا، في أيِّ لحظة مفترضة ماذا أُنجِزَ وماذا تبقى، مثل النظر إلى ساعة والقول لقد عشت من هذا اليوم من هنا إلى هنا ولا يزال أمامي منه كذا، وثانياً، عندما تكتمل الدورة فإن العودة إلى البداية ستجلب معها جوّاً من التجديد لا يمكن إنكاره، لا سيما بالنسبة إلى أولئك قصيري الذاكرة الحسيّة. لذلك دع نساء الغرف على اليمين يمتعن أنفسهن. إن باستطاعتي مواجهة سوء حظ جيراني، وهذه كلمات لم تقلها النساء إلاّ أنهن فكّرن فيها جميعاً. في الواقع لم يخلق بعد الإنسان الذي يفتقد الجلد الثاني المسمّى أنويّة، فهذا أطول عمراً من الأول الذي يَدمى بسرعة. ويجب القول أيضاً إن هؤلاء النسوة يمتّعن أنفسهن على طاقين، لا بدّ أن التهديد الوشيك الذي لا مفرّ منه قد أيقظ في كل الغرفة شهوات حسيّة كانت الألفة المطّردة قد أنهكتها، وكأن الرجال من فرط إحباطهم يودّون وضع وشمهم على النساء قبل أن

يُنتزعن منهم، وكأن النساء أردن أن يملأن ذاكرتهن بإحساس عشنه طوعاً كي يستطعن تحصين أنفسهن على نحو أفضل في مواجهة تلك الإحساسات العدوانية المرتقبة والتي سيحاولن نبذها إن استطعن. لا مناص أمامنا من أن نسأل كيف حُلَّت مسألة تباين عدد النساء وعدد الرجال، ولنأخذ الغرفة الأولى كمثال، حتى إن أغفلنا الرجال العنّينين في المجموعة كما هي حال الكهل ذي العين المعصوبة وآخرين غير معرّفين، شباباً وشيباً، لسبب أو لآخر لم يقولوا أو يفعلوا ما يجعلنا نُدخلهم سياق سردنا. يوجد في هذه الغرفة كما ذكرنا سابقاً، سبع نساء بمن فيهن العمياء التي تعاني من الأرق ولا أحد يعرفها، وأولئك الذين يُسمّون أزواجاً طبيعيين لم يعودوا أكثر من مجرّد شخصين، الأمر الذي يتسبب بعدم توازن عدد الرجال، لأن الطفل الأحول لم يُحسب على الرجال بعد. ربما يكون عدد النساء في باقي الغرف يفوق عدد الرجال، إلاّ أن قانوناً غير مكتوب حاز القبول هنا بسرعة، وأصبح لاحقاً قراراً قانونياً يقضي بأن تُحلَّ المشكلات في الغرف التي تظهر فيها وفقاً للوصايا القديمة التي لم نملَّ من امتداح حكمتها. فإن أردت أن تحظى بخدمة ممتازة، اخدم نفسك بنفسك -بناء عليه فإن النساء في الغرفة الأولى على اليمين سيمتّعون الرجال الذين ينامون معهن تحت السقف نفسه، مع استثناء وحيد وهو زوجة الطبيب، التي لسبب أو لآخر، لم يجرؤ أحد على مراودتها لا لفظياً ولا عملياً. أما زوجة الأعمى الأول وبعد أن خطت الخطوة الأولى بردّها المفاجئ على زوجها، فقد حذت حذو النساء الأخريات فوراً، كما قطعت عهداً على نفسها، وإن يكن بتكتّم شديد. وحصلت، من ناحية ثانية، حالات مقاومة معيّنة لا المنطق ولا العاطفة يستطيعان شيئاً حيالها، مثل مقاومة الفتاة ذات النظارة السوداء التي لم تُجِد معها شيئاً ملاطفات أو محاججات مساعد الصيدلي، وذلك بسبب قلّة احترامه لها في البدء. وهذه الفتاة

نفسها، إن النساء عصيات على الفهم، وهي أجمل النساء هنا، أجملهن شكلاً، أكثرهن جاذبية، وكل الرجال يفغرون أفواههم عندما تقال كلمة واحدة عن جمالها الاستثنائي، انسلّت أخيراً ذات ليلة وبمشيئتها هي في سرير الكهل ذي العين المعصوبة الذي استقبلها كمطر الصيف وأمتعها بأفضل ما يستطيع، على نحو باهر بالنظر إلى عمره، مبرهناً بذلك مرّة أخرى أن المظاهر خدّاعة، وأنه ليس من وجه الشخص ورشاقة جسمه يمكن الحكم على قوّة قلبه. اعتقد كل نزلاء الغرفة أن ما منحته الفتاة ذات النظارة السوداء، للكهل ذي العين المعصوبة لم يكن أكثر من إحسان، لكن كان بينهم رجال حساسون حالمون أطلقوا العنان لأفكارهم بعد أن متّعتهم الفتاة ذات النظارة السوداء بجسدها بالمثل، لتقول إنه ليس هناك جائزة في هذا العالم بالنسبة إلى رجل مستلق في سريره، يفكر بالمستحيل، أعظم من تلك عندما يرى إمرأة ترفع عنه الغطاء وتنزلق فوقه، وتبدأ ببطء تفرك جسدها بجسده، ثم تستلقي بقربه ساكنة، بانتظار أن تهدأ حرارة دمها، الرعشة المفاجئة لقشعريرة جسديهما، والدافع الوحيد إلى ذلك هو رغبتها في الأمر. هذه ثروات لا تضيع أبداً، وأحياناً يجب أن يكون الرجل كهلاً وعلى محجر عينه العمياء عصابة سوداء. وثمة أشياء معينّة من الأفضل أن نتركها من دون تفسير، نقول ما حدث ونصمت، ولا نسبر مشاعر وأفكار الناس الداخلية، كما حدث عندما نهضت زوجة الطبيب من سريرها لتغطي الطفل الأحول الذي انزلقت البطانية عن جسده. لم تعد إلى سريرها مباشرة، اتكأت على الجدار في نهاية الممر بين صفي الأسرّة وراحت تنظر بائسة إلى باب الغرفة في الجهة المقابلة، الذي دخلت منه ذات يوم يبدو موغلاً في القدم وهو لا يفضي الآن إلى أي مكان. كانت تقف هناك عندما رأت زوجها ينهض من سريره ويحدّق أمامه مباشرة وكأنه يمشي مسرعاً إلى سرير الفتاة ذات النظارة السوداء. لم تبذل

أي محاولة لإيقافه. بقيت ساكنة، رأته يرفع الغطاء ويستلقي قرب الفتاة التي استيقظت واستقبلته من دون احتجاج. شاهدت كيف بحث ذانك الفمان أحدهما عن الآخر حتى وجده، وبعدئذٍ حصل المحتوم، لذّة الأول، لذّة الثاني، لذّة الاثنين معاً، الصرخات المكتومة، قالت الفتاة، أوووه دكتور، وكان يمكن أن تبدو تانك الكلمتان سخيفتين، لكنهما لم تبدوا كذلك. قال، سامحيني، لا أعرف ماذا دهاني، في الواقع كنّا على حق، فكيف بوسعنا، نحن من لا نكاد نرى، أن نعرف ما لا يعرفه حتى هو. إنهما مستلقيان في سرير ضيّق ولا يسعهما أن يتخيّلا أنهما مُراقَبان، بالتأكيد لم يكن الطبيب يعرف، بيد أنه قلق فجأة وسأل نفسه هل ستكون زوجته مستيقظة، أم أنها تتجول الآن في الممرات كما تفعل كل ليلة، كان على وشك النهوض ليعود إلى سريره، عندما استقرت فوق صدره يدٌ خفيفة كعصفور، وقال له صوت، لا تنهض. كان على وشك أن يتكلم، لكن الصوت قال، ستيسَّر عليّ الأمر إن لم تقل شيئاً. بدأت الفتاة ذات النظارة السوداء تبكي، وتمتمت، يا لنا من مجموعة تعساء، وأضافت، لقد أردتُ ذلك أنا أيضاً، لقد أردته أيضاً، لستَ الملوم. إهدئي، قالت زوجة الطبيب بلطف، لنبقَ هادئين، فهناك أوقات لا يفيد معها الكلام، لو أستطيع أنا أيضاً أن أبكي، أقول كل شيء بالدموع، ولا أكون مضطرة إلى الكلام كي أوضح نفسي. جلست على حافة السرير، فرشت ذراعيها فوق الجسدين كأنها تضمهما أحدهما إلى الآخر، ثم انحنت فوق الفتاة وهمست في أذنها، أنا بوسعي أن أرى. بقيت الفتاة ساكنة، هادئة، منذهلة ببساطة لأنها لم تشعر بالمفاجأة وكأنها كانت تعرف الأمر منذ اليوم الأول لكنها لم ترغب في قوله بصوت عالٍ ما دام سراً ليس ملكها. أدارت رأسها قليلاً وردّت بهمسة مماثلة، في أذن زوجة الطبيب، أعرف، على الأقل لم أكن واثقة تماماً، لكني أعتقد أني كنت أعرف. إنه سر، يجب ألا تخبري به أحداً. لا تقلقي. إنني أثق فيك.

يجب أن تثقي فيَّ، فالموت أهون عليّ من أن أغدر بك. يجب أن تناديني "tu". أوه، لا أستطيع، ببساطة لا أستطيع. تابعتا الهمس إحداهما في أذن الأخرى ملامسة بشفتيها شعر الأخرى وشحمة أذنها. كان حواراً تافهاً. كان حواراً عميقاً، جدّياً، إن أمكن توفيق هذا التناقض، فهو محادثة تآمرية موجزة يبدو أنها تتجاهل الرجل المستلقي بينهما، بيد أنها ورّطته في منطق خارج عالم الأفكار والوقائع المبتذلة. بعدئذٍ قالت زوجة الطبيب لزوجها، بوسعك البقاء هنا قليلاً إنْ رغبت. كلا، سأعود إلى سريرنا. سأُساعدك إذاً. استوت في جلستها لتتيح له حرّية حركة أفضل متأمّلة، هنيهةً الرأسين الأعميين المستقرين فوق الوسادة الوسخة. وجهاهما قذران. شعرهما أشعث، عيناهما فقط تتألقان من دون سبب. نَهض ببطء، منتظراً مؤازرة، بقي ساكناً بجوار السرير، متردداً، وكأنه فقد فجأة أيّ فكرة عن المكان الذي وجد نفسه فيه، بعدئذٍ وكما تفعل عادة أمسكت بذارعه، إلا أن لمحيّاه هذه المرة معنى آخر، إذ لم يكن قط في هذا الدرك من العوز إلى شخص ما يرشده، كما هو الآن. رغم أنه لن يعرف أبداً ذلك الدرك. وحدهما المرأتان عرفتاه حقيقة. عندما ربتت زوجة الطبيب بيدها الأخرى على وجنة الفتاة أخذتها تلك بإندفاعة ورفعتها إلى شفتيها. اعتقد الطبيب أنه استطاع أن يسمع نشيجاً، صوتاً غير مسموع تقريباً لا يمكن أن يصدر إلاّ عن دموع تنساب ببطء إلى زاويتي الفم حيث تختفي لتعاود الفرح والأسى البشريين، العصيّة على التفسير. إن الفتاة ذات النظارة السوداء على وشك أن تُترك وحيدة، إنها هي مَنْ يجب أن يواسى لذلك أبطأت زوجة الطبيب في سحب يدها.

في اليوم التالي وبعد الغداء، هذا إن كانت كسرات الخبز اليابس وقطع اللحم الصغيرة الغضة تستحق أن تسمى وجبة غداء، وقف

بباب الغرفة عميان من الغرفة الثالثة على اليسار وسألوا، كم امرأةً في هذا الجناح. ست نساء، أجابت زوجة الطبيب مدفوعة بنيّة طيّبة إلى اغفال المرأة التي تعاني من القلق. بل يوجد سبع نساء، صحّحت لها تلك المرأة بصوت مخفّض. ضحك العميان السفّاحون. سيِّئ جداً، قال أحدهم، سيكون عليكن بذل جهد مضاعف هذه الليلة. اقترح آخر، ربما من الأفضل لنا أن نجد تعزيزات إضافية من غرفة أخرى. لا داعي لذلك العناء، قال أعمى ثالث يعرف مقدرته جيداً، فكل واحدة منهن تكفي ثلاثة رجال، بوسعهن تحمّل المهمّة. دوّت ضحكة أخرى، وأردف الأعمى الذي سأل عن عدد نساء الغرفة، يأمرهن، نحن بانتظاركن بعد أن تفرغن من الغداء، وأضاف، هذا إن كنتن راغبات في أن تأكلن غداً وتُرضعن رجالكن. لقد قالوا هذه الكلمات في كل الغرف وما زالوا يضحكون بالحيوية نفسها لدى تكرارهم هذه النكتة منذ اخترعوها، يتشاطرون الضحك، يخبطون الأرض بأقدامهم، ويطرقون الأرض بهراواتهم الثخينة، حتى حذّر أحدهم فجأة، استمعن إليّ، إن كانت إحداكن في لعنتها فلا نريدها، وسنطلبها في ما بعد. أخبرته زوجة الطبيب بهدوء أنه لا توجد بينهن واحدة في لعنتها. حضّرن أنفسكن إذاً ولا تتأخرن، نحن بانتظاركن. استداروا واختفوا. بقي الصمت مخيماً على الجناح. بعد دقيقة، قالت زوجة الأعمى الأول، لم أعد راغبة في الطعام، كان في يدها قليل من الطعام الثمين ولم تعد قادرة على أكله. ولا أنا، قالت العمياء التي تعاني من الأرق. ولا أنا، قالت المرأة التي يبدو ألاّ أحد يعرف عنها شيئاً. لقد أنهيت غدائي، قالت عاملة الفندق –وأنا أيضاً، أضافت موظفة العيادة. سأتقيأ في وجه أول رجل يقترب مني، قالت الفتاة ذات النظارة السوداء. وقفن جميعاً مرتجفات، ساخطات. بعدئذٍ قالت زوجة الطبيب سأمشي في المقدّمة. غطى الأعمى الأول رأسه بالبطانية وكأن هذه الحركة تفيد هدفاً ما،

بما أنه أعمى. جذب الطبيب زوجته ومن غير أن يقول شيئاً قبّلها على جبينها. ماذا بوسعه أكثر من ذلك. لا يفرق الأمر كثيراً بالنسبة إلى الرجال الآخرين، إذ إنهم لا يمتلكون حقوق ولا واجبات الزوج بالقدر الذي يهم أولئك النسوة، لذلك لا يستطيع أي شخص أن يتوجّه إليهم قائلاً، إن القواد الراضي هو قوّاد على طاقين. انتظم رتل النساء، الفتاة ذات النظارة السوداء خلف زوجة الطبيب، تليها عاملة الفندق، موظفة العيادة، زوجة الأعمى الأول، المرأة التي لا أحد يعرف عنها شيئاً، ثم أخيراً المرأة التي تعاني من الأرق. رتلٌ غريب لنساء كريهات الرائحة، أسمالهن البالية قذرة جداً، يبدو مستحيلاً أن تكون الدافعة الجنسية الحيوانية قويّة بما يكفي لتعمي حاسة الشم، وهي الأرهف بين الحواس الخمس، عند الرجل، حتى أن هناك بين اللاهوتيين مَنْ يؤكد، وإن لم يكن بالكلمات ذاتها، أن الأمر الأسوأ في محاولة العيش حياة معقولة في جهنم هو اعتياد رائحة النتن الكريهة فيها. قادت زوجة الطبيب النساء ببطء، مضَينَ وكل واحدة تضع يدها على كتف الأخرى أمامها. كن حافيات لأنهن لم يرغبن في فقد أحذيتهن وسط تلك الجرجرة والمحن التي سيعشنها. عندما وصلن ردهة المدخل الرئيسي نظرت زوجة الطبيب ناحية الباب الخارجي، لا ريب في أن دافعها إلى ذلك كان التوق لمعرفة إن كان العالم لا يزال موجوداً. عندما شعرت عاملة الفندق بالهواء النقي قالت متذكّرة وخائفة في آن معاً، لا نستطيع الخروج لأن الجنود هناك في الخارج. أضافت المرأة التي تعاني من الأرق، هذا أفضل لنا، فسوف نموت في أقل من دقيقة، موتى، هذا ما يجب أن نكونه جميعاً. تقصدينا نحن، سألتها موظفة العيادة. كلا، بل الجميع، كل النساء الموجودات هنا، على الأقل سيكون الموت مسوَّغاً مقنعاً لعمانا. لم يكن لديها قط الكثير مما تقوله لنفسها منذ أن جيء بها إلى هنا. لنذهب قالت زوجة الطبيب، لن يموت إلاّ من كتب عليهم

الموت، فالموت لا يعطي أي إنذار مسبق عندما يختار ضحيّته. اجتزن الباب المفضي إلى الجناح الأيسر وسرن عبر الممرات الطويلة. كان بوسع النساء في الغرفتين الأولى والثانية، لو أردن، أن يخبرهن عما ينتظرهن، إلا أنهن كن متكورات في أسرّتهن كحيوانات تلقّت ضرباً مبرحاً، ولم يتجرأ الرجال على لمسهن، ولم يحاولوا الاقتراب منهن، لأنهن كن يبدأن بالصراخ فوراً.

رأت زوجة الطبيب أعمى في نهاية الممر الأخير، إنه الحارس، كالعادة. لا بدّ أنه سمع وقع أقدامهن، فأخبر الآخرين. إنهن قادمات، قادمات. وسُمع من داخل الجناح صهيل وقهقهة وضحك. أسرع أربعة عميان، اختصاراً للوقت. بإزاحة الأسرّة التي تسد المدخل، بسرعة يا بنات ادخلن، ادخلن، فنحن هنا كخيول حيوله، سنملأ لكن بطونكن، قال أحدهم. أحاط بهن العميان السفاحون محاولين مداعبتهن، لكنهم تراجعوا متفرقين، عندما صاح زعيمهم، من بحوزته المسدس، الخيار الأول لي كالعادة. نظرت أعين أولئك الرجال بتوق إلى النساء، حتى أن بعضهم مدّ يدين شرهتين، وكأنه إن لامست إحداهن وهي تمر فسوف يعرف أين يوجّه عينيه. اصطفت النساء في الممر بين الأسرّة، كرتل من الجنود بانتظار التفتيش. تقدّم منهن زعيم العصابة والمسدس في يده، برشاقة ومرح وكأنه قادر على رؤيتهن. وضع يده الفارغة على المرأة التي تعاني من الأرق الواقفة في أول الرتل، داعب مؤخرتها ومقدمتها، وركيها، صدرها، وما بين ساقيها. بدأت المرأة بالصراخ، فدفعها بعيداً، أنت أسوأ عاهرة. انتقل إلى الثانية، التي اتفق أنها المرأة التي لا أحد يعرف عنها شيئاً، وبعد أن وضع المسدس في جيب بنطلونه، راح يداعبها بكلتا يديه، أعتقد أن هذه ليست سيّئة البتة، بعدئذٍ انتقل إلى زوجة الأعمى الأول، ثم إلى موظفة العيادة، عاملة

الفندق، وهتف، اسمعوا يا شباب، هؤلاء الفتيات جميلات جداً. صهل العميان السفاحون، خبطوا الأرض بأقدامهم، وصرخ أحدهم، دعنا عليهن، إنك تؤخرنا. هوّن عليك، قال السفاح المسلّح، دعني أولاً ألقي نظرة على الأخريات. داعب الفتاة ذات النظارة السوداء. هاهاه هذه ضربة حظ موفّقة، فلم تمرّ علينا فتاة كهذه من قبل. انتقل وقد استثير كثيراً من مداعبة الفتاة ذات النظارة السوداء، إلى زوجة الطبيب وأطلق صفيراً ثانياً، هذه فتاة ناضجة تماما، لكن قد يتضح أنها امرأة. جذب الاثنتين ناحيته، وقال ولعابُه يسيل تقريباً، سأحتفظ بهاتين، وعندما أفرغ منهما أدعهما لكم. جرّهما إلى نهاية الغرفة، حيث كُوِّمت صناديق الطعام بعضها فوق بعض، وقد كُوِّمت فيها علب تكفي لإطعام فوج بأكمله. كانت النساء جميعهن يصرخن، يلكمن ويصفعن، وبالإمكان سماع الأوامر، اخرسن، عاهرات، كلهن مومسات متشابهات، لا بدّ أن يبدأن دائماً بالصراخ، اعطهن إياه جيداً وقوياً وانظر كيف سيهدأن بسرعة. فقط انتظر حتى يحين دوري وسترى كيف أنهن سيطلبن المزيد. أسرع أنت هناك، لا أستطيع الانتظار دقيقة أخرى. أعولت المرأة التي تعاني من الأرق، بيأس وهي ترزح تحت ثقل شخص جسيم. وكنّ الأخريات الأربع محوطات برجال أنزلوا سراويلهم ويتناكبون كضباع حول جيفة. وجدت زوجة الطبيب نفسها بقرب السرير الذي أخذت إليه، كانت تقف ويداها المرتجفتان تمسكان بإطاره المعدني، راقبت كيف شد الزعيم الأعمى ومزّق تنورة الفتاة ذات النظارة السوداء، كيف أنزل بنطلونه متلمساً بأصابعه، ووجّه عضوه نحو عضو الفتاة، كيف أولجه بقسوة. كان بوسعها سماع القُباع، البذاءات. لم تقل الفتاة شيئاً، إنما فتحت فمها لتتقيأ، وجهها مائل إلى ناحية وعيناها إلى صوب المرأة الأخرى. لم يلاحظ الزعيم ما كان يجري. إن رائحة الإقياء لا تلحظ إن لم تكن رائحة الجو العام مختلفة عنها تماماً. أخيراً اهتز الرجل

من رأسه إلى أخمص قدميه، نخع ثلاث نخعات عنيفة وكأنه يبرشم ثلاثة ألواح، لهث كخنزير مخنوق، لقد انتهى. كانت الفتاة ذات النظارة السوداء تبكي بصمت. سحب الزعيم المسلح قضيبه الذي ما زال ينقّط، مد ذراعه صوب زوجة الطبيب وقال بصوت متردّد، لا تغاري، سأعالجك لاحقاً، ثم بصوت عالٍ، أقول يا أولاد، بوسعكم أن تأتوا وتأخذوا هذه، لكن عاملوها بلطف لأني قد أستدعيها ثانية. تقدّمت نصف مجموعة الرجال مترنحين على طول الممر، أمسكوا بالفتاة ذات النظارة السوداء وجروها جراً تقريباً، وكل واحد منهم يقول، أنا أولاً. أنا أولاً. جلس الأعمى المسلّح على السرير، استقر عضوه الرخو على حافة الفراش، بنطلونه متجمّع عند كاحليه. إركعي هنا بين ساقي، قال آمراً. ركعت المرأة على ركبتيها. مصيّه، قال لها. لا لن أفعل. إما أن تمصيّه وإما أن أجلدك جلداً مبرحاً، ولن تنالي أي طعام. ألا تخاف أن أعض قضيبك وأقطعه. بوسعك أن تجربي. سأضع يديَّ حول عنقك وسأخنقك إن حاولت مص دمائي، أجابها مهدداً. ثم أضاف يبدو أني أعرف صوتك، وأنا أعرف وجهك. أنت عمياء ولا تستطيعين رؤيتي. لا. لا أستطيع رؤيتك. لماذا تقولين إذاً أنك تعرفين وجهي. لأن للصوت وجهاً واحداً فقط. مصيّه وإنسي هذا اللغو. كلا. إما أن تمصيه، وإما أن تحرمي غرفتك كلها من الطعام، عودي إليهم وقولي لهم إن لم يجدوا ما يأكلونه فذلك لأنك رفضت أن تمصيه، ثم عودي بعدئذٍ وقولي لي ماذا جرى. إنحنت زوجة الطبيب إلى الأمام، أمسكت قضيب الرجل المرتخي بأصابع يدها اليمنى ورفعته، وتلمّست بيدها اليسرى المستقرة على الأرض، بنطلونه، تلمّست، تحسست ثقل المعدن البارد للمسدس، بوسعي أن أقتله، فكّرت. لم يكن بوسعها. كان مستحيلاً عليها، مع حالة بنطلونه المتجمّع كله عند كاحليه، أن تصل الجيب التي وضع فيها سلاحه. لا أستطيع قتله الآن. فكّرت لنفسها. قدّمت رأسها إلى الأمام، فتحت فمها، أغلقته، أغمضت عينيها كي لا ترى، وبدأت تمصّ.

كان النهار ينبلج عندما سمح العميان السفاحون للنساء بالذهاب. اضطرت الأخريات إلى حمل المرأة التي تعاني من الأرق رغم أنهن ما كدن يستطعن أن يتحركن. لساعات عدّة خلت كُنَّ يُنقلن من يد إلى يد، من مهانة إلى أخرى، من اغتصاب إلى آخر، لقد تعرّضن لكل شيء يمكن أن تتعرض له امرأة مع الإبقاء عليها حيّة. كما تعلمن إن الدفع طعام، فأخبرن رجالكن المتعاطفين أن يحضروا لأخذ الطعام، قال الأعمى المسلّح ساخراً، عندما كنَّ يغادرن، سنلتقي ثانية، يا فتيات، لذلك حضرن أنفسكن للجولة القادمة ردد العميان السفاحون الآخرون بصوت كورسي واحد إلى هذا الحد أو ذاك، سنلتقي ثانية، بعضهم قال، يا بنات، وآخرون، يا عاهرات، غير أن شبقهم الذاوي كان واضحاً من أصواتهم الضعيفة. صمٌّ، عميٌ، بكمٌ. خرجت النساء يجرجرن أقدامهن، وقد أمسكت كل واحدة، بآخر ما تبقى لديهن من طاقة، بيد الأخرى أمامها، لا بكتفها كما كانت الحال عندما أتين. وكنّ جميعاً سيعجزن عن الإجابة لو سُئلن، لماذا تمسكن بأيدي بعضكن بعضاً. حدث ذلك مصادفة، فهناك إيماءات نعجز دائماً عن إيجاد تفسير بسيط لها، ولا حتى تفسير صعبٍ أحياناً. نظرت زوجة الطبيب إلى الخارج، عندما وصلن الردهة، كان هناك جنود وعربة شاحنة أيضاً لا بدّ أنها العربة المستخدمة لتوزيع الطعام على الموجودين في الحجز. في تلك اللحظة تماماً خارت ساقا المرأة التي تعاني من الأرق وبتعبير حرفي، وكأنهما قطعتا بضربة واحدة، وتوقف قلبها عن الخفقان أيضاً، حتى إنه لم يُكمل انقباضته التي بدأها. أخيراً عرفنا لماذا لم تستطع هذه المرأة أن تنام، سوف تنام الآن. فقد ماتت، قالت زوجة الطبيب بصوت خالٍ من أي تعبير، هذا إن أمكن لصوت كهذا، ميِّت كالكلمات التي نطقها، أن يصدر عن فم حي. رفعتْ هذا الجسد الذي انخلع فجأة، الدم يغطي ساقيها، بطنها مزرق، صدرها عارٍ وقد خُدِش بوحشية، وعلى كتفيها

آثار الأسنان التي عضّتها. هذه هي حال جسدي وجسد الأخريات أيضاً، فكّرت زوجة الطبيب لنفسها، هناك فرق واحد وحيد بين هذه الاغتصابات وآلامنا وهو أننا، للّحظة، ما زلنا أحياء. أين سنأخذها سألت الفتاة ذات النظارة السوداء. سنأخذها حالياً إلى الغرفة، وسندفنها في ما بعد، قالت زوجة الطبيب.

كان الرجال بانتظارهن على باب الغرفة، باستثناء الأعمى الأول الذي غطى رأسه بالبطانية من جديد عندما عرف أن النساء عائدات، وكذلك الطفل الأحول الذي كان نائماً. من دون تردد أو حاجة لعدّ الأسرّة وضعت زوجة الطبيب المرأة التي كانت تعاني من الأرق على السرير الذي كانت تشغله. لم تهتم باستغراب الآخرين لهذا التصرف، ففي نهاية المطاف الجميع هنا يعرفون أنها العمياء الأكثر ألفة مع كل ركن في هذا المبنى. إنها ميّتة، كررت زوجة الطبيب. ماذا حدث، سألها زوجها، ويمكن لهذا السؤال أن يعني ظاهره فحسب، أي، كيف ماتت، إلاّ أنه يمكن أن يعني أيضاً ماذا فعلوا معكن هناك. والآن لا يمكن أن يحظى لا ظاهر السؤال ولا باطنه بأي إجابة. ببساطة، لقد ماتت. من أي أسباب نادرة، من الحماقة أن يسأل أحد عن سبب موت آخر، ففي الوقت الذي يجري فيه تناسي السبب تتبقى كلمتان فقط، لقد ماتت، ولم نعد تلك النسوة اللاتي كنّهن عندما غادرنا الغرفة، لم يعد باستطاعتنا قول الكلمات التي كنا نقولها، فبالنسبة إلى الأخريات يوجد فقط غير الجدير ذكره ولا شيء آخر. إذهبوا واجلبوا الطعام، قالت زوجة الطبيب. المصادفة، القدر، الحظ، القسمة، أو أياً تكن التسمية الدقيقة لذلك المتعدد الأسماء، كلها تُجترح من سخرية صرف. إذ كيف بوسعنا أن نفهم لماذا اختير على وجه الدقة اثنان من أزواج النساء لإحضار الطعام، حيث لم يكن بوسع أحد أن يتخيّل أن الثمن سيكون

بهذه الفداحة. كان بالإمكان إرسال غيرهما، غير متزوجين، عازبين، من دون شرف زوجي مكلوم عليهما الدفاع عنه، لكن علاوة على ذلك وجب أن يكونا هما، اللذين لن يرغبا بالتأكيد في تحمّل عار مدّ أيديهما لاستجداء الأوغاد المنحطّين، مغتصبي زوجتيهما. قالها الأعمى الأول، بكل طلاقية الإصرار القاطع، من يود الذهاب فليذهب، لكن أنا لن أذهب. سأذهب، قال الطبيب، وأنا سأذهب معك، قال الكهل ذو العين المعصوبة، لن يعطونا طعاماً كثيراً، لكني أحذّرك من أنه سيكون ثقيلاً. ما زلت أقوى على حمل الخبز الذي آكله، خبز الآخرين هو الذي يثقل كاهل المرء دائماً. لا يحق لي أن أتذمّر، فخبزي سيشتريه لي الوزر الذي حمله الآخرون. دعونا نتخيّل، لا الحوار لأنه تمَّ واستوفيَ، بل الرجال الذين شاركوا فيه، فهم هناك، وجهاً لوجه، وكأنهم يستطيعون رؤية بعضهم البعض، وهذا مستحيل في هذه الحال، يكفي أن مخيّلة كلّ منهم ستستحضر من البياض المذهل للعالم، شكل الفم الذي ينطق بالكلمات، وبعدئذٍ، كإشعاع بطيء ينبعث من المركز، ستبدأ ملامح الوجه الأخرى بالظهور، أحدهما كهل، والآخر أقلّ كهولة منه، والذي يستطيع أن يرى بهذه الطريقة لا يمكن أن يدعى أعمى حقيقة. عندما انطلقا لإحضار ثمن العار، كما سمّاه الأعمى الأول محتجاً بمهانة مطنبة. ابقين هنا، قالت زوجة الطبيب للأخريات، سأعود سريعاً. إنها تعرف ما تريد، غير أنها ليست واثقة من أنها ستجده. كانت بحاجة إلى سطل أو شيء ما يقوم مقامه، تملؤه ماءً، حتى إن كان ملوّثاً، أو مجرثماً. تريد أن تغسل جثة المرأة التي كانت تعاني من الأرق، أن تزيل عنها دمها ونطاف الآخرين، أن تسلّمها إلى الأرض طاهرة، إذا ما كان الكلام عن طهارة الجسد في هذا المسلخ يعني شيئاً، لأن طهارة الروح، كما يعرف الجميع، هي ما وراء متناول الجميع.

كان رجال عميان مستلقين على طاولات حجرة الطعام. وفوق حوض المجلى الملآن بالنفايات صنبور ماء يقطّر، يسيل منه خيط ماء رفيع. نظرت زوجة الطبيب حولها بحثاً عن سطل أو طست لكنها لم تستطع أن ترى شيئاً يلائم مأربها. اضطرب أحد العميان من وجودها فسأل، من هناك، لم تردّ عليه، عرفت أنّه لن يُرحَّب بها هنا، ألاّ أحد سيقول لها، أنت بحاجة للماء، خذي ما تريدين، وإذا كان من أجل غسيل جثة المرأة الميّتة، فخذي الماء كله. كانت أكياس نايلون بعضها كبير، يجلب فيها الطعام، مبعثرة على الأرض. فكرت أنها لا بدّ أن تكون مثقوبة، لكنها تذكّرت أنها إن وضعت اثنين أو ثلاثة منها داخل بعضها البعض، فلن يتسرّب الكثير من الماء. عملت بسرعة، نزل العميان جميعاً عن الطاولات وشرعوا يسألون، من هناك وقد ازداد هلعهم لدى سماع جريان ماء الصنبور. توجهوا نحوها. ابتعدت زوجة الطبيب عن طريقهم ودفعت بإحدى الطاولات في طريقهم كي لا يستطيعوا الاقتراب، ثم عادت إلى كيسها، كان ماء الصنبور ضعيفاً، فتحته يائسة على آخره، فتدفّق الماء، وكأنه قد تحرر من سجن ما، وطشَّ في المكان كله وبللها من رأسها حتى قدميها. خاف العميان فتراجعوا إلى الوراء معتقدين أن أنبوباً قد انفجر، ولديهم كل الحق ليفكروا في ذلك ما دام الماء قد وصل إلى أقدامهم، ولم يكن بوسعهم أن يعرفوا أن الشخص الغريب الذي دخل هو مَنْ فتح الصنبور. لاحظت المرأة أنها لن تستطيع حمل ثقل كبير، فربطت الكيس ثم وضعته على كتفها وولّت هاربة.

لم ير، بل لم يستطع الطبيب والكهل ذو العين المعصوبة، عندما دخلا الغرفة، نساء عاريات، جثة المرأة التي كانت تعاني من الأرق ممددة على سريرها وهي أنظف منها في أي لحظة سابقة من حياتها،

بينما امرأة أخرى تغسل أجساد رفيقاتها واحدة بعد الأخرى، ثم تغسل جسدها هي.

في اليوم الرابع استعدّ السفاحون وجاؤوا يأخذون المقابل نفسه من نساء الغرفة الثانية، لكنهم توقفوا للحظة بباب الغرفة الأولى ليسألوا إن كانت النساء هنا قد تعافين من العربدة الجنسية في الليلة السابقة. كانت ليلةً رائعةً، نعم سيدي، قال أحدهم وهو يلعق شفتيه. أكد له آخر، هؤلاء النساء السبع يساوين أربع عشرة، صحيح أن إحداهن لم تكن جيّدةً، لكن مَنْ يدقّق وسط كل ذلك الصخب. إن أزواجهن لوطيّون محظوظون، إن كانوا قادرين على إرضائهن. الأفضل ألا يكونوا كذلك، لأنهن سيكن أكثر رغبةً عندئذٍ. قالت زوجة الطبيب من سريرها في آخر الغرفة، لم نعد سبع نساء هنا. هل رحلت إحداكن، سأل أحدهم ضاحكاً. لم ترحل، بل ماتت، يا للجحيم ستبذلن جهداً أكبر في الجولة القادمة إذاً. ليست خسارة كبيرة، فلم تكن جيدة في الفراش، قالت زوجة الطبيب. حار المبعوثون في الردّ عليها فقد أُسقط في أيديهم، إن ما سمعوه للتو فاجأهم باعتباره فجوراً. حتى أن بعضهم فكّر أن كل النساء، في نهاية المطاف، عاهرات. لأنه من قلّة الاحترام أن تقال أشياء كهذه عن امرأة فقط لأن حلمتيها لم تكونا في مكانهما الطبيعي، وليست جيّدة في الفراش. كانت زوجة الطبيب تنظر إليهم، وهم يحومون أمام الباب، مرتبكين، يحرّكون أجسادهم كدمى آلية. عرفتهم، فقد تعرّضت للاغتصاب من قِبَلِهم ثلاثتهم. أخيراً طرق أحدهم الأرض بهراوته وقال، دعونا نمضي. تخامدت طرقاتهم وصيحات تحذيرهم، ابتعدوا، ابتعدوا، نحن قادمون، نحن قادمون وهم يوغلون في الممر، حتى خيّم الصمت. هناك أصوات مبهمة، كانت نساء الغرفة الثانية يتلقين الأوامر بالذهاب بعد الغداء. سُمِع ثانية طرق الهراوات على الأرض،

ابتعدوا، ابتعدوا. مرّت ظلال الرجال الثلاثة عبر الباب واختفوا.

رفعت زوجة الطبيب، التي كانت تروي حكاية للطفل الأحول، ذراعها عالياً، ومن دون جلبة تناولت المقص عن المسمار، وأضافت سأكمل لك بقية الحكاية في ما بعد. لم يسألها أحد من أفراد الغرفة لماذا تكلّمت بذلك الازدراء عن العمياء التي كانت تعاني من الأرق. بعد هنيهة خلعت حذاءها وذهبت تُطمئن زوجها، لن أتأخر، سأعود فوراً، وانطلقت باتجاه الباب. توقفت هناك وانتظرت. بعد عشر دقائق أخرى خرجت نساء الغرفة الثانية إلى الممر. كنَّ خمس عشرة امرأةً، وبعضهن يبكي. لم يكنَّ في رتل، بل في مجموعات ربطن بعضهن إلى بعض. بحبل من الواضح أنه صُنِع من شراشف الأسرّة. تبعتهن زوجة الطبيب بعد أن تجاوزن باب الغرفة. لم تتصور إحداهن أن هناك من ترافقهن. كن يعرفن ماذا ينتظرهن، فلم تكن الإهانات التي سيتعرضن لها خافية عليهن، ولم تكن جديدة في الواقع، لأنه بالتأكيد هكذا قد بدأ العالم. لم يكنَّ خائفات من الاغتصاب، بل من العربدة، العار، ما يتوقعنه من هذه الليلة المخيفة التي تنتظرهن، خمس عشرة امرأة منتشرات فوق الأسرّة، وعلى الأرض، والرجال ينتقلون من واحدة إلى الأخرى، يقبعون كالخنازير. الأسوأ في الأمر، فكرت إحدى النساء لنفسها، هو أني قد أشعر باللّذة. عندما دخلن الممر المفضي إلى الغرفة التي يقصدنها، نبّه الحارس الأعمى الآخرين، بوسعي سماعهن، سيصلن في أيّ لحظة، وسرعان ما أزيحت الأسرّة المستخدمة كبوابة. دخلت النساء واحدة بعد الأخرى -واو، إنهن كثيرات، هتف الأعمى المحاسب وهو يعدّهن بحماس، إحدى عشرة، اثنتا عشرة، ثلاث عشرة، أربع عشرة، خمس عشرة، إنهن خمس عشرة امرأة. سار خلف آخرهن، ووضع يده الراغبة على تنورتها. هذه لعوب، إنها لي. لقد فرغوا من تقديرهم النساء، من

إنجاز التقديرات الأوّلية لمواصفاتهن الجسدية. في الواقع، إذا كان قد حُكم عليهن جميعاً مواجهة القدر نفسه فمن غير المفيد إضاعة الوقت وتبديد شهواتهم في اختيار من تناسبهم طولاً، ومقاساً، جذعاً علوياً، ومن ناحية الوركين. فسرعان ما أخذوهن إلى الأسرّة، وعرّوهن عنوة، ولم يطل الوقت حتى صار بالإمكان سماع البكاء وتوسلات الرحمة، إلا أن الإجابات كانت، إذا أردتن أن تأكلن، افتحن سيقانكن. وفتحن سيقانهن، وأُمرت بعضهن باستخدام أفواههن مثل تلك التي قرفصت بصمت بين ركبتي زعيم هؤلاء الوحوش. دخلت زوجة الطبيب إلى الغرفة، انسلت ببطء بين الأسرّة، حتى أنها لم تكن مضطرة لهذا الحذر، ما من أحد سيسمعها حتى لو كانت تلبس قباقيب، لكن وسط هذا الشجار، إن صدف ولمسها أعمى وعرف أنها امرأة، فأسوأ ما يمكن أن يحدث هو أن تنضم إلى الأخريات، ولن يلاحظ الأمر أحد، ففي حالة كهذه من غير السهل أن تفرّق بين خمس عشرة وست عشرة امرأة.

لا يزال سرير زعيم السفاحين في نهاية الغرفة حيث تُخزّن صناديق الطعام. لقد أزيحت كل الأسرّة المجاورة، فالرجل يحب أن يتحرك بحريّة من دون أن يرتطم بجيرانه. إن قتله سيكون سهلاً. درست زوجة الطبيب، وهي تتقدم ببطء في الممر، حركات الرجل الذي ستقتله، كيف أتلع رقبته ورمى برأسه إلى الوراء من شدة اللّذة وكأنه يقدم لها رقبته. تقدّمت زوجة الطبيب ببطء، دارت حول السرير، ووقفت وراء الزعيم. المرأة العمياء مستمرة في فعل ما طُلب منها. رفعت زوجة الطبيب المقص عالياً، وقد باعدت بين شفرتيه بحيث يمكن أن ينغرز كخنجرين. عندئذٍ وفي اللحظة الأخيرة، بدا أن الأعمى قد شعر بوجود شخص آخر، غير أن نشوته الجنسية نقلته إلى خارج أحاسيس العالم العادي، حرمته من أي قدرة على التفكير. لن تنال الوقت لتبلغ نشوتك،

فكرت زوجة الطبيب لنفسها وهي تهوي بيدها بقوّة هائلة. انغرزت شفرتا المقص عميقاً في حنجرة الأعمى، والتفتا قاطعتين الغضروف والأنسجة الرقيقة، ومن ثم غاصتا بعنف أكبر حتى وصلتا فقرات الرقبة. بالكاد سُمِعَ صراخه، قد يكون قباع حيوان على وشك أن يقذف، كما كان يحدث مع بعض الرجال الآخرين، وربما كان الأمر كذلك، ففي اللحظة التي طش فيها دم الرجل على وجه المرأة العمياء، قذف ماءه في فمها. إن صراخها هو الذي أرعب الرجال، كانوا أكثر من متعوّدين على الصراخ، لكن هذا كان مختلفاً. كانت العمياء تصرخ من أين جاء هذا الدم، على الأرجح، ومن دون أن تعلم، أنها فعلت ما فكّرت فيه، أن تقضم له قضيبه. ترك العميان النساء واقتربوا يتلمّسون طريقهم. ماذا يجري هنا، ما كل هذا الصراخ، كانوا يرددون، غير أن يداً ما كانت الآن على فم المرأة العمياء، وشخص يهمس في أذنها، اهدئي، ثم سحبها ببطء إلى الوراء. لا تقولي شيئاً. إنه صوت أنثوي، وهذا طمأنها، إن كان ذلك ممكناً في ظروف خطيرة كهذه. وصل المحاسب الأعمى قبل الآخرين، كان أول من لمس الجسد المنقلب فوق السرير، أو من مرّر يده على الجسد، وهتف فوراً، إنّه ميّت. كان رأسه متدلياً من فوق حافة السرير الأخرى، ولا يزال الدم يتدفق منه لقد قتلنه. توقف العميان في وضعياتهم. لم يستطيعوا تصديق ما سمعوه. كيف بوسعهن قتله، من قتله. لقد صنعوا جرحاً عميقاً في حنجرته. لا بدّ أنها العاهرة التي كانت معه. تحرك الرجال ثانية، لكن ببطء أكبر هذه المرة، كأنهم خائفون من مواجهة النصل الذي قتل زعيمهم. لم يسعهم أن يروا المحاسب الأعمى يفتش في جيوب الزعيم الميّت، ويخرج منها المسدس، وعلبة بلاستيكية صغيرة فيها عشر رصاصات. اضطرب الجميع فجأة من صراخ النساء، اللاتي وقفن الآن هلعات، يردن الخروج من هذا المكان، غير أن بعضهن أضعن مكان باب الغرفة، ذهبن في الاتجاه المعاكس

واصطدمن بالرجال الذين ظنوهن يهاجمنهم، عندئذٍ وصل هياج تلك الأجساد ذرا جديدة. انتظرت زوجة الطبيب بهدوء في نهاية الجناح، اللحظة المناسبة للهرب. كانت تمسك بقوة بالمرأة العمياء، وباليد الأخرى تقبض المقص بقوة وجاهزية تامة لاستخدامه عند اقتراب أي رجل. إن المكان الخالي في صالحها للحظة الآنية، لكنها عرفت أن ليس بوسعها أن تبقى هناك. وجدت بعض النساء باب الغرفة أخيراً، بينما كانت الأخريات يجاهدن لتحرير أنفسهن من أيدي الرجال، حتى أنه كانت هناك تلك الغريبة التي كانت لا تزال تحاول خنق عدوّها، إضافة إلى جثة أخرى. صاح المحاسب الأعمى برجاله صيحة سلطويّة اهدؤوا، لا تفقدوا أعصابكم، سوف نحل هذه المشكلة، وبكل التوق لجعل أمره أكثر إقناعاً أطلق رصاصة في الهواء. جاءت النتيجة على عكس ما توقّع. تفاجأ السفاحون العميان بوجود المسدس في أيدٍ أخرى وأن زعيماً جديد على وشك أن يفرض نفسه عليهم. فتوقفوا عن العراك مع النساء ومحاولة السيطرة عليهن، وكان أحدهم قد كفَّ عن العراك كلياً لأنه قد خُنِقَ. في هذه اللحظة قررت زوجة الطبيب أن تتحرك. شقت طريقها موجهة اللكمات يميناً ويساراً. وكان السفاحون الآن يصرخون وقد ضُربوا وسقطوا أرضاً، ويحاولون النهوض مستلقين بعضهم فوق بعض. لو كان هناك من يستطيع أن يرى، فسوف يتصوّر الأمر. مقارنةً مع المُشَاهد الآن، فإن الفوضى السابقة ليست أكثر من مزحة. لم تكن زوجة الطبيب راغبة في القتل، بل كل ما أرادته هو أن تخرج من هنا بأسرع ما يمكن وألاّ تترك أيّ إمرأة عمياء خلفها، ففي نهاية المطاف لن يتركوها على قيد الحياة. هذا ما فكّرت فيه وهي تغرز المقص في صدر رجل. سمعت طلقة أخرى، لنذهب، لنذهب، قالت زوجة الطبيب، وهي تدفع أمامها أيّ إمرأة عمياء تراها أمامها. ساعدتهن على الوقوف، وهي تردّد: "بسرعة، بسرعة" عندما صاح المحاسب الأعمى في

نهاية الغرفة إمسكوهن، لا تدعوهن يهربن. لكن بعد فوات الأوان، فقد أصبحت النساء جميعاً خارج الغرفة، هربن متعثّرات، نصف عاريات، متمسكات بأسمالهن بأفضل ما يستطعن. وقفت زوجة الطبيب بباب الغرفة بهدوء وصاحت بغضب، تذكّروا ما قلت سابقاً من أني لن أنسى وجهه، ومن الآن فصاعداً فكّروا في ما أقوله لكم، لأني لن أنسى وجوهكم أيضاً. ستدفعون ثمن هذا الاغتصاب غالياً أنت ورفاقك، قالت للمحاسب الأعمى، ومن يُسمّون رجالك. فأنتم لا تعرفوني ولا تعرفون من أين أتيت. أنتِ من الغرفة الأولى من الجناح الآخر، ردَ أحد الرجال الذين ذهبوا لاستدعاء النساء، فأردف المحاسب الأعمى، لا يمكن الخطأ في صوتك، تحتاجين إلى نطق كلمة واحدة بحضوري حتى أرديك ميّتة. لقد قال من سبقك الشيء نفسه وها هو الآن جثة هامدة. غير أني لست أعمى مثله أو مثلك، فعندما عميتم جميعاً، كنت أنا أعرف كل شيء عن هذا العالم. أنت لا تعرف شيئاً عن عماي. أنتِ لست عمياء، ليس بوسعك أن تخدعيني. ربما أكون أكثر عماء من الجميع، غير أني قتلت للتو وسأقتل مرّة أخرى إنْ اضطررت إلى ذلك. سوف تموتين جوعاً قبل ذلك، ومن الآن فصاعداً لن تنالوا طعاماً حتى إن أتيتنَّ جميعاً وقدمتن ثقوبكن الثلاثة على طبق. إن رجلاً من رجالك سيقتل لحظة خروجه من هذا الباب مقابل كل يوم جعنا فيه بسببكم. لن تستطعن فعل ذلك. بلى سنفعله، ومن الآن فصاعداً نحن مَنْ سيستلم الطعام، وبوسعكم جميعاً أن تأكلوا الطعام الذي تخزنوه. عاهرة. العاهرات لسن رجالاً ولا نساء، إنهن عاهرات فحسب، وتعرفون الآن قيمتهن. أطلق المحاسب الأعمى، وقد اغتاظ باتجاه الباب. أزّت الرصاصة مارّة بجوار رؤوس العميان من دون أن تصيب أحدهم واستقرت في جدار الممر. لم تصبني، قالت زوجة الطبيب، وانتبه لأنه إن نفدت ذخيرتك فإن آخرين من بينكم يحبّون أن يصبحوا زعماء.

انطلقت زوجة الطبيب، مشت عدّة خطوات ثابتة، ثم تقدّمت مستندة إلى جدار الممر، خائرة القوى تقريباً، وفجأة تهاوت ساقاها من تحتها فسقطت أيضاً. غامت عيناها، ففكرت لنفسها، إنني عمياء، غير أنها لاحظت أنه لم يحنْ أوانها بعد، وإنما الدموع هي التي غشت بصرها. ذرفت دموعاً كما لم تذرف طوال حياتها. لقد قتلت رجلاً، قالت بصوت منخفض، أردت أن أقتله وقتلته. أدارت وجهها صوب باب الغرفة لترى إن كان الرجال سيخرجون في إثرها الآن، فلن يكون بوسعها الدفاع عن نفسها. كان الممر مقفراً. لقد اختفت النساء، ولا يزال العميان مرعوبين من إطلاق النار ومرعوبين أكثر بسبب جثث رجالهم، فلم يجرؤ أحد على الخروج. استعادت قوتها تدريجياً. واستمرت دموعها في جريان أبطأ وأكثر صفاء، وكأنها واجهت شيئاً لا يمكن شفاؤه. نجحت في الوقوف على قدميها. يداها وثيابها ملطّخة بالدم، وفجأة أنبأها جسدها المنهك أنها كهلت، كهلة وقاتلة، فكرت لنفسها، لكنها أدركت أنها ستقتل ثانية إنْ اضطرت. ومتى يكون القتل ضرورياً، سألت نفسها، وهي تتجه نحو الردهة الرئيسية، وأجابت بنفسها عن السؤال. عندما يكون الحيُّ ميتاً غير ملحود. هزت رأسها وفكرت، ماذا يعني هذا. كلمات، لا شيء سوى كلمات، تابعت السير وحيدة. اقتربت من الباب المفضي إلى الساحة الأمامية، استطاعت أن ترى عبر درابزونات البوابة ظل الجندي الذي يقوم بالحراسة. ما زال هناك في الخارج ناس قادرون على الرؤية. جفلت من صوت وقع أقدام من ورائها. إنهم السفاحون، فكرت لنفسها واستدارت بسرعة والمقص في يدها جاهز. كان زوجها. فعندما عادت نساء الغرفة الثانية كنّ يصرخن بما جرى في الجناح الآخر، أن امرأة طعنت زعيم السفاحين وقتلته، وإنه جرى إطلاق نار. لم يسألهم الطبيب عن هوية المرأة، لا يمكن أن تكون غير زوجته. لقد أخبرت الطفل الأحول أنها ستروي له بقية الحكاية في ما بعد. وماذا حلَّ بها الآن، الأرجح

أنها ماتت أيضاً. أنا هنا، قالت له، وسارت نحوه ثم احتضنته، من دون أن تلاحظ أنها كانت تلطخه بالدم، أو أنها لاحظت ولم تهتم، فحتى الآن كانا قد تشاركا كل شيء. ماذا جرى، سأل الطبيب، قلن إن رجلاً قد قُتل. نعم، أنا قتلته. لماذا؟ كان يجب أن يقتله شخص ما، وليس هناك غيري. والآن. الآن نحن أحرار، وهم يعرفون ماذا ينتظرهم إن حاولوا الإساءة لنا ثانية. يُرجَّح أن تنشب معركة، حربٌ. العميان في حالة حرب دائمة، وطالما كانوا في حالة حرب. هل ستقتلين ثانيةً؟ إن اضطررت إلى ذلك، فلن أتحرر من هذا العمى. وماذا عن الطعام. سوف نخرج لإحضاره بأنفسنا، وأشك في أن يجرؤوا على الخروج إلى هنا، على الأقل، في الأيام القليلة القادمة. سيخافون أنهم قد يواجهون المصير نفسه، أن يقطع المقص حناجرهم. لقد فشلنا في مقاومتهم كما كان يتوجب علينا عندما جاؤوا يفرضون شروطهم علينا. طبعاً كنا خائفين والخوف ليس مستشارًا حكيماً دائماً، دعنا نعود، إذ يجب علينا سدّ باب الغرفة بالأسرّة من أجل أمان أفضل، كما يفعلون هم. فإن اضطر بعضنا إلى النوم على الأرض، وهذا سيئ جداً، لكنه أفضل من الموت جوعاً.

سألوا أنفسهم في الأيام التي تلت، إن كان ذلك هو ما يوشك أن يحدث لهم. لم يفاجأوا في البداية، لأنهم ومنذ حجرهم هنا تعوّدوا على الأمر، فقد كان يتأخر وصول الطعام دائماً، وكان السفاحون محقين عندما قالوا إن الجنود يتأخرون في إحضار الطعام أحياناً، إلا أنهم أفسدوا هذا التبرير، بلهجتهم الساخرة، وأصروا للسبب نفسه على ألاّ خيار أمامهم سوى فرض تحصيص الطعام، وتلك هي الواجبات الثقيلة على أولئك الذين يضطرون أن يحكموا. في اليوم الثالث وحين لم يتبق أيّ كسرة خبز أو قشرة، خرجت زوجة الطبيب مع بعض الرفقة

إلى الساحة الأمامية وسألت، هيه، لماذا هذا التأخير، ماذا حدث لطعامنا، لم نأكل منذ يومين. ظهر لها رقيبٌ جديدٌ، غير سابقه، من فوق الدرابزون ليقول لها إن تلك ليست مسؤولية الجيش، وإن أحداً لا يسرق اللقمة من أفواههم، لأن الشرف العسكري لا يسمح بذلك، وإن لم يستلموا طعاماً فذلك لأنه لا يوجد طعام، وابقوا جميعاً في أماكنكم، وإن تقدّم أحدكم فهو يعرف سلفاً القدر الذي ينتظره، فالأوامر لم تتغيّر. كان التحذير كافياً لجعلهم يعودون إلى الداخل، ويتشاورون في ما بينهم. ماذا نفعل الآن، إن كانوا لن يجلبوا لنا طعاماً. قد يجلبونه غداً، أو بعد غد. أو عندما لا نعود قادرين على الحركة. يجب أن نخرج إلى الخارج. لن نستطيع حتى أن نبلغ البوابة.. لو كنّا مبصرين. لو كنّا مبصرين لما انتهينا إلى هذا الجحيم. إني أتساءل كيف هو شكل الحياة هناك في الخارج. ربما يعطينا هؤلاء الوحوش شيئاً ما نأكله إن ذهبنا وطلبنا منهم. إن كنّا نعاني من غياب الطعام، فإن طعامهم، في النهاية، يتناقص أيضاً. لذلك فمن غير المحتمل أن يعطونا شيئاً. وقبل أن ينفد طعامهم سنكون قد متنا من الجوع. ماذا سنفعل إذاً. كانوا جالسين على الأرض، تحت ضوء الردهة الأصفر الشاحب الوحيد، في شبه حلقة، الطبيب وزوجته، الكهل ذو العين المعصوبة، وسط رجال ونساء آخرين، واحد أو اثنان من كل غرفة في كلا الجناحين الأيمن والأيسر. ثم حدث، في عالم بحالته هذه، ما يحدث عادة، إذ قال أحد الرجال، كل ما أعرفه أننا ما كنا لنجد أنفسنا في هذه الحالة لو لم يُقتل زعيمهم، ماذا يهم لو أن النساء اضطررن إلى الذهاب إلى هناك مرتين في الشهر كي يمنحن هؤلاء الرجال ما وهبتهن الطبيعة إياه كي يمنحنه، هذا ما أسأله لنفسي الآن، وجد البعض هذا التساؤل مسلياً، كبح بعضهم الآخر ابتسامته، وأولئك الميّالون إلى الاحتجاج أجبرتهم معداتهم الفارغة على الصمت. وأصرَّ الرجل نفسه، ما أودّ معرفته هو

مَنْ الذي طعنه. أقسمت النساء اللاتي كنَّ هناك أن ولا واحدة منهن فعلتها. ما ينبغي علينا فعله هو إحقاق الحق بأيدينا، ونقدّم المجرم إلى العدالة. لو عرفنا الفاعل، فسوف نقول لهم هذا هو الذي تبحثون عنه، أعطونا الآن طعاماً. فقط لو نعرف الفاعل. أخفضت زوجة الطبيب رأسها وفكّرت، إنه على حق، إن كان هنا مَنْ سيموت جوعاً، فسيكون بسبب غلطتي، لكنها بعدئذٍ سمحت لصوت الغضب داخلها أن يكبر، أن يعلو ليواجه قبولها بالمسؤولية. لكن ليمتْ هؤلاء الرجال أولاً بحيث يدفع إثمي ثمن إثمهم. بعدئذٍ رفعت بصرها وفكرت، إن أخبرتهم الآن إنني أنا القاتلة، فسوف يسلمونني، وهم واثقون أنهم يسلمونني إلى موت محتم. وسواء بسبب الجوع أو الفكرة المفاجئة التي أغوتها كلّجة ما، شعرت برأسها يدوِّم في ما يشبه حالة إغماء. تحرك جسدها، رغماً عنها، انفتح فمها لينطق بشيء ما، بيد أنه في اللحظة نفسها قبض شخص ما على ذراعها بقوّة. كان ذلك الكهل ذا العين المعصوبة الذي قال، إن أي شخص يستسلم سأقتله بيدي هاتين. لماذا، سأله الآخرون. لأنه إن يكون هناك معنى للحياء في هذا الجحيم المتوقّع منّا العيش فيه والذي حوّلناه إلى سقر الأسقار، فالشكر لذلك الشخص الذي امتلك الشجاعة الكافية ليقتل ذلك الضبع في وكره. أوافقك الرأي، غير أن الحياء لن يملأ بطوننا. أيّاً تكن، فإن كلامك صحيح، فهناك دائماً من يملؤون بطونهم لأنهم فقدوا الشعور بالحياء، لكن، دعونا، نحن العُزَّل من كل شيء آخر عدا هذه البقية الباقية من الحياء المتواضع، نُظهر على الأقل أننا بدأنا بإرسال النساء وبدأنا نأكل على بطونهن مثل قوادين وضيعين، فقد أزف الآن أوان إرسال الرجال، هذا إن تبقّى رجال. أُفْصِحْ أكثر، لكن في البدء قل لنا من أي غرفة أنت. أنا من الغرفة الأولى على اليمين. جيّد، تابع. الأمر بسيط جداً لنذهب ونحضر طعامنا بأيدينا. لكن هؤلاء الرجال مسلحون. على حد علمنا إنهم يمتلكون

مسدساً واحداً، وسوف تنفد ذخيرتهم عاجلاً أم آجلاً. إنهم يمتلكون ذخيرة تكفي لقتل بعضنا. لقد مات آخرون من أجل شيء أقل. لست مستعداً لإزهاق روحي من أجل أن يشبع آخرون. لكنك مستعد أيضاً للتضوّر جوعاً. بانتظار أن يزهق شخص ما روحه كي تحصل أنت على طعام، سأل الكهل ذو العين المعصوبة ساخراً، وصمت الجميع عن الرد.

خرجت من الباب المفضي إلى الجناح الأيمن امرأة كانت تستمع إلى حديثهم وهي متوارية عن الأنظار. إنها المرأة التي طشّ دمّ الضبع على وجهها، وقذف نطافه في فمها، المرأة التي همست زوجة الطبيب في أذنها، إهدئي. فكرت زوجة الطبيب لنفسها، لا أستطيع الآن، من مكاني، من وسط هؤلاء الناس أن أقول لكِ اهدئي، لا تضيّعيني، لكن لا شك في أنك تعرفين صوتي، فمن المحال أن تكوني قد نسيتهِ، لقد أغلقتُ فمكِ بيدي، وجسدي ملتصق بجسدك وهمست في أذنكِ، اهدئي، وقد آن الأوان لأعرفَ معدن المرأة التي أنقذتها، لأعرف مَنْ أنتِ، ولهذا السبب سأتكلم الآن وبصوت عالٍ وواضح بحيث تستطيعين إفشاء سرّي، إنْ كان هذا هو قدري وقدركِ. قالت زوجة الطبيب ذلك في سرّها ثم نطقت بصوت واضح، لن يذهب الرجال وحدهم، إنما ستذهب النساء أيضاً، سوف نعود إلى ذلك المكان الذي امتهنونا فيه بحيث لا تتبقى واحدة من تلك المهانات، قد نستطيع التخلّص منها ببصقها كما كنّا نفعل بنطافهم التي كانوا يقذفونها في أفواهنا. نطقت هذه الكلمات وانتظرت رد تلك المرأة التي قالت، سأذهب حيثما تذهبين. ابتسم الكهل ذو العين المعصوبة، بدت ابتسامة سعيدة، ربما كانت سعيدة، فليس هذا وقت التأكد من ذلك، فالأكثر أهمية هو مراقبة ذلك التعبير الذي ارتسم على وجوه العميان، وكأن شيئاً ما قد خطر في ذهنهم، عصفور، غيمة، أوّل ومضة ضوء متردّدة. أمسك الطبيب بيد زوجته، ثم سأل، هل لا يزال

هنا ناس راغبون في معرفة من قتل ذلك الشخص، أم أننا متفقون أن اليد التي قتلته كانت يدنا جميعاً، أو لأكن أكثر دقّة، هي يد كلّ واحد منّا. لم يردّ عليه أحد. قالت زوجة الطبيب، لنعطهم فرصة أخرى، فإن لم يحضر لنا الجنود طعاماً، بحلول الغد، نُقدم عندئذٍ على ما عزمنا عليه. نهضوا وتفرّقوا كلٌّ في سبيله، بعضهم إلى الجناح الأيسر، وبعضهم إلى الجناح الأيمن، لم يفكروا بسبب حماقتهم أنه ربما كان هناك شخص ما من غرفة السفاحين يسترق السمع إليهم، لحسن الحظ فإن الشيطان لا يتلطّى خلف الأبواب دائماً. لا يوجد أنسب من هذا القول لوصف الحالة. الشيء الأقل ملاءمة كان الصوت الذي صدح به مكبّر الصوت. فقد كان في ما مضى لا ينطق إلا في أيام محددة وبصمت في ما عداها. لكن دائماً في التوقيت نفسه، كما أُعلِموا منذ البدء. من الواضح أن هناك موقّتاً للتشغيل، يشغّل آلة التسجيل في الوقت المناسب، ولا نعرف سبب تعطّله من حين لآخر، فهذه من شؤون العالم الخارجي، لكنه بأيّ حال أمر خطير ما دام يشوّش الروزنامة، ما يسمى عَدُّ الأيام، الذي حاول بعض العميان، المهووسين طبيعياً، أو بتعبير مخفف، العاشقين للنظام، المواظبة عليه بكثير من التشكيك، بربط عقدٍ صغيرة في خيط صغير، وهذا ما قام به أولئك الذين لا يثقون بذاكرتهم، وكأنهم يكتبون مذكراتهم. والآن خرج ذلك النظام عن طوره، لا بدّ أن آليته قد انهارت، انحرف الفاصل الواصل الآلي، انصهر اللحام. لنأمل أن آلة التسجيل لن تبقى تكرّر الشريط من البداية حتى النهاية، فذلك ما ينقصنا فوق عمانا وجنوننا. صدح صوت آمر، في ممرات الغرف جميعاً، كتحذير نهائي وقاتل، تبدي الحكومة أسفها لاضطرارها إلى القيام بالسرعة القصوى بما تعدّه واجبها الحق، لحماية السكان بكل الوسائل الممكنة في هذه الأزمة الحالية التي تبيّن لها أنها تحمل مظاهر تفشّي وباء عمى أبيض، المعروف مؤقتا بالمرض الأبيض، هذا وإننا نعوِّل على

الروح الشعبية وتعاون كل المواطنين لاستئصال أيّ عدوى أخرى، مفترضين أننا في مواجهة مرض معدٍ لا مجرّد سلسلة مصادفات عصية على الفهم. لذلك، فإن قرار تجميع من أصيبوا بالمرض في أماكن متجاورة لكنها منفصلة عن أولئك الذين كانوا على احتكاك معهم، لم يكن ارتجالياً. فالحكومة تعي جيداً مسؤوليتها وتأمل من أولئك الذي تخاطبهم الآن، كمواطنين لا شك في سلامة مواطنيّتهم، وحس المسؤولية لديهم أن يتذكروا أن هذه العزلة التي وُضعوا فيها تمثّل، وفوق كل اعتبارات شخصية، تعاضداً مع باقي مجتمع الأمة. لذلك نطلب من الجميع الإصغاء بانتباه إلى التعليمات التالية. أولاً، لن تطفأ المصابيح ليل نهار ولا فائدة من محاولة إطفائها لأن مفاتيح الكهرباء في كل المبنى معطلة. ثانياً، إن مغادرة المبنى من دون إذنٍ يعني الموت الفوري. ثالثاً، يوجد تلفون في كل جناح يستخدم فقط لطلب الحاجات الجديدة الضروريّة للصحة والنظافة. رابعاً، إن المحتجزين مسؤولون عن غسيل ثيابهم بأنفسهم، خامساً، نقترح انتخاب ممثلين عن كل جناح، وهذا مجرّد اقتراح لا أمر، فيجب أن ينظم المحتجزون أنفسهم بالشكل الذي يناسبهم، شريطة أن يذعنوا للتعليمات السابقة واللاحقة. سادساً، ستوضع صناديق الطعام ثلاث مرات يومياً أمام الباب الرئيسي، على اليمين وعلى اليسار، مقسّمة بالتساوي للمرضى ولأولئك المشتبه بحملهم العدوى. سابعاً، يجب إحراق كل المخلّفات، هذا لا يشمل الطعام فقط بل الصناديق، الأطباق والسكاكين المصنوعة من مواد قابلة للاحتراق. ثامناً، يجب أن تجري عملية الحرق في فناء المبنى أو في ساحة الرياضة. تاسعاً، إن المحتجزين مسؤولون عن أي ضرر ينتج عن عمليات الإحراق هذه. عاشراً، سواء فقدوا السيطرة على الحرائق، عمداً أو عن غير عمد، فلن يتدخل رجال الإطفاء. الحادي عشر، بالمثل، لا يفكرن المحتجزون بالاعتماد على أي تدخل خارجي في

حال تفشي أي مرض، ولا في حال حدوث فوضى أو اعتداءات. الثاني عشر، في حالات الوفاة، مهما كان السبب، على المرضى دفن الجثث في الفناء من دون أيّ مساعدة خارجية. الثالث عشر، يجب أن يتم التواصل بين نزلاء جناح المرضى ونزلاء جناح المشتبه بحملهم العدوى، في ردهة البناء المركزية الفاصلة بين الجناحين. الرابع عشر، إذا ما عمي أحد أولئك المشتبه بحملهم العدوى فسوف يُنقل مباشرة إلى الجناح الآخر. الخامس عشر، ستُعاد هذه التعليمات يومياً في التوقيت نفسه من أجل القادمين الجدد. إن الحكومة، لكن في الوقت نفسه انقطع التيار الكهربائي وصمت مكبر الصوت. ربط رجل أعمى، دونما اكتراث لما حدث، عقدة في خيط بين يديه، ثم حاول عدَّ العقد، الأيام، غير أنه تخلّى عن الأمر، فقد كانت هناك عقد مربوطة بعضها فوق بعض. بوسعنا تسميتها عِقداً عمياء. أخبرت زوجة الطبيب زوجها، لقد انقطع التيار الكهربائي، لقد انصهر لحام بعض المصابيح، ولا غرابة في ذلك إذا ما أخذنا في الحسبان طول فترة إشعالها. لقد انطفأت كلها. لا بُدَّ أن المشكلة هي في الخارج، أنت الآن عمياء مثلنا جميعاً. سأنتظر شروق الشمس. خرجت من الغرفة، عبرت الردهة ونظرت إلى الخارج. كان هذا الجزء من المدينة غارقاً في الظلام، ولم تكن بطارية الجندي الحارس مضاءة، لا بد أنها مربوطة إلى شبكة التغذية العامة، والآن، كل المظاهر تقول، إن الطاقة الكهربائية قد انقطعت.

في اليوم التالي بدأ النساء والرجال من مختلف الغرف بعضهم أبكر من بعض، ذلك لأن الشمس لا تشرق في الوقت نفسه بالنسبة إلى الجميع، فالأمر يتوقف غالباً على رهافة سمع كلٍّ منهم، يتجمعون على المصطبة أمام الباب الرئيسي للمبنى، باستثناء السفاحين الذين لا بدّ أنهم يتناولون فطورهم في هذا الوقت. كانوا ينتظرون سماع صوت

البوابة وهي تُفتح، ثم صوت الرقيب المناوب يأمرهم، لا تتحركوا من مكانكم، لا يقتربن أحد منكم، بعدئذٍ وقع أقدام الجنود، وصوت ارتطام صناديق الطعام بالأرض، وعودتهم السريعة، صوت البوابة مرة أخرى، وأخيراً الصوت الآمر، بوسعكم التقدم الآن. انتظروا حتى انتصف النهار تقريباً وأصبح منتصف بعد الظهر. لم يرغب أحدهم ولا حتى زوجة الطبيب في السؤال عن الطعام. لأنهم لن يسمعوا تلك الـ(كلا) المخيفة ما داموا لم يسألوا، وبما أن تلك الـ(كلا) لم تلفظ فسوف يستمرون يأملون في أن يسمعوا كلمات مثل، إنه آتٍ، إنه آتٍ، اصبروا، تحاملوا على جوعكم بعض الوقت. غير أن بعضهم، مهما يكن مقدار رغبتهم تلك، لم يستطع الاحتمال أكثر، لأنهم داخوا في أماكنهم وكأنهم قد غطوا في النوم، لكن لحسن الحظ أن زوجة الطبيب موجودة هناك لتنقذهم. إن قدرة تلك المرأة على ملاحظة كل ما يجري أمرٌ لا يصدق، لا بدّ أنها موهوبة بحاسة سادسة، نوعٍ من رؤية لا تحتاج إلى عينين. فالفضل لها في أن أولئك المساكين البائسين لم تشوِهم حرارة الشمس حيث سقطوا، فقد حُملوا إلى الداخل، ومع مرور الوقت، ورشّهم بالماء، وبصفعهم على وجوههم استعادوا وعيهم أخيراً. لكن لا فائدة من التعويل عليهم في الحرب، إذ لن يكون بمقدورهم إمساك قطة من ذيلها، وهذا مثل قديم لا يقدم تفسيراً البتة للسبب غير العادي في استسهال الإمساك بذيل القطة وليس بذيل القط. قال الكهل ذو العين المعصوبة أخيراً، لم يأتِ الطعام، ولن يأتي، دعونا ننطلق ونأخذ طعامنا بأيدينا. نهضوا، والله وحده يعلم كيف نهضوا، وانطلقوا للاجتماع في الغرفة الأبعد عن غرفة السفاحين، كي لا يكرروا حماقة الأمس. ومن هناك أرسلوا جواسيس إلى الجناح الآخر، نزلاء عمياناً من الجناح نفسه، ويألفونه جيداً. لدى ملاحظتكم أدنى تحرك مريب عودوا وأخبرونا في الحال. رافقتهم زوجة الطبيب وعادت بأنباء محبطة. لقد سدّوا باب الغرفة بأربعة أسرّة،

وضعت بعضها فوق بعض. كيف عرفتِ أنها أربعة، سألها أحدهم. لم يكن الأمر صعباً، فقد تلمستها بيدي. ألم يلاحظك أحدهم. لا أعتقد ذلك. ماذا سنفعل. دعونا ننطلق، اقترح الكهل ذو العين المعصوبة. دعونا ننفذ ما قررناه، فإما هذا وإما أن نموت موتاً بطيئاً. سيموت بعضنا بسرعة إذا ما ذهبنا إلى هناك، قال الأعمى الأول. إن مَنْ سيموت هو ميّت سلفاً وإن لم يشعر بذلك. حقيقة أننا سنموت هي شيء نعرفه منذ لحظة ولادتنا. لذلك السبب، بطريقة أو بأخرى، يبدو الأمر وكأننا نولد أمواتاً. كفاك هذراً، قالت الفتاة ذات النظارة السوداء. ليس بوسعي الذهاب إلى هناك بمفردي، لكن إن كنا سنتراجع عما اتفقنا عليه، فسأذهب إذاً وبكل بساطة لأتمدّد على سريري لأموت. لن يموت إلا من كتب عليهم الموت، قال الطبيب، وأردف بصوت أعلى، ليرفع المصممون على الذهاب، أيديهم. هذا ما يحدث لأولئك الذين لا يفكرون مرتين قبل أن يتكلموا، فما الفائدة من الطلب إليهم أن يرفعوا أيديهم إن لم يكن هناك من يستطيع عدّهم، أو هكذا يُعتقد عموماً، ثم يقول، ثلاثة عشر. ففي تلك الحالة سينشب نقاش جديد بالتأكيد، في ضوء المنطق، في ما هو الأصح، أن يطالبوا بمتطوع آخر لتجنب ذلك الرقم المشؤوم أو أن يتجنبوه بإنقاص واحد، الأمر الذي يتطلب نقاشات أكثر لتقرير من هو الذي سيُعفى من الحرب. رفع البعض أيديهم بقليل من الاقتناع. بإيماءة تخاتل التردّد والشك، سواء بسبب إدراكهم لخطورة الحالة التي سيعرضّون أنفسهم إليها، أو لأنهم لاحظوا عبثية ذلك الأمر. ضحك الطبيب، كم هو سخيف أن أطلب منكم رفع أيديكم. دعونا نعالج الأمر بطريقة أخرى. لينسحب من لا يستطيع أو لا يريد المشاركة، وليبقى الآخرون للاتفاق على ما سنفعله. حدثت جلبة، وقع أقدام، دمدمات، تنهدات، ورويداً رويداً انسحب الضعفاء والعصبيون. كانت فكرة الطبيب ممتازة وشهمة، إذ إنه بتلك الطريقة لن يكون سهلاً أن تعرف

من بقي ومن انسحب عدّت زوجة الطبيب الموجودين. إنهم سبعة عشر بمن فيهم هي وزوجها. ومن الغرفة الأولى كان موجوداً الكهل ذو العين المعصوبة، مساعد الصيدلي، الفتاة ذات النظارة السوداء، أما باقي المتطوعين فكانوا من الغرف الأخرى وجميعهم رجال باستثناء المرأة التي قالت لزوجة الطبيب، سأذهب حيثما تذهبين. اصطفوا على طول الحائط، وعدَّتهم زوجة الطبيب، سبعة عشر، إننا سبعة عشر. عدد قليل، علّق مساعد الصيدلي، لن ننجح البتة. إن طليعة المهاجمين، إن جاز لي استعمال مفردات عسكرية، ستكون قلّة، قال الكهل. يجب أن نكون قادرين على الدخول عبر الباب، لأني مقتنع أن كثرتنا ستعرقل الأمر. سوف يصيبون أغلبنا برصاصهم، علّق آخر لتدعيم رأي الكهل، وبدا أن الجميع قد سُرّوا أخيراً من قلّة عددهم. إننا نعرف أنّ سلاحهم، قضبان انتزعت من الأسرّة، يمكن أن تستخدم أيضاً كعتلات أو رماح، وهذا يتوقف على إذا ما كان اللغّامون أو القوات الغازية هم الذاهبون إلى الحرب. اقترح الكهل ذو العين المعصوبة الذي كان قد خَبِرَ في شبابه بعض إساليب التكتيك، أن يقاتلوا في اتجاه واحد، فهذه هي الطريقة الوحيدة لتجنب أن يهاجم بعضهم بعضاً، وأنهم يجب أن يتقدموا في صمت مطبق، بحيث يحقق الهجوم عنصر المفاجأة. واقترح أيضاً أن يخلعوا أحذيتهم. سنواجه صعوبة عندئذٍ في أن يجد كلٌّ منا حذاءه. علّق آخر، إن أيّ حذاءٍ يزيد عنّا يكون صاحبه قد قُتِلَ حتماً، والفارق، في هذه الحالة، أنه لا بدّ أن يوجد مَنْ يلبس هذا الحذاء. ما هذا اللغو حول أحذية الأموات، فالمثل يقول، أن تنتظر أحذية الأموات فأنت تنتظر اللاشيء قطعاً. لماذا. لأن الأحذية التي تدفن مع الأموات مصنوعة من الكرتون، فهي قد أدت وظيفتها، وكما نعرف جميعاً، فليس للأرواح أقدام. وهناك نقطة أخرى، أضاف الكهل ذو العين المعصوبة، عندما نصل إلى هناك سيعمل ستة منّا، الستة الذين يشعرون بشجاعة كافية،

على إزاحة الأسرّة من الطريق، إلى الداخل، بكل ما أوتوا من عزم، بحيث نستطيع أن ندخل جميعاً. لن نستطيع فعل ذلك والأسلحة في أيدينا. لا أعتقد ذلك، بل ربما ساعدتكم قليلاً إذا ما استخدمت وهي عمودية في أيديكم. توقف قليلاً، ثم أضاف وفي صوته رنّة كآبة، في نهاية المطاف، يجب ألا نتفرّق، لأنه سيكون موتنا محتّماً عندئذ. وماذا عن النساء، قالت الفتاة ذات النظارة السوداء. هل أنتن ذاهبات أيضاً، سأل الكهل، أفضّل ألا تذهبن. ولمَ لا، أود أن أعرف. أنتِ شابة فتيّة. لا مكان للعمر في هذا المكان، ولا للجنس، لذلك لا تنسوا النساء. كلا. لن أنسى أبداً صوت الكهل عندما نطق تلك الكلمات. بدا أنه صوت صادر عن حوار آخر، فالكلمات الأخيرة كانت عميقة التعبير. على العكس، فإن كانت إحداكن قادرة على أن ترى ما لا نراه نحن، فلتسر بنا مباشرة في الطريق الصحيح، ولتوجّه رؤوس رماحنا إلى حناجر أولئك الوحوش، كما فعلت تلك المرأة. إنك تطلب الكثير، إذ لا يمكننا تكرار ما فعلناه سابقاً، ثم من يستطيع أن يؤكّد أنها لم تمت هناك، كما أنه لم يُسمع عنها شيء بعدئذٍ، ذكّرته زوجة الطبيب. إن النساء يولدن ثانية إحداهن في الأخرى، فالشريفات يُبعثن كعاهرات، والعاهرات يُبعثن كشريفات، قالت الفتاة ذات النظارة السوداء. تبع كلام الفتاة صمت طويل، فبالنسبة إلى النساء لقد قيل كل شيء، وعلى الرجال أن يجدوا الكلمات المناسبة، وقد عرفوا مسبقاً أنهم لن يستطيعوا ذلك.

انطلقوا يتقدّمهم الستة الأشجع، كما تم الاتفاق، وكان بينهم الطبيب ومساعد الصيدلي، ومن وراءهم الآخرون، جميعهم مسلحون بقضبان معدنية انتزعوها من أسرّتهم، فرقة وضيعة، رمّاحون بأسمال بالية. أوقع أحدهم سلاحه وهم يعبرون الردهة، فأحدث ضجّة مدوّية فوق البلاط، أشبه بانفجار. لو سمع السفاحون الصوت وكانوا على دراية

بما نحن عازمون عليه، فقد انتهينا جميعاً. من دون أن تخبر أحداً، ولا حتى زوجها، ركضت زوجة الطبيب، نظرت عبر الممر، ثم ببطء شديد تسحّبت وهي ملتصقة بالجدار، واقتربت تدريجياً من مدخل الغرفة، وأصغت بانتباه، ولم تشِ أصواتهم بأي استنفار. عادت بهذا النبأ، دونما إبطاء، واستؤنف الزحف. بمعزل عن بطء وصمت زحف الجيش، فقد تجمع النزلاء على بابي الغرفتين الأولى والثانية في جناح السفاحين، لا سيما أنهم يعرفون ماذا سيحدث، كي لا يفوتهم اندلاع صخب المعركة، وقرر بعضهم، متحفزةً أعصابُهم، وقد استحثتهم رائحة البارود الذي يوشك أن ينفجر، في اللحظة الأخيرة أن يرافقوا المجموعة، عاد بعضهم وتسلّح. لم يعد المهاجمون سبعة عشر فقط، فعلى الأقل تضاعف عددهم. لا بدّ أن هذه التعزيزات الإضافية لن تسرّ الكهل ذي العين المعصوبة. لكنه لن يعرف أبداً أنه كان يقود فوجين لا واحداً. عبر النوافذ المطلّة على الساحة الداخلية أطل ضوء النهار، رمادياً شاحباً، وهو يخفت بسرعة، لقد غاص كلياً في لجّة الليل العميقة. بمعزل عن الحزن الذي لا عزاء له الناجم عن العمى ومعاناتهم اللازبة والمستمرة، فإن الأعمال اليائسة الكثيرة في ماضيهم البعيد عندما كانوا مبصرين، وهذه على الأقل في صالحهم، قد حصّنتهم ضد أي هجمات إحباط ناتجة عن هذه التعزيزات المناخية أو تغييرات أخرى مشابهة. كانت العتمة تلف المكان كله عندما وصلوا ذلك الباب الملعون، الأمر الذي لم يساعد زوجة الطبيب على أن ترى أنهم قد سدّوا الباب بثمانية أسرّة لا أربعة فقط، فقد تضاعف عددها مع تضاعف عدد المهاجمين، وفي استجابة أكثر جديّة من ناحية ثانية، وكنتيجة فورية لتضاعف عددهم كما سيُعرف سريعاً، أطلق الكهل ذو العين المعصوبة صرخة، آمراً بالهجوم، لم يتذكر التعبير المعتاد، هجوم، أو ربما تذكره، إلا أنه رأى من السخافة استخدام كلمات عسكرية كهذه بمواجهة

حاجز الأسرّة القذرة، المليئة بالقمل والفسفس، الفرش المتعفنة من العرق والبول، البطانيات الرثة التي لم تعد رمادية، بل تلوّنت بكل الألوان التي قد يتخذها القَرَف، وهذا ما تعرفه زوجة الطبيب جيّداً، ليس من مجرّد رؤيتها الآن، بما أنها لم تستطع أن تلاحظ أن الحاجز قد عُزِّز. تقدّم النزلاء العميان كملائكة رئيسين محوطين بروعتهم، اصطدموا بالحاجز بأسلحتهم التي حملوها عمودية كما أوصوا، لكن الأسرّة لم تتحرك. لا شك أن قوة هذه الطليعة الشجاعة لم تكن أكثر من قوة أولئك الضعاف الذين ساندوهم من الخلف، وهم الآن، ما كادوا يقدرون على حمل رماحهم، كمن حمل صليباً على ظهره وينتظر الآن أن يُصلب عليه. تمزّق الصمت، بدأ مَنْ في الخارج يصرخون، وكذلك من في الداخل، الأرجح أن أحداً لم ينتبه حتى هذا اليوم كم هو مرعب جداً صراخ العميان. يبدون يصرخون من غير سبب. نريد أن نطلب منهم أن يهدأوا ثم نبدأ نحن بالصراخ، فكل ما ينقصنا نحن هو أن نعمى أيضاً، إلا أن ذلك اليوم آتٍ. تلك كانت الحالة إذاً، البعض يصرخ وهو يهاجم، والآخرون يصرخون وهم يدافعون عن أنفسهم، بينما كان أولئك المهاجمون من الخارج يائسين لعدم تمكّنهم من زحزحة الأسرّة، ألقوا بأسلحتهم مكرهين، وشرعوا جميعاً يدفعون الأسرة، على الأقل أولئك الذين استطاعوا أن ينحشروا داخل الباب، ومن لم يستطع منهم كان يدفع الآخرين إلى الأمام وعندما بدا أنهم قد ينجحون، لأن الأسرّة تزحزحت قليلاً، دوّت ثلاث طلقات من دون أي تحذير أو تهديد مسبق، فقد كان المحاسب الأعمى يسدد مسدسه على ارتفاع منخفض. سقط إثنان من المهاجمين، جرحى، وتراجع الآخرون متفرقين بسرعة فتعثروا بالقضبان المعدنية الملقاة أرضاً وسقطوا، ضاعفت جدران الممر، وكأنها جُنّت، صراخهم، وكان الصراخ ينبعث أيضاً من الغرف الأخرى. كان الظلام الآن دامساً تقريباً، ومن المستحيل معرفة من

أُصيب بالرصاص. من الواضح أن بوسع المرء أن يسأل عن مبعدة، من أنت، لكن ذلك لم يبدُ ملائماً، إذ يجب معاملة الجرحى باحترام ومراعاة. يجب أن تتقدم منهم بلطف، تلمس جباههم، إن لم تكن الرصاصة لسوء الحظ قد اخترقتها، ثم تسألهم بصوت خفيض بماذا يشعرون، تؤكد لهم أن الإصابة ليست خطيرة، وأن المسعفين قادمون حالاً، وأخيراً تقدّم لهم جرعة ماء صغيرة، هذا إن لم يكونوا أُصيبوا في معِدهم، هذا وفقاً لتعليمات دليل الإسعافات الأولية. ماذا سنفعل الآن، سألت زوجة الطبيب، هناك مصابان ملقيان على الأرض. لم يسألها أحد كيف عرفت أنهما إثنان فقط، لأنه جرى إطلاق ثلاث رصاصات، من دون حساب ارتداد أيٍّ منها، إن كان قد حدث ارتداد. يجب أن نذهب للبحث عنهما، أجاب الطبيب. إنها مخاطرة كبيرة، علّق الكهل ذو العين المعصوبة قانطاً، بعد أن رأى النتيجة الكارثية لتكتيكه الهجومي، فإن اشتبهوا بوجود ناس، سيبدأون إطلاق النار من جديد، صمت قليلاً ثم أردف، لكن ينبغي أن نذهب، وأنا، عن نفسي، مستعد للذهاب. أنا سأذهب أيضاً، قالت زوجة الطبيب، وسيكون الخطر أقل إذا زحفنا زحفاً، المهم أن نجدهما بسرعة، قبل أن يتاح الوقت لمن في الداخل للقيام بهجوم مضاد. أنا ذاهبة أيضاً، قالت المرأة التي أعلنت من قبل لزوجة الطبيب، سأذهب حيثما تذهبين. لم يفكر أي من الموجودين أنه من السهل معرفة الجرحى، بالتصحيح، جرحى أو موتى، فلا أحد حتى هذه اللحظة يعرف أيهما، فيكفي أن يبدأ الجميع بالدور يقولون، سأذهب، لن أذهب، ومَنْ لا يُسمع له صوت يكون هو المصاب أو الميت.

هكذا انطلق أربعة متطوعين بالزحف، امرأتان في الوسط ورجل من كل جانب، لم يفعلا ذلك بدافع غريزة اللباقة الذكورية أو الجنتلمانية بحيث يحميان المرأتين، فحقيقة الأمر هي أن كل شيء متوقف على

زاوية إطلاق النار، إن كان المحاسب الأعمى سيطلق ثانية. ففي النهاية، ربما لن يحدث شيء، اقترح الكهل ذو العين المعصوبة قبل أن ينطلقوا، ربما هذا أفضل من اقتراحاته السابقة، أنه يجب على الباقين هنا أن يتكلموا بصوت عالٍ، حتى أن يصرخوا، فإضافة إلى كل مسوّغات هذا الصراخ، قد يستطيعون احتواء الجلبة الناجمة عن تقدّم وتراجع المنقذين، أو أي شيء يمكن أن يحدث أيضاً، وهذا لا يعرفه إلا الله وحده. وصل المنقذون إلى غايتهم، خلال دقائق معدودة، عرفوا ما ينتظرهم قبل أن يلمسوا الجسدين، فقد كان الدم الذي زحفوا وسطه هو المرسال الذي جاء يقول لهم، لقد كنت حيّاً، ولا شيء ورائي. يا إلهي، كل هذا الدم، فكرت زوجة الطبيب لنفسها. وكان دماً حقيقياً، بركة دم كثيف، التصقت أيديهم وثيابهم بالأرض وكأن الأرضية وبلاطها قد غُطِّيت بمادة لاصقة. رفعت زوجة الطبيب جسدها على مرفقيها وتابعت تقدّمها، حذا الآخرون حذوها. مدوا أذرعهم إلى الأمام، لقد وصلوا إلى الجثتين أخيراً. كان رفاقهم في المؤخرة مستمرين في إصدار مزيد من الصخب وبدوا الآن أشبه بنوّاحين محترفين في حالة غشيان. أمسكت يدا زوجة الطبيب والكهل ذي العين المعصوبة بكاحلي إحدى الجثتين، وبدورهما أمسك الطبيب والمرأة الأخرى بذراع وساق الجثة الأخرى. إنهم يحاولون الآن سحبهما خارج مرمى النار. لم يكن الأمر سهلاً، فكي ينجزوا هذه المهمة عليهم أن يرفعوا أنفسهم قليلاً، أن يتحركوا على أربع فتلك هي الطريقة الأفضل للاستفادة من القوّة الباقية لديهم. دوّى إطلاق النار، لكن لم تكن هناك إصابات هذه المرّة. لم يدفعهم الرعب الساحق إلى الهرب، على العكس، فقد دفعهم إلى استجماع آخر دفعة قوة كانوا بحاجة إليها. في اللحظة التالية كانوا خارج مرمى الخطر، والتصقوا إلى أقصى ما يمكنهم بالجدار الذي يشكّل امتداداً لجدار باب غرفة السفاحين، بحيث لا يمكن أن تصيبهم إلا رصاصة

طائشة. ومن المشكوك فيه أن المحاسب الأعمى ماهر في إطلاق النار، حتى في رمي عشوائي كهذا. حاولوا رفع الجسدين، لكنهم أقلعوا عن ذلك، بسبب ثقلهما واكتفوا بجرهما، ومعهما الدم نصف المتجمّد الذي فُصِلَ من الوسط وكأنه قد حُدِل بمحدلة، وبقي الدم الطري الذي لا يزال ينزف من الجرحين. مَنْ هما سأل من كانوا ينتظرون. كيف لنا أن نعرف إنْ كنا لا نرى، أجاب الكهل ذو العين المعصوبة. لا يسعنا البقاء هنا، قال أحدهم. إن قرروا شنَّ هجوم مضاد فسوف يكون هناك المزيد من المصابين. علّق واحد آخر. أو جثث، أضاف الطبيب، فعلى الأقل لا أشعر بنبض هذين. كأي جيش منسحب حملوا الجثتين على طول الممر، توقفوا عندما وصلوا الردهة. وكان أي امرئ سيقول إنهم قرروا أن يعسكروا هناك، بيد أن الحقيقة غير ذلك، فما جرى أن قواهم قد استُنفِدَتْ كلية. سأبقى هنا، لا أقوى على خطوة أخرى. حان وقت الاعتراف أنه لا بدّ أن يبدو مدهشاً حال السفاحين العميان، الذين كانوا سابقاً مستبدّين وعدوانيين، يتمتعون بقسوتهم السهلة، وقد اكتفوا الآن بالدفاع عن أنفسهم، يسدّون الباب، ويطلقون النار من الداخل ساعة يشاؤون، وكأنهم خائفون من الخروج إلى القتال في منطقة مفتوحة، وجهاً لوجه، عيناً لعين. وهذه أيضاً، مثل كل شيء في هذه الحياة، لها تفسيرها، وهي أنه بعد ذلك الموت التراجيدي لزعيمهم الأوّل، تلاشت روح الانضباط والطاعة من الغرفة، وكان الخطأ القاتل للمحاسب الأعمى في اعتقاده أن حيازته المسدسَ تكفي لاغتصاب السلطة، لكن النتيجة جاءت معاكسة تماماً. ففي كل مرّة يطلق فيها النار، ترتد النار عليه، أي، مع كل طلقة يطلقها كان يفقد بعضاً من سلطته، لذلك دعونا نرى ماذا يحدث عندما تنفد ذخيرته. وكما أن العادة لا تصنع كاهناً، فإن الصولجان لا يصنع الملك، وهذه حقيقة يجب ألا ننساها أبداً. وإن يكن صحيحاً الآن أن الصولجان في يد المحاسب الأعمى، فإن المرء لا

يستطيع إلا أن يقول إن الملك رغم موته، ورغم أنه مدفون في غرفته، كيفما اتفق، وفقط على عمق ثلاثة أقدام تحت التراب، فإن ذكراه ما زالت مستمرة، على الأقل بقوّة حضور رائحة نتنة. أثناء ذلك، ظهر القمر عبر باب الردهة المفضي إلى الساحة الأمامية، دخل ضوؤه وانتشر وسطع أكثر فأكثر، وببطء استعادت الجثتان المسجاتان على الأرض، كذلك الأحياء المتحلقون حولهما، أحجامها، أشكالها، ملامحها، سيماءها، ووزر كل الرعب من دون اسم. عندئذٍ أدركت زوجة الطبيب أنه لم يعد هناك معنى، هذا إن وُجِدَ سابقاً، للاستمرار في إدعائها العمى، فمن الواضح أنه ليس بالإمكان أن ينجو أحد، فالعمى هو أيضاً أن تعيش في عالم انعدم فيه كلٌّ أمل. كان بوسعها أن تقول أثناء ذلك من هما الميّتان، هذا مساعد الصيدلي، وهذا هو الشخص الذي قال إنهم سيطلقون النار عشوائياً، وكان كلاهما محقاً. ولا تسألوني كيف عرفتهما، فالأمر ببساطة، إنني قادرة على الرؤية. كان بعض الحاضرين يعرفون ذلك مسبقاً وبقوا صامتين، والآخرون الذي كانوا يرتابون في الأمر منذ بعض الوقت، رأوا الآن شكوكهم تتعزّز، أما دهشة الآخرين فلم تكن متوقّعة. مع ذلك وعندما نتأمّل الأمر، ربما لن نندهش، فإن إفشاء السر في وقت سابق كان سيتسبب برعب كبير، هياج تصعب السيطرة عليه. كم أنت محظوظة، كيف تدبّرت النجاة من هذه الكارثة الشاملة، ما هو اسم القطرة التي تستخدمينها، أعطني عنوان طبيبك، ساعديني للخروج من هذا السجن. نصل الآن إلى الشيء نفسه، ففي الموت يكون العمى واحداً بالنسبة إلى الجميع. ما لم يستطيعوا فعله هو البقاء في الردهة، عُزَّلاً، حتى القضبان الحديدية التي انتزعوها من أسرّتهم تركوها وراءهم، وقبضاتهم لا يُعوَّل عليها. سحبوا الجثتين، بتوجيه من زوجة الطبيب إلى الساحة الأمامية، وتركوهما تحت ضوء القمر، تحت البياض الحليبي للكوكب، أبيض في الخارج وأسود أخيراً

في الداخل. لنعد إلى أجنحتنا، قال الكهل ذو العين المعصوبة، وسنرى في ما بعد ماذا يسعنا أن ننظم. هذا كلامه حرفياً، وتلك كلمات مجنونة لم ينتبه إليها أحد. لم ينقسموا وفقاً للغرف التي جاءوا منها، لقد تقابلوا وتعارفوا على الطريق، اتّجه بعضهم إلى الجناح الأيمن، وآخرون إلى الأيسر. كانت زوجة الطبيب حتى هذه اللحظة برفقة المرأة التي قالت، سأذهب حيثما تذهبين، غير أن هذه الفكرة لم تعد موجودةً في رأسها الآن، على العكس تماماً، لكنها لم ترغب في مناقشتها، فالنذور لا توفّى دائماً، أحياناً بسبب الضعف، وأحياناً أخرى بسبب قوةٍ خارقةٍ لم نكن نحسب حسابها.

مضت ساعة من الزمن، عَلا القمر في كبد السماء، وغاص النوم عميقاً تحت وطأة الجوع والرعب، إذ إن كل نزلاء الغرف مستيقظون. لكن ليس لهذين السببين فقط. سواءبسبب إثارة المعركة الأخيرة، حتى رغم نتيجتها الكارثية، أو لسبب ما في الجوّ ولا يمكن تحديده، بقي النزلاء قلقين، لم يجرؤ أحدهم على الخروج إلى الممرات، فقد كانت الأجنحة في الداخل كخلايا نحل سكنتها اليعاسيب. الحشرات الطنانة، كما يعرف الجميع، لا تلتزم نظاماً أو منهجاً، ولا وجود لدليل أنها قد فعلت أي شيء في حياتها أو شغلت نفسها ولو قليلاً في المستقبل، لكن رغم ذلك فمن غير العدل، في هذه الحال، اتهام العميان، هذه المخلوقات البائسة، بأنهم مستغّلون أو طفيليّون، مستغِلّو أيّ فتات، طُفيلِيّو أي طعام، فيجب أن نكون حذرين في مقارناتنا كي لا تبدو طائشة. مهما يكن فليس هناك نظام لا يوجد فيه استثناء، وليس الأمر مختلفاً هنا، وإن كان في شخص امرأة من الغرفة الثانية على اليمين، توجهت إلى أسمالها وبدأت تنقّب فيها حتى وجدت أخيراً شيئاً صغيراً أطبقت راحتها عليه بقوّة، وكأنها تريد إخفاءه عن أعين الآخرين المتفرّسة، فالعادات المتأصّلة

لا تموت بسرعة حتى عندما تأتي لحظة نحسب معها أنها قد ماتت وإلى الأبد. هنا، وحيث ينبغي أن يكون الفرد للجميع والجميع للفرد، شهدنا كيف انتزع الأوغاد الأقوياء الخبز من فم الضعفاء. الآن، وقد تذكّرت هذه المرأة أنها أحضرت معها ولاّعة سجائر في حقيبة يدها، إذا لم تكن قد ضاعت وسط كل هذا الهيجان. فتّشت عنها قلقة وها هي تخبّئها الآن خلسة، وكأن وجودها كله يتوقف على هذه الولاعة. وهي لا تعتقد بوجود سيجارة أخيرة لدى أحد هؤلاء النزلاء البائسين، ولا يستطيع تدخينها لعدم وجود ولاعة. وليس لديه وقت الآن ليطلب تشعيلة. خرجت المرأة من دون أن تنبس بكلمة، ولا حتى وداع، لا، إلى لقاء. سارت عبر الممرات المقفرة، تجاوزت باب الغرفة الأولى، لم يرها أحد من نزلائه حين مرّت. عبرت الردهة التي رسم القمر الهابط راقود حليب على بلاطها. دخلت الجناح الآخر، ممرٌ آخر وتكون غايتها في نهايته القصوى، سارت إليه مباشرة، لا يمكن أن تخطئه. إضافة إلى أنها تسمع أصواتاً تدعوها كلاماً مجازياً، فما تسمعه هو جلبة صادرة عن السفاحين في الغرفة الثالثة، إنهم يحتفلون بانتصارهم، يأكلون ويشربون ملء بطونهم، متجاهلين المبالغة المتعمّدة. دعونا لا ننسى أن كل شيء في الحياة نسبي. إنهم ببساطة يأكلون ويشربون ما هو متوفّر لديهم، متمنين أنه قد يدوم طويلاً. كم يودّ الآخرون المشاركة في هذه الوليمة، لكنهم لا يستطيعون، إذ يحول دونها حاجز الأسرّة الثمانية، ومسدّس معمَّر. ركعت المرأة على ركبتيها أمام باب الجناح، بمواجهة الأسرّة مباشرة، سحبت الأغطية ببطء، ثم نهضت على قدميها، فعلت الشيء نفسه بأغطية الأسرّة العليا، إلا أنها لم تطل السرير الرابع، لا يهم. الفتائل جاهزة، يبقى الآن أمر إشعالها. لا تزال تذكر كيف تتحكم بتقوية شعلة الولاّعة، أشعلتها، شعلة نار صغيرة خنجرية الشكل، برّاقة كرأسي المقص المدببين. بدأت بالسرير الأعلى.

راحت الشعلة تلعق بنشاط الأغطية القذرة التي اشتعلت أخيراً. الآن، السرير الأوسط، ثم الأسفل. شمّت المرأة نسيس شعرها، يجب أن تكون حذرة، فهي من يجب أن تشعل المحرقة، لا من يجب أن تموت. تستطيع الآن سماع صرخات السفاحين في الداخل. خطر لها في تلك اللحظة فجأة، لنفترض أن لديهم ماء في الداخل ونجحوا في إطفاء اللهب، فزحفت إلى تحت السرير الأول، ومرّرت شعلة الولاّعة على الفراش كله، عندئذٍ تضاعف اللهب فجأة وامتدّ في ستار نار قويّة، مرّت عبرها رشقة ماء قويّة بللت المرأة، لكن من دون جدوى، فقد أصبح جسدها وقوداً للنار. كيف هي الحال هناك، لا أحد يستطيع أن يغامر بالدخول، إلاّ أن مخيلتنا يجب أن تسعفنا بشيء ما. فقد امتدت النار بسرعة من سرير إلى آخر، وكأنها تريد أن تلتهمها جميعاً في الوقت نفسه، وهي تنجح. ضيّع السفاحون بطيشهم بقية الماء الموجودة لديهم، وبلا فائدة، إنهم يحاولون الآن الوصول إلى النوافذ، راحوا يتسلقون مترنحين، رؤوس الأسرّة التي لم تكن وصلتها النار بعد، لكنها وصلتها فجأة، فانزلقوا، سقطوا. بدأ زجاج النوافذ يتشقق، يتناثر، بفعل الحرارة الشديدة. دخل الهواء النقي يصفر وينشر ألسنة اللهب، آه، لم تُنسَ صرخات الاغتصاب، والخوف، وعواء الألم والكرب. لقد ذُكرت هناك، مع ملاحظة، بأيّ حال، أنها ستخفت تدريجياً. فالمرأة التي بحوزتها ولاعة السجائر على سبيل المثال، كانت قد صممت منذ بعض الوقت.

في هذا الوقت كان النزلاء العميان يهربون مرعوبين باتجاه الدخان الذي يملأ الممرات وهم يصرخون حريق، حريق. وهنا نستطيع أن نعلّق في عودة إلى انتقاد سوء تخطيط وتنظيم هذه التجمّعات البشرية في الملاجئ، المستشفيات، والمصحّات العقلية، مشيرين إلى أن كل سرير بمفرده، بإطاره المعدني مدبب القضبان، قد يتحوّل إلى مصيدة مميتة.

انظروا إلى العواقب المرعبة المترتبة على وجود باب واحد لكل جناح يتّسع لأربعين شخصاً، بدون الأخذ في الحسبان مَنْ يفترشون الأرض، عندما تندلع النار وتبدأ تلتهم الأبواب، فلن ينجو أحد. لحسن الحظ، وكما بيّن لنا تاريخ البشريّة، من غير المعهود أن ينجم الخير عن الشر، ويقال القليل عن الشر الذي ينجم عن الخير. تلك هي تناقضات عالمنا هذا، بعضها يسمح بتفكير أكثر من بعضها الآخر، ففي هذه اللحظة جاء الخير حصراً من حقيقة أن هناك باباً واحداً لكل غرفة، فالشكر كل الشكر لهذا العامل، للنار التي حرقت السفاحين وتلكأت هناك قليلاً. إذ إنه لو لم تزد الفوضى الأمر سوءاً، لما كنّا تفجّعنا على بعض الأرواح الأخرى. من الواضح أن العديد من النزلاء العميان قضوا نحبهم تحت الأقدام، تدافعوا، تناكبوا، تلك هي نتيجة الهلع، نتيجة طبيعية. بوسعكم القول إن الطبيعة الحيوانية شبيهة بهذه، وحياة النبات، أيضاً، ستنحو المنحى نفسه، لو لم تكن جذورها تغوص عميقاً في التربة، وكم سيكون جميلاً أن ترى أشجار الغابة تفرّ هاربة أمام النار. لقد تم استغلال الحماية التي توفرها الساحة الداخلية من قِبل النزلاء العميان الذين خطرت لهم فكرة فتح النوافذ الموجودة في الممرات المطلّة على الساحة الداخلية. قفزوا، تعثروا، سقطوا، بكوا، صرخوا، لكنهم نجوا الآن. لنأمل الآن أن النار وبعد أن تقوّض السقف وتشظّيه في دوامات لهب وجمرات محترقة في السماء والريح، لن تنسى أن تصل رؤوس الأشجار. كان الهلع في الغرف الأخرى مشابهاً، فعندما يشمّ أعمى رائحة الحريق سيتخيّل فوراً أن اللهب بقربه، الشيء الذي لا يصحّ دائماً. فسرعان ما اكتظ الممر بالناس، وإن لم يتولّ شخص ما توجيه الأوامر هنا، فسوف تكون الحال كارثية. في لحظة معيّنة تذكّر شخص ما أن زوجة الطبيب لا تزال قادرة على الرؤية، أين هي، سأل الناس، بوسعها أن تقول لنا ماذا يجري، أين يجب أن نذهب. أين هي. أنا هنا، الآن فقط

استطعت الخروج من الغرفة، واللوم على الطفل الأحول لأن ما من أحد كان يعرف أين ذهب، ها هو الآن بجانبي، أمسكه بيدي، ولن أتخلى عنه حتى لو قطعوا يدي، وبالأخرى أمسك يد زوجي. ومن خلفهم الفتاة ذات النظارة السوداء، والكهل ذو العين المعصوبة، والأعمى الأول وزوجته، جميعهم، تراصّوا بعضهم إلى بعض مثل ثمرة صنوبر. آمل ألا ينشطر عقدها في هذه الحرارة الشديدة. أثناء ذلك حذا بعض نزلاء هذا الجناح حذو الآخرين في الجناح الثاني، فقفزوا إلى الساحة الداخلية، لم يستطيعوا أن يروا أن الجزء الأكبر من البناء في الجهة الأخرى تلتهمه نار هائلة، لكنهم شعروا بسفع الحرارة على وجوههم وأيديهم، تأتيهم من ذلك الاتجاه. حتى هذه اللحظة كان السقف متماسكاً، والأوراق تتكرمش مبيضّة على غصون الأشجار. بعدئذٍ صرخ شخص ما، ماذا نفعل هنا، لم لا نخرج. جاءه الرد من وسط بحر الرؤوس ذاك، ولم يحتج إلا لأربع كلمات، إن الجنود موجودون هناك، غير أن الكهل ذا العين المعصوبة قال، أن نموت بالرصاص أفضل من الموت احتراقاً هنا. بدا أن الخبرة هي التي نطقت على لسانه، لذلك ربما لم يكن هو المتكلم الحقيقي، ربما تكلمت بلسانه تلك المرأة صاحبة ولاعة السجائر، التي لم تكن محظوظة كفاية لتموت بآخر رصاصة أطلقها المحاسب الأعمى. عندئذٍ قالت زوجة الطبيب، دعوني أمرّ، سأتكلم إلى الجنود، لا يمكن أن يتركونا نموت ميتة كهذه، فهم يمتلكون مشاعر أيضاً. الشكر كله للأمل في أن يتملك الجنود، فعلاً، مشاعر، فقد فتحت لها ثغرة صغيرة، تقدّمت عبرها بصعوبة، مصطحبة معها مجموعتها. لقد غشى الدخان عينيها، سوف تعمى قريباً كالآخرين. كان دخول الردهة ضرباً من المحال تقريباً. لقد تحطمت الأبواب المفتوحة على الساحة، ولاحظ النزلاء العميان الملتجئون هناك أن المكان لم يعد آمناً، فراحوا يضغطون بكل قوّتهم، يريدون الخروج من هنا، إلا أن الآخرين في الجهة القابلة كانوا

يضغطون في الاتجاه المعاكس محاولين التماسك قدر الإمكان، ففي تلك اللحظة كان خوفهم من ظهور الجنود فجأة أكبر من خوفهم من النار، لكن قواهم خارت، وكانت النار تقترب منهم أكثر فأكثر. ثبت أن الكهل ذا العين المعصوبة كان محقاً، فالموت بالرصاص أفضل. لم يعد هناك مجال للانتظار. استطاعت زوجة الطبيب أخيراً أن تخرج إلى المصطبة، كانت عملياً نصف عارية، ولم يكن بوسعها، لا سيما أن يديها مشغولتان، أن تقاوم أولئك الراغبين في الانضمام إلى مجموعتها المتقدّمة، أي، أن يلحقوا بالقطار المتحرك، ستجحظ أعين الجنود حين يروها أمامهم وصدرها شبه عارٍ، وذلك ليس بفعل ضوء القمر الذي كان يضيء كل المسافة بين باب المبنى وبوابتهم، بل بفعل الضوء الباهر لألسنة النار. صرخت زوجة الطبيب، أرجوكم لا تطلقوا النار، دعونا نخرج، من أجل راحة أنفسكم. لم يأتها ردٌّ من ناحية البوابة. كان مصباح المراقبة لا يزال مطفأً، لا يمكنها رؤية شيء يتحرك. نزلت زوجة الطبيب، نافدة الصبر، درجتين. ماذا يجري سألها زوجها، لكنها لم ترد عليه، فلم تستطع أن تصدق عينيها. نزلت الدرجات المتبقية، وسارت صوب البوابة، ولا تزال تسحب خلفها الطفل الأحول، زوجها وبقية المجموعة. لم يعد هناك مكان للشك، لقد رحل الجنود، أو أخذوا بعيداً، هم أيضاً أصابهم العمى، لقد عمي الجميع.

بعدئذٍ، ولنبسِّط الأمور، حدث كل شيء دفعةً واحدةً. أعلنت زوجة الطبيب بصوت عالٍ بأنهم أصبحوا أحراراً. انهار سقف الجناح مترافقاً مع صوت حطام مرعب، ناشراً ألسنة اللهب في كل الاتجاهات، فاندفع النزلاء إلى الساحة، يصرخون بأعلى صوتهم، بعضهم بقي في الداخل، لم يهرب فسحقتهم الجدران، وبعضهم الآخر انسحق تحت الأقدام وتحوّل إلى كتل دموية عديمة الشكل. إن النار التي اندلعت فجأة

ستحيل كل شيء، بسرعة، إلى رماد. البوابة مفتوحة على مصراعيها. لقد نجا المجانين.

قلْ لأعمى أنت حر. افتح له الباب الذي كان يفصله عن العالم، وقل له ثانية، اذهب فأنت حر. لن يذهب سيبقى في مكانه وسط الطريق، هو والآخرون، مرعوبين لا يعرفون أين يذهبون. في الواقع، لا مجال للمقارنة بين العيش في متاهة عقلانية، وهذه على وجه الدقة هي مشفى المجانين، وبين الإقدام على مغامرة بلا يدٍ مرشدة، أو كلب برسنٍ، في متاهة المدينة حيث لن تفيد الذاكرة شيئاً، لأنها لن تستطيع أكثر من استحضار صور الأمكنة، وتعجز عن استحضار الطرقات التي توصل إليها. كان بوسع العميان أن يشعروا، وهم واقفون أمام المبنى المشتعل بكلّيته، بسفع هبّات الحرارة الحيّة على وجوههم، وتقبّلوها كأنها شيء ما يؤمّن لهم الحماية، تماماً كما كانت الجدران من قبلها، سجناً وملاذاً في آن معاً. تجمعوا بعضهم إلى بعض، تراصّوا كقطيع، لا يريد أيٌّ منهم أن يكون الخروف الضال، لأنهم يدركون ألاّ راعي هناك ليبحث عنهم. بدأت النار تخمد تدريجياً، وسطع ضوء القمر من جديد، والنزلاء العميان يشعرون بالتوتّر، فلا يسعهم البقاء هنا إلى الأبد، على رأي أحدهم. سأل شخص إذا ما كان الوقت نهاراً أم ليلاً. وسرعان ما اتضح أن الدافع إلى فضول كهذا في غير مكانه، فمن يعرف، قد يجلبون لنا طعاماً، ربما حدثت فوضى ما، تأخير ما، كما جرى من قبل. لكن الجنود غير موجودين. هذا لا يعني شيئاً، ربما رحلوا لانعدام الحاجة إليهم، لم يعد هناك، مثلاً، خطر عدوى، أو لأنهم وجدوا علاجاً لمرضنا. سيكون أمراً رائعاً. حقاً سيكون رائعاً. ماذا سنفعل. أنا سأبقى هنا حتى ينبلج النهار. وكيف ستعرف أنه انبلج. من الشمس، من حرارة الشمس. وإن كانت السماء غائمة. تغيم لساعات عدّة ثم تنقشع.

جلس بعض العميان أرضاً من شدّة الإرهاق. والآخرون الأكثر إرهاقاً تساقطوا ببساطة بعضهم فوق بعض، وأُغمي على بعضهم، من الممكن أن تعيدهم برودة الليل إلى وعيهم، لكننا واثقون أنه عندما ينفرط عقد المعسكر فإن أولئك المنحوسين لن ينهضوا من مكانهم. فقد ثبتوا حتى الآن، مثل عدّاء الماراتون الذي سقط ميّتاً قبل ثلاثة أمتار من خط النهاية، الأمر الجلي، في نهاية المطاف، أن كل الحيوات تنتهي قبل أوانها. وكان هناك أيضاً نزلاء آخرون جالسون أو متمدّدون على الأرض بانتظار الجنود، أو آخرين غيرهم، الصليب الأحمر على سبيل الافتراض. فقد يجلبون لهم طعاماً ووسائل الراحة الأساسية الأخرى. فالتحرر من الوهم بالنسبة إلى أولئك الناس سيأتي لاحقاً، وهذا هو الفارق الوحيد. وإن كان هنا مَنْ يعتقد أنه قد تم اكتشاف دواء لعمانا، فلا يبدو هذا الأمر يزيده رضا.

لأسباب أخرى، فكّرت زوجة الطبيب أنه من الأفضل الانتظار حتى ينبلج النهار، كما قالت لمجموعتها. فالأمر الملحّ الآن هو إيجاد بعض الطعام، وهذا صعب في الظلام. هل لديك فكرة أين نحن، سألها زوجها. إننا بعيدون عن البيت، إلى هذا الحد أو ذاك. مسافة بعيدة جداً. أراد الآخرون أيضاً أن يعرفوا كم هم بعيدون عن بيوتهم. أخبروها بعناوينهم، وحاولت زوجة الطبيب جهدها لتشرح لهم. لم يستطع الطفل الأحول أن يتذكر عنوان منزلهم، والغريب إلى حد ما أنه لم يعد يسأل عن أمه منذ بعض الوقت. إن كانوا سينتقلون من بيت إلى آخر، من الأقرب إلى الأبعد، فسوف يكون بيت الفتاة ذات النظارة السوداء هو الأول، يليه بيت الكهل ذي العين المعصوبة، ثم بيت الطبيب وزوجته، وأخيراً بيت الأعمى الأول. إنهم بلا شك سيتّبعون خط الرحلة هذا لأن الفتاة ذات النظارة السوداء كانت قد طلبت مسبقاً إيصالها إلى منزلهم

بأسرع ما يمكن، إذ قالت، لا أستطيع أن أتخيّل كيف ستكون حال والديَّ الآن. إن هذا الانشغال الوجداني يُظهر سطحية تلك الأفكار الجاهزة لدى من ينكرون إمكانية وجود المشاعر العميقة، بما فيها المشاعر البنويّة، لاسيما في مسائل الفضيلة العامة. كانت الليلة باردة، وأوشك وقود النار على النفاد، والحرارة الصادرة عن الجمر غير كافية لتدفئة النزلاء العميان. لقد خدّر البرد أولئك البعيدين عند باب المبنى، كحال زوجة الطبيب ومجموعتها. جلسوا متلاصقين، النساء الثلاث والطفل في الوسط، والرجال الثلاثة حولهم، وأي شخص يراهم سيقول إنهم قد وُلدوا هكذا. حقاً إنهم يعطون الانطباع بأنهم جسد، نفس، وجود واحد. أخيراً ناموا واحداً بعد الآخر، نوماً خفيفاً استيقظوا منه مرات عديدة، لأن نزلاء عمياناً صحوا من خدرهم، تعثروا، وهم نعسانين بهذا الحاجز البشري، وبقي أحدهم عملياً هناك. إذ لا فرق بين النوم هنا أو في أي مكان آخر. عندما طلع النهار، لم يكن هناك سوى قلّة من أعمدة الدخان الرفيعة تتصاعد من الجمر، لكن حتى هذه لم تدم طويلاً، فسرعان ما بدأت السماء تمطر رذاذاً خفيفاً، مجرّد ضباب خفيف، لكنه مع ذلك متواصل، لم يصل الأرض المسفوعة، بل كان يتحوّل مباشرة إلى بخار، لكن مع استمراره في الهطل، كما يعرف الجميع، فإن الماء اللطيف يأكل حتى الصخر القاسي، ليكمل أحدكم هذه القافية. إن بعض هؤلاء النزلاء ليسوا عمياناً فحسب، إنما هم غائمو الفهم أيضاً، لأنه لا يمكن إيجاد تفسير آخر لذلك السبب المعذّب الذي جعلهم يستنتجون أن الطعام المنتظر بلهفة لن يصل أبداً في هذا المطر. ولا مجال لإقناعهم أن تلك المقدمة المنطقية خطأ، وأنه بناء عليه، فالنتيجة، أيضاً، ستكون خطأ. سيرفضون ببساطة أن تقول لهم إنه لا يزال الوقت مبكراً على الفطور. رموا أنفسهم على الأرض يائسين، وهم يذرفون الدموع. لن يأتي، إنها تمطر، لن يأتي، هذا ما كانوا يرددونه. لو كانت تلك الأطلال لا تزال

مناسبة للسكن البدائي فسوف تعود وتكون ثانية مشفى المجانين الذي كانته من قبل.

أمضى الأعمى الذي تعثر بهم تلك الليلة حيث سقط، فلم يستطع النهوض. تكوّر على نفسه، كأنه يحاول الحفاظ على آخر دفقة دفء في أحشائه، بيد أنه لم يتحرك رغم المطر الذي بدأ يصبح غزيراً. إنه ميت، قالت زوجة الطبيب، والأفضل لنا جميعاً مغادرة هذا المكان ما دمنا نتمتع ببقيّة من قوّة. جاهدوا في الوقوف، مترنحين، ودائخين ممسكين أحدهم بيد الآخر منتظمين في رتل تقوده المرأة ذات العينين المبصرتين، ومن خلفها مَنْ لديهم أعين لا تبصر، الفتاة ذات النظارة السوداء، الكهل ذو العين المعصوبة، الطفل الأحول، الأعمى الأول وزوجته، والطبيب في آخر الرتل. ساروا في طريق تؤدي إلى مركز المدينة، بيد أن ذلك لم يكن هدف زوجة الطبيب، فقد كانت تبغي الوصول إلى مكان ما في أسرع ما يمكن، حيث تطمئن عليهم فيه ومن ثم تنطلق وحدها للبحث عن طعام. الشوارع مقفرة، إما لأن الوقت ما زال باكراً، وإمّا بسبب المطر الذي يزداد غزارة. القمامة في كل مكان، وأبواب بعض الحوانيت مفتوحة، غير أن أبواب معظمها مغلقة، ولا أثر لحياة، في داخلها. فكّرت زوجة الطبيب أنه من الحكمة أن تترك مرافقيها في أحد هذه الحوانيت، ثم تحفظ اسم الشارع ورقم باب الحانوت خشية أن تضيع عند العودة. توقفت وقالت للفتاة ذات النظارة السوداء، انتظروني هنا لا تتحركوا، وانطلقت لتنظر عبر الواجهة الزجاجية لصيدلية. اعتقدت أنها استطاعت رؤية أشكال بشر نائمين على الأرض. نقرت على الزجاج، تحرّك أحد الأشكال، نقرت ثانية، بدأ شكل بشري آخر يتحرك، نهض شخص وأدار رأسه إلى الناحية التي يأتيه منها الصخب. إنهم عميان جميعاً، فكرت زوجة الطبيب، إلا أنها لم تستطع أن تفهم جيداً كيف اتفق وجودهم هنا،

ربما كانوا أفراد عائلة الصيدلي، لكن إن كانوا كذلك فعلاً فلماذا ليسوا في منزلهم، حيث الأسرّة المريحة بدلاً من النوم فوق البلاط القاسي، هذا إن لم يكونوا يحرسون الصيدلية. لكن مِمَّنْ، ولماذا، ما دامت هذه البضاعة والحال هذه يمكن أن تقتل وتشفي في الوقت نفسه. تابعت سيرها قليلاً ونظرت إلى داخل حانوت آخر، فرأت أناساً أكثر يفترشون الأرض، رجالاً، نساء، وأطفالاً، وبدا بعضهم على وشك أن يغادر. تقدّم أحدهم إلى باب الحانوت وأخرج يده ثم قال، إنها تمطر، هل تمطر بغزارة، جاءه السؤال من الداخل. نعم، علينا أن ننتظر حتى تهدأ قليلاً. لم يلاحظ الرجل، نعم كان رجلاً، حضور زوجة الطبيب رغم أنه لم يكن يبعد عنها سوى خطوتين، ولذلك جفل عندما سمعها تقول طاب يومكم. لقد نسي عادة التحية بـ طاب يومكم، ليس لأن أيام العميان، إن تكلمنا بدقة، لا يرجّح أن تكون جيدة أبداً، بل لأنه ما من أحد يستطيع أن يجزم كلياً إن كان الوقت عصراً أو ليلاً، وإن يكن هؤلاء الناس، في تناقض واضح مع ما قيل سابقاً، يستيقظون في الوقت نفسه، إلى هذا الحد أو ذاك، باعتباره صباحاً، هذا لأن بعضهم لم يفقد بصره إلاّ منذ أيام قليلة ولم يفقد كلياً إحساسه بتعاقب الأيام والليالي، بالنوم واليقظة. قال الرجل إنها تمطر، ثم سألها مَنْ أنت. أنا لست من هنا. هل تبحثين عن طعام، نعم، فنحن لم نأكل منذ أربعة أيام. وكيف عرفتِ أنها أربعة أيام. هذا ما حسبته. أنتِ وحدكِ. معي زوجي وبعض الرفقة. كم عددهم. إننا سبعة. إن كنتم تفكرون بالإقامة معنا فانسوا الأمر، لأننا كثرٌ هنا. إننا عابرو سبيل فحسب. من أين جئتم. كنا محتجزين منذ بدء وباء العمى هذا. آه، نعم، في المحجر، لم يكن مفيداً. ما الذي جعلك تقول هذا. لأنهم تركوكم تغادرون. لقد حدث حريق، وفي اللحظة نفسها لاحظنا اختفاء كل الجنود. فغادرتم. نعم. لا بدّ أن حراسكم كانوا من بين آخر من عموا. فقد عمي الجميع، المدينة كلها، البلد كلها. وإن تبقّى بعض المبصرين

فإنهم يحتفظون بسرّ ذلك لأنفسهم. لماذا لا تعيش في بيتك. لأني لم أعد أعرف أين يقع، وهل تعرفين أنت أين يقع بيتكِ. أنا، قالت زوجة الطبيب، وأوشكت أن تقول له إنها ورفاقها ذاهبون إليه على وجه الدقة، لكنها في تلك اللحظة رأت الحالة بوضوح تام، وهي أن بعض الناس الذين عموا خارج بيوتهم لن يستطيعوا العودة إليها إلا بمعجزة ما، فالأمر مختلف الآن عنه سابقاً عندما كان العميان يستطيعون الاعتماد على المارّة، سواء لعبور الشارع، أو للعودة إلى الطريق الصحيح عندما كانوا يضلّون عنه، فقالت، كل ما أعرفه أنه بعيد عن هنا. لكنك لن تستطيعي قط الوصول إليه. كلا. بيتك هناك، بعيد، وكذلك هو بيتي، والشيء نفسه بالنسبة إلى الآخرين، أما أنتم من كنتم في المحجر فعليكم أن تتعلموا الكثير، إذ إنكم لا تعرفون كم هو سهل أن يجد المرء نفسه بلا منزل. لا أفهمك. أولئك من ينطلقون في مجموعات مثلنا، كما يفعل معظم الناس، عندما نضطر للبحث عن طعام، نضطر للخروج معاً كي لا يُضيِّع أحدنا الآخر، وبما أننا نذهب جميعاً ولا يبقى أحد ليحرس البيت، مفترضين أننا نستطيع أن نجده، فالأرجح هو أن تحتله مجموعة أخرى لم تستطع أيضاً أن تجد منزلها، إننا نوع من دوّامة الخيل، ففي البداية كنا نتصارع، غير أننا سرعان ما أدركنا أننا، نحن العميان، إن جاز القول، لا نمتلك في الواقع ما يمكن أن نقول إنه يخصنا وحدنا إلاّ ثيابنا التي نلبسها. فالحل الوحيد إذاً هو العيش في بقالية حيث، على الأقل، لا نضطر إلى مغادرتها إلا عندما ينفد كل مخزونها. إن أقلّ ما يجري لمن يفعلون ذلك هو أنهم لن يعرفوا راحة البال، وأقول أقلّ ما يجري، لأني سمعت عن حالة بعض من حاولوا، أغلقوا الحانوت على أنفسهم، سمّروا الباب، إلا أنهم لم يستطيعوا التخلّص من رائحة الطعام، فتجمّع حول الحانوت أولئك الراغبون في الطعام، وبما أن من في الداخل رفضوا فتح الباب، فقد جرى إحراق الحانوت. كان ذلك علاجاً

مباركاً، لأنه على حد علمي لم يجرؤ أحد بعد ذلك على تكرار السلوك نفسه. ألم يعد الناس إذاً يعيشون في بيوت وشقق. بلى، لكن يحدث لهم الشيء نفسه. لا بُد أن أناساً كثيرين قد تعاقبوا على منزلي، ومن يعرف إن كنت سأجده البتة، إضافة إلى أنه في هذه الحال يبقى العملي أكثر هو العيش والنوم على أرضيات الحوانيت، والمخازن، فهذا يوفّر علينا صعود الأدراج ونزولها. لقد توقف المطر، قالت زوجة الطبيب. توقف المطر، كرر الأعمى مخاطباً الآخرين في الداخل. نهض من كانوا متمددين في الداخل عند سماعهم تلك الكلمات، جمعوا مقتنياتهم، جرابات، أمتعة يدوية، حقائب قماشية، وبلاستيكية، وكأنهم منطلقون في حملة، وكانوا كذلك فعلاً، فهم ينطلقون بحثاً عن طعام. بدأوا يخرجون من باب الحانوت الواحد بعد الآخر، فلاحظت زوجة الطبيب أنهم جميعاً متدثّرون جيداً، وحتى إن كانت ألوان ثيابهم غير منسجمة، وبنطلوناتهم إما قصيرة حتى الركبة وإما طويلة وتحتاج إلى طي، غير أن البرد لم يكن قارساً إلى ذلك الحد. فكان بعضهم يلبس الكبردين أو معاطف، وإثنتان من النساء تلبسان معطفي فراء طويلين، لا أحد منهم يحمل مظلة، ربما لأنها مربكة جداً، ويُخشى أن ينغرز أحد برامقها في عين شخص ما. كانوا قرابة خمسة عشر شخصاً، انطلقوا معاً. وظهرت مجموعات أخرى، على طول الطريق، وأشخاص بمفردهم، أيضاً. ورأت رجالاً يستجيبون لنداء الحاجة الملحة ككل صباح، يفرّغون مثاناتهم على الجدران أما النساء فكن يفضّلن فعلها داخل السيارات المهجورة. كان الغائط الذي بلله المطر منتشراً في كل مكان على طوال الرصيف.

عادت زوجة الطبيب إلى رفاقها الذين كانوا قد تجمعوا على بعضهم بدافع الغريزة تحت مظلة فرن –كعك تنبعث منه رائحة كريهة حامضة ومواد أخرى فاسدة. لنذهب من هنا، قالت لهم، لقد وجدت لنا ملجأً،

وقادتهم إلى الحانوت الذي كان قد غادره آخرون للتو. كانت موجودات الحانوت سليمة، غير أن لا شيء من بينها يمكن أكله، كان فيه أدوات منزلية، برادات، غسالات -ثياب وصحون- آلية، أدوات الطبخ العادية وأفران ميكروويف، خلاطات طعام، عصارات فواكه، مكانس كهربائية، الألف اختراع واختراع كهربائي منزلي مصمم لجعل الحياة أسهل. كان الجو مليئاً بروائح كريهة، تجعلُ بياض الأشياء الثابت عبثياً. ارتاحوا هنا، قالت زوجة الطبيب، سأذهب للبحث عن طعام، لا أعرف أين سأجده، في مكان قريب، أو بعيد، لا أستطيع أن أحزر، انتظروا هنا بطول أناة، هناك مجموعات في الخارج وإن جاء أحدهم ليدخل إلى هنا، قولوا لهم إن المكان مشغول، وهذا كافٍ لجعلهم يتركونكم في سلام، ذلك هو العرف الآن، سآتي معك، قال زوجها. كلا، الأفضل أن أذهب بمفردي، يجب أن نستطلع كيف يعيش الناس الآن، فما سمعته يؤكّد أن الجميع قد عموا. في هذه الحال، علّق الكهل ذو العين المعصوبة ساخراً، يبدو كأننا لم نخرج من مشفى المجانين. لا مجال للمقارنة، فهنا بوسعنا التحرك بحرية، ولا بد أن يوجد حلّ ما لمشكلة الطعام، ولن نموت من الجوع، يجب أن أحاول أيضاً الحصول على بعض الثياب لأن ثيابنا رثة جداً، وهي نفسها كانت أكثرهم حاجة لذلك، فهي عملياً عارية الجذع العلوي. قبّلت زوجها، وفي اللحظة نفسها شعرت بشيء كالألم في قلبها. أرجوك، مهما حدث، حتى إن حاول شخص ما الدخول، لا تغادروا المكان، وإن أردتم أن أجدكم، رغم أني لا أعتقد أن ذلك سيحدث، لكن أقول هذا تحسباً لكل الاحتمالات، ابقوا جميعاً قرب الباب حتى أعود. نظرت إليهم بعينين اغرورقتا بالدموع، ها هم أمامها، معتمدون عليها كأطفال صغار على أمّهم. لو فكّرت في التخلّي عنهم، فكرت لنفسها، ولم يخطر لها أن كل الناس من حولها عميان ومع ذلك يتدبّرون أمرهم، يجب أن تعمى هي أيضاً كي تفهم

أن الناس يتعوّدون أي شيء، لا سيما عندما يكفّون عن كونهم بشراً، حتى إن كانوا لم يصلوا ذلك الدرك بعد. فالطفل الأحول، مثلاً، لم يعد يسأل عن أمه. خرجت إلى الشارع، نظرت حولها وحاولت أن ترسم في ذهنها صورة باب الحانوت، رقمه، اسمه، وعليها الآن أن تعرف اسم الشارع من عند الناصية، فهي لا تعرف إلى أين يمكن أن يقودها هذا البحث عن الطعام، أو أي طعام. قد يكون على مبعدة ثلاثة أبواب، أو ثلاثمئة باب من هنا، ولا يسعها المغامرة في أن تضيع، فلن تجد أحداً بوسعه أن يرشدها إلى الطريق. فمن كانوا مبصرين من قبل قد عموا الآن، وهي المبصرة لن تعرف أين هي. كانت الشمس قد سطعت، وتلمع منعكسة في برك الماء التي تشكلت وسط القمامة، وأصبح من السهل رؤية الأعشاب النامية بين أحجار الأرصفة. ازداد عدد الناس في الشوارع. كيف يجدون طريقهم، سألت زوجة الطبيب نفسها. إنهم لا يجدون طريقهم، بل يبقون بقرب الأبنية وأذرعهم ممدودة أمامهم، يصطدمون أحدهم بالآخر باستمرار مثل نمل يسير في فوضى، غير أن أحداً منهم لا يحتجّ عندما يحدث الاصطدام، حتى أنهم لا يضطرون إلى قول شيء. ابتعدت إحدى الأُسر عن الحائط، تقدّمت على طول الحائط المقابل في الاتجاه المعاكس، وتابعت سيرها على هذا النحو حتى اصطدمت بالجدار التالي. كانوا يتوقفون بين الفينة والأخرى، يتنشقون الروائح في مداخل الحوانيت لعلّهم يشمّون رائحة طعام، أي طعام، ثم تابعوا سيرهم، انعطفوا حول ناصية واختفوا عن نظرها. سرعان ما ظهرت مجموعة أخرى، بدا أنها لم تجد ما كانت تبحث عنه. كانت زوجة الطبيب تتحرك بسرعة كبيرة، لم تضيّع وقتاً في دخول الحوانيت لترى إن كان فيها طعام يؤكل، لكن سرعان ما تبيّن لها أنه ليس من السهل أن تحظى بأي مقدار، إذ إن الحوانيت القليلة التي وجدتها بدت خاوية من الداخل ورفوفها فارغة.

لقد ابتعدت كثيراً عن المكان الذي تركت فيه زوجها والرفقة. تعبر وتعبر شوارع، طرقات، وساحات حتى وجدت نفسها أمام سوبر ماركت. لم تكن مختلفة من الداخل عن سابقاتها. رفوف فارغة، قُلِب عاليها سافلها، وفي وسطها يتجول عميان، معظمهم على أربع، يكنسون وسخ الأرضيّة بأيديهم على أمل أن يجدوا شيئاً ما قابلاً للاستخدام، علبة معلبات يئس آخرون من محاولة فتحها، باكيتاً ما، مهما تكن محتوياتها، شريحة بطاطا، حتى لو كانت وطأتها الأقدام، كسرة خبز حتى لو كانت يابسة. فكرت زوجة الطبيب أنه رغم كل شيء، لا بدّ من أن يوجد شيء ما هناك، فالمكان فسيح جداً. نهض أعمى وراح يشتكي من أن نثرة زجاج قد دخلت في ركبته، كان الدم ينزف جارياً على ساقه. تجمع حوله العميان الموجودون في المكان يسألونه، ما الأمر، ماذا حدث. فأخبرهم. نثرة زجاج دخلت في ركبتي. أيّ واحدة. في اليسرى. أقعت إحدى النساء العمياوات. انتبهي ربما توجد نثرات أخرى هنا. تلمّست وتحسست كي تميّز بين الركبتين. ها هي، قالت، ما زالت تنخس داخل اللحم، عندئذٍ ضحك أحد العميان. حسن... إن كانت لا تزال تنخس داخل اللحم فاغتنمي الفرصة، فانضم إليه آخرون رجالاً ونساءً، يضحكون. قرّبت المرأة سبابتها وإبهامها أحدهما من الآخر على شكل ملقط، وهذه حركة لا تحتاج إلى تدريب، وانتزعت نثرة الزجاج، بعدئذٍ ضمّدت الجرح بخرقة نظيفة وجدتها في الحقيبة التي تتدلى من كتفها. وأخيراً رمت بمزحتها هي لتضحك الجميع، لم يعد هناك ما يُفعل، ولا شيء ينخس داخل اللحم بعد. ضحك الجميع، فردّ لها الأعمى الصاع صاعين، كلما شعرتِ برغبة، بوسعنا أن نخوض جولة ونرى ما الذي ينخس داخل اللحم أكثر. لا وجود لأزواج في هذه المجموعة بالتأكيد، إذ إنه لا يبدو أن أحدهم قد صدمته المزحة. لا بد أنهم ناس متهتكون، يعيشون علاقات عرضية، ومن هنا

تنبع الحرية التي يعيشونها مع بعضهم البعض، غير أنهم في الواقع لا يتركون لدى المراقب هذا الانطباع. ثم أن أي زوجين لن يتخاطبا بكلام كهذا أمام الآخرين. نظرت زوجة الطبيب حولها، لا بدّ أن أي شيء كان قابلاً للاستخدام قد نشب حوله نزاع، ووسط الكلمات التي تضيع في الهواء دائماً والتناكب بالأكتاف من دون تمييز بين عدوّ أو صديق. فغالباً ما يتفق أن يسقط ذلك الشيء المتنازع عليه أرضاً، يفرّ من بين أيديهم، بانتظار من يدوسه. يا للجحيم، لن أخرج من هنا حيّة، فكّرت لنفسها، مستخدمة تعبيراً دخيلاً على مفرداتها اللغوية، وهذا دليل آخر على أن قسوة وطبيعة الظروف يُمارسانِ تأثيراً واضحاً على اللغة. تذكّروا ذلك الجندي الذي قال، خراء، عندما أُمِرَ أن يستسلم، وبتلك الطريقة تُعفى كل التجديفات المستقبلية في ظروف أقل خطورة من جناية إساءة التصرف. يا للجحيم، لن أخرج من هنا حيّة، فكّرت ثانية، وحينما كانت على وشك الذهاب، خطرت في ذهنها فكرة أخرى مثل إلهام سارّ. ففي مؤسسات كهذه لا بدّ من وجود مخزن، ليس كبيراً بالضرورة، فذلك قد يكون في مكان ما، ربما على مبعدة، لكن لا بدّ من وجود مخزن مواد معيّنة في مكان قريب، تطوله اليد. بدأت، وقد حفّزتها الفكرة، تبحث عن باب مغلق قد يقودها إلى كهف الكنز، إلاّ أن كل الأبواب كانت مفتوحة. وفي داخل كلٍّ منها وجدت الخراب نفسه، العميان نفسهم ينبشون في القمامة نفسها. أخيراً، وفي ممر مظلم، حيث لا يكاد يدخل ضوء النهار، رأت ما بدا لها كمصعد لنقل البضائع. كانت الأبواب المعدنية مغلقة وبجانبها باب آخر صقيل، باب سحّاب، إنه باب المخزن.. فكّرت لنفسها والعميان الذين وصلوا إلى هنا وجدوا طريقهم مسدودة، لا بد أنهم لاحظوا وجود مصعد، بيد أنه لم يخطر لأيٍّ منهم أنه من الطبيعي أن يوجد درج يوصل إلى المخزن تحسباً لحالات انقطاع الكهرباء، كما هي الحال الآن، على سبيل المثال،

دفعت الباب السحّاب وتلقّت، فوراً على الأغلب، انطباعين كاسحين، الأول ناتج عن العتمة المطبقة التي يجب أن تجتازها كي تصل الدور التحتاني، ثم رائحة الطعام التي لا يمكن أن تخطئها، حتى لو كان محفوظاً في مرطبانات وعلبٍ مغلقة آلياً، نسميها محكمة الإغلاق. حقيقة الأمر هي أن للجوع حاسة شم رهيفة دائماً، من النوع الذي يخترق كل الحواجز، كحاسة الشمّ عند الكلاب. عادت بسرعة لتجمع من بين القمامة الأكياس البلاستيكية التي ستحتاجها لنقل الطعام، وهي تسأل نفسها، في اللحظة ذاتها، كيف سأعرف في تلك الظلمة المطبقة ماذا سآخذ. هزّت كتفيها، ما هذه الفكرة السخيفة التي أشغل نفسي بها. ما يهمها الآن، مع الأخذ بالحسبان حالة الضعف التي تعانيها، لا بد أن يكون إذا ما كانت تمتلك القوّة لحمل تلك الأكياس المليئة، والعودة من حيث جاءت. في تلك اللحظة دهمتها الفكرة المرعبة، من أنها لن تكون قادرة على العودة إلى المكان الذي ينتظرها فيه زوجها. إنها تعرف اسم الشارع، فهذا لم تنسه، غير أنها قد اجتازت منعطفات عدّة، لقد شلّها اليأس، ثم ببطء وكأن عقلها المعتقل قد بدأ ينشط ثانية، رأت نفسها منكبّة فوق خارطة للمدينة، تبحث برأس سبابتها عن الطريق الأقصر، وكأن في وجهها زوجي عيون، إحداهما تراقبها وهي تتفحص الخارطة، والأخرى تتفحّص الخارطة بحثاً عن الطريق. بقي الممر فارغاً، إنها ضربة حظ، إذا ما أخذنا في الحسبان حالتها العصبية بعد هذا الاكتشاف، لأنها نسيت أن تغلق الباب. ها هي تغلقه الآن وراءها لتجد نفسها غارقة في ظلمة مطبقة – عمياء كالآخرين في الخارج، والفرق الوحيد يكمن في لون العمى، إن كان بالإمكان، وبتعبير دقيق، تصنيف الأبيض والأسود بين الألوان. بعد أن تنزل الأدراج وهي ملتصقة بالجدار. إنْ تبيّن أن هذا المكان ليس سريّاً، في نهاية المطاف، وأن شخصاً ما سيخرج من أعماقه، فسوف تسير الأمور كما شاهدتها

في الشارع، فإن أحدهما سيتخلى عن أمن امتلاكه لمكان يتكئ عليه، مناوشاً الحضور الغامض للآخر. سوف أجنُّ فكرت لنفسها، وباقتناع تام تابعت نزولها في هذه الهوّة المظلمة، من دون ضوء أو أمل في رؤية أي شيء، كم هو عمقها، فهذه المخازن تحت الأرضية لا تكون عميقة جداً عادة، شاحط الأدراج الثاني، سوف أصرخ، سوف أصرخ. شاحط الأدراج الثالث، الظلمة كمادة لاصقة تلتصق بوجهها، تحوّلت عيناها إلى كرتين من الفأر. ما هذا الذي أمامي، ثم فكرة أخرى، حتى أنها أكثر رعباً، كيف سأجد الأدراج ثانية، أجبرها ترنّح مفاجئ على الإقعاء كي تتجنب السقوط، تلعثمت وهي دائخة تقريباً. إنها نظيفة، كانت تقصد أرضية المخزن، بدت لها أرضية نظيفة على نحو مميّز. استعادت وعيها تدريجياً، شعرت بألم خفيف في معدتها، ولم يكن بالأمر الجديد، إلا أنه بدأ الآن وكأنه لم يبق في جسدها عضو حي سواها، لا بد من وجود أعضاء أخرى غير أنها لم تعط أي علامة عن وجودها. قلبها، نعم، كان قلبها يضرب كطبل ضخم يعمل على نحو أعمى سرمدي، منذ العتمة الأولى في الرحم الذي تشكّل فيه، إلى تلك الأخيرة عندما سيموت. لا تزال تمسك بالأكياس البلاستيكية، لم تتخل عنها، وما عليها الآن إلاّ أن تملأها، بهدوء، فالمخازن ليست مراتع للأشباح ومصاصي الدماء، فلا شيء هنا سوى العتمة، والعتمة لا تعضُّ ولا تؤذي. بالنسبة إلى الدرج فسوف أجده، حتى إن اضطررت إلى أن أطوف المكان كله. لقد حسمت أمرها، كانت على وشك الوقوف، إلاّ أنها تذكرت أنها عمياء مثل الآخرين، فالأفضل أن تتصرف مثلهم، أن تمشي على أربع حتى تبلغ شيئاً ما، رفوفاً مليئة بالطعام، أي طعام، ما دام يمكن أن يؤكل كما هو، من دون الحاجة إلى طبخه أو إلى تحضيره بطريقة ما، ما دام ليس هناك وقت من أجل طهوٍ جيّد.

عاودتها المخاوف الخرافية، ولم تكد تتقدم عدّة أمتار، ربما كانت مخطئة، ربما ستجد هناك مصاص دماء ينتظرها بفم مفتوح، أو شبحاً بذراعين مفتوحتين يحملها إلى عالم الأموات المخيف، عالم الأموات الذين لا يموتون لأنه دائماً يأتي من يُنعشهم. بعدئذٍ وعلى نحو مبتذل، وبحزن خانع لا محدود، خطر لها أن هذا المكان الذي وجدت نفسها فيه ليس مخزن أطعمة، بل مرآباً، وفكّرت فعلياً أنها تستطيع أن تشمّ رائحة الوقود. إن العقل يعاني من الأوهام عندما يستسلم إلى الهولات التي يخلقها بنفسه لنفسه. عندئذٍ لامست يدها شيئاً ما، ليس أصابع الشبح اللدنة، ولا اللسان الناري وأنياب مصاص الدماء، فما شعرت به كان ملمس معدن بارد، سطحاً عمودياً أملس. خمّنتها تخميناً، إنها قائمةالرفوف. حسبت أنه لا بدّ من وجود قوائم أخرى غيرها، كلها عمودية متوازية معها، كالعادة. والسؤال الآن هو أن ترى أين هي الأطعمة، لأنها عرفت أن هذه ليست أطعمة، إنها رائحة منظفات لا يمكن الخطأ فيها. وبدون أي تفكير آخر في المصاعب التي ستواجهها في إيجاد الأدراج ثانية راحت تفتّش الرفوف، تتلمّس، تتنشّم، تهزّ، وجدت علب كرتون، قوارير زجاجية وبلاستيكية، مرطبانات من كل الأحجام، علب تنك، ربما علب معلبات، كراتين مختلفة، باكيتات، حقائب، أنابيب. ملأت أحد الأكياس على العمياني. أيمكن أن تكون صالحة للأكل، فكّرت لنفسها ببعض الشك. انتقلت إلى مجموعة الرفوف الثانية، وحدث غير المتوقّع، فقد جرت يدها العمياء التي لا تعرف أين تجري، وصدمت وأوقعت صناديق صغيرة. إن الصخب الذي نجم عن سقوطها على الأرض قد جعل قلب زوجة الطبيب يتوقف تقريباً. إنها علب كبريت، فكّرت لنفسها. انحنت وهي ترتجف من الانفعال، تلمّست الأرض بيدها، وجدت ما كانت تبحث عنه. هذه رائحة لا يمكن أن تختلط مع أيّ رائحة أخرى، وكذلك صخب أعواد الكبريت الصغيرة

عندما تهز العلبة، انزلاق غطائها، خشونة ورق الشحذ على جانبيها الخارجيين والفوسفور عليهما، حيث يُشحذ رأس عود الثقاب، وأخيراً شرارة اللهب الصغير، الفراغ المحيط بها، كوكب فسيح مضيء كنجم يتوهج عبر الضباب. يا إلهي، الضوء موجود، وأملك عينين تريان، مبارك هو الضوء، سيكون الحصار أسهل من الآن فصاعداً. بدأت بعلب الكبريت، وملأت كيساً منها تقريباً. لا حاجة لأخذها جميعاً، قال لها صوت البديهة. بعدئذٍ أضاء لهب أعواد الكبريت المتراقص، الرفوف. من هنا، ثم من هناك، سرعان ما امتلأت الأكياس. اضطرت إلى تفريغ الكيس الأول، فلم يكن فيه شيء ذو فائدة. أما الأخرى فقد كانت مليئة بنفائس كافية لشراء المدينة، ولا داعي لاندهاشنا من هذا الفرق في القيم، ما نحتاجه هو أن نتذكّر أنه كان هناك ملك أراد أن يبادل مملكته بحصان، الشيء الذي ما كان ليفعله لو لم يكن يتضوّر جوعاً وقد أغوته هذه الأكياس البلاستيكية المليئة بالطعام. الباب هناك، على اليمين، الطريق إلى الخارج. لكن قبل كل شيء، جلست زوجة الطبيب على الأرض، فتحت علبة سجق، علبة شرائح خبز أسود، وزجاجة ماء، وبدأت تأكل من دون أي حس بتأنيب الضمير. إنْ لم تأكل الآن فلن تجد القوة الكافية لديها لتحمل هذه المؤن إلى حيث هي مطلوبة، فهي الآن المزوِّد بالمؤن. حملت الأكياس، وضعت ثلاثة أكياس في كل ساعد، بعدئذٍ راحت تشعل أعواد الكبريت بيديها الممدودتين إلى الأمام حتى وصلت إلى الأدراج، فصعدتها ببعض الجهد، لأنها لم تهضم بعد الطعام الذي يستغرق وقتاً كي يصل من المعدة إلى العضلات، وفي حالتها هي فإن رأسها هو الذي يبدي المقاومة الأكبر. انزلق الباب منفتحاً بصخب. ماذا سأفعل الآن إن كان في الممر شخص ما، فكّرت زوجة الطبيب، ليس هناك أحد، لكنها راحت تسأل نفسها ماذا سأفعل، كان بوسعها عندما وصلت المخرّج أن تلتفت وتصرخ للعميان، هناك طعام عند

نهاية الممر، فالأدراج تقود إلى مخزن تحت الأرض، اغتنموا الفرصة فقد تركت الباب مفتوحاً. كان بوسعها فعل ذلك، غير أنها قررت ألا تفعل. أغلقت الباب بكتفها، وقالت في سرِّها أنه من الأفضل عدم قول شيء. تخيلوا ماذا سيحدث عندما يندفع كل العميان في هذا المكان كالمجانين، مكررين ما حدث في مشفى المجانين عندما اشتعلت فيه النار، سوف يتدحرجون على الأدراج، يُداسون ويُسحقون تحت أقدام الذين في المؤخرة، وهؤلاء بدورهم سيتعثرون ويسقطون، فالقدم لا تستقر على جسد زلق كما تستقر فوق أرض صلبة. وفكّرت لنفسها أنه عندما تنفد المؤونة، سيكون بوسعي العودة لأخذ المزيد. أمسكت الآن الأكياس بيديها، وأخذت نفساً عميقاً، وتقدّمت في الممر. لن يستطيعوا رؤيتها، لكن هناك رائحة الطعام الذي أكلته. السجق. يا لي من غبية، سوف تبقى الرائحة كأثر حي. صرّت بأسنانها. أمسكت الأكياس بكل ما تملك من قوّة، وقالت لنفسها، يجب أن أركض، وتذكّرت الأعمى الذي دخلت في ركبته نثرة زجاج، إن حدث الشيء نفسه، إذا لم أنتبه جيداً ودست على زجاج مكسور، ربما نسينا أن هذه المرأة حافية، ولم يتح لها الوقت للذهاب إلى حانوت أحذية مثل عميان المدينة الآخرين، الذين رغم تعاستهم بسبب عماهم، فقد استطاعوا أن يختاروا أحذية بواسطة اللمس. كان عليها أن تركض. وركضت. في البدء حاولت الانسلال من بين مجموعات العميان، جاهدت ألاّ تلمس أحدهم، لكن هذا أجبرها على السير ببطء، والتوقف عدّة مرات لتتحقق من خلوّ الطريق، وكان هذا كافياً لانتشار رائحة الطعام، لأنه ليس الشذا وحده فواحاً وأثيرياً. وفي الحال صاح أعمى، من الذي يأكل سجقاً هنا. ما إن قيلت هذه الكلمة حتى تخلّت زوجة الطبيب عن حذرها وانطلقت في ركض طائش، تصدم، تدفع بأكتافها، توقع الناس أرضاً. إنه موقف طائش تستحق

عليه توبيخاً، فليست هذه الطريقة التي يعامل بها العميان الذين لديهم أسباب أخرى كثيرة للتعاسة.

كان المطر مدراراً عندما وصلت إلى الشارع. هذا أفضل فكّرت، وهي تلهث، وساقاها ترتجفان، فسوف يمحو المطر الغزير أثر الرائحة. لقد انتزع أحدهم آخر خرقة كانت عالقة على جذعها العلوي. ها هي الآن تسير وثدياها عاريان متلألئان، وهذا تعبير مهذّب جداً، تحت ماء السماء، لم يكن ذلك هو اهتمام الناس الأول، والأكياس الملأى، لحسن الحظ، ثقيلة جداً على أن ترفعها عالياً كراية أمامها. وهذا غير مجدٍ إلى حد ما، ما دامت هذه الروائح المعذّبة تنتشر عاليا بحيث تجمع الكلاب في إثرها، طبعاً بدون أصحاب يرعونها أو يطعمونها. وهناك فعلاً رهط كلاب يتبع زوجة الطبيب. لتأمل ألا يتذكّر أحد هذه الكلاب ويعضّ الأكياس البلاستيكية مختبراً مقاومتها. في جوٍ ممطر كهذا، يكاد يصبح مطره طوفاناً، تتوقع أن يبحث الناس عن ملجأ، يأوون إليه ريثما يتحسن المناخ، لكن ليس الحال كذلك، فالعميان في كل مكان وقد فتحوا أفواههم يتلقّون فيها ماء السماء، يروون ظمأهم، يخزنون الماء في كلّ شق وركن من أجسادهم، وعميان آخرون على شرفات بيوتهم يتمتعون ببصيرة بعيدة إلى حدّ ما، وفوق كل شيء، حساسية مرهفة، يمسكون سطولاً، زبادي وطناجر، يرفعونها إلى السماء الكريمة. من الواضح أن الله يقدم غيوماً وفقاً لدرجة العطش. لم يخطر في ذهن زوجة الطبيب إمكانية جفاف التمديدات الصحيّة وأن نقطة واحدة من ذلك السائل النفيس لم تعد تجري منها في البيوت. وهذه هي إعاقة الحضارة، فقد أدمنّا الراحة التي تحققها لنا أنابيب المياه في بيوتنا، ونسينا أنه كي تصل المياه إلى بيوتنا، فيجب أن يكون هناك من يتحكم بصمامات التوزيع، فتحاً وإغلاقاً، وخزانات المياه

العالية، والمضخّات التي تحتاج إلى الطاقة الكهربائية، حواسيب تنظّم العُجوزات وتدوُر الاحتياطي، وكل هذه العمليات تحتاج إلى استخدام الأعين. كذلك نحن بحاجة إلى أعين كي نرى هذا المنظر، امرأة تحمل أكياساً بلاستيكية، تسير في شارع يغمره ماء المطر، وسط القمامة المنتنة، وغائط البشر والحيوانات، وسط سيارات من كل الأنواع، مهجورة، تسدّ الطريق الرئيسي، وقد أحاطت الحشائش بإطارات بعض العربات، والعميان، العميان فتحوا أفواههم ورفعوا رؤوسهم عالياً يحدّقون إلى السماء البيضاء، يبدو أمراً لا يصدّق أن يهطل المطر من سماء كهذه. وزوجة الطبيب تقرأ أمارات الشوارع وهي تعبرها، تتذكر بعضها، ولا تتذكر بعضها الآخر، وجاءتها لحظة عرفت فيها أنها ضلّت طريقها. لقد ضاعت، لا شك في الأمر. انعطفت، ثم انعطفت ثانية، لم تعد تتذكر الشوارع ولا أسماءها. عندئذٍ جلست، مكروبة، على أرض قذرة، يغطيها طين سميك أسود، وانفجرت في البكاء خائرة القوى، بل بلا حول أو قوّة، تجمعت حولها كلاب راحت تتشمم الأكياس البلاستيكية، لكن بدون اقتناع كبير، وكأن ساعة طعامها قد مضت. بدأ أحد الكلاب يلحس وجهها، ربما كان يُستخدم لتجفيف الدموع مُذ كان جرواً صغيراً. تربّت المرأة على رأسه، تمسح على ظهره المبلل؛ وتذرف دموعها الأخيرة وهي تحتضن الكلب. وعندما ترفع بصرها أخيراً، فليتبارك الصليب ألف مرّة، رأت أمامها خارطة كبيرة من النوع الذي علّقته بلدية المدينة في كل مراكز المدن، لا سيما لخدمة الزائرين الراغبين في معرفة مكان وجودهم في المدينة. الآن ربما لأن الجميع عميان، فقد ترى نفسك ميّالاً إلى الاعتقاد بأن كل شيء قد مضى إلى غير رجعة، لكن يجب أن تكون صبوراً، تترك الزمن يأخذ مجراه، يجب أن نكون قد تعلّمنا مرّة واحدة وإلى الأبد أن القدر سيتقلّب كثيراً قبل أن يصل أي مكان، والقدر وحده يعلم كم كلّف جلب هذه الخارطة إلى هنا

كي تعرف هذه المرأة أين هي من المكان الذي تقصده. لم تكن بعيدة جداً كما تصوّرت، إذ عليها ببساطة أن تدور في الاتجاه المعاكس، كل ما عليك فعله هو أن تسيري في هذا الشارع حتى الساحة، هناك تعدّين شارعين على اليسار، بعدئذٍ تسيرين في الشارع الثالث على اليمين، وذلك هو الشارع الذي تبحثين عنه، ولا تزالين تحفظين الرقم. تفرّقت الكلاب من حولها تدريجياً، لقد فرّقها شيء ما على الطريق، أو أنها قد ألفت المنطقة وهي مترددة في الابتعاد عنها، فقط الكلب الذي جفف دموعها بقي يرافق الشخص الذي جُفِّفت دموعه. ربما القدر هو الذي دبّر هذه المصادفة بين المرأة والخارطة، حتى مع الكلب أيضاً. دخلا الحانوت معاً. لم يندهش كلب الدموع من رؤية الناس نائمين على الأرض، رغم أنهم يمكن أن يكونوا موتى، لقد تعوّد ذلك، وكانوا يسمحون له أحياناً بالنوم بينهم، وعندما يحين وقت الاستيقاظ، يكونون جميعاً أحياء. استيقظوا إن كنت نائمين، قالت زوجة الطبيب، لقد أحضرت طعاماً، وكانت قد أغلقت باب الحانوت خشية من أن يسمعها أحد المارّة. كان الطفل الأحول أول من رفع رأسه إلاّ أن الوهن منعه من فعل شيء آخر. استغرق الآخرون وقتاً أطول، كانوا يحلمون أنهم حجارة، وكلنا يعرف كم هو عميق نوم الحجارة، إن نزهة بسيطة في الريف تثبت لنا ذلك. كانوا نائمين، نصف مدفونين، ينتظرون، من يعرف أي استيقاظ ينتظرون. مهما يكن فإن لكلمة طعام قوة سحرية، لا سيما عندما يكون الجوع شديداً. حتى كلب الدموع، الذي لا يعرف لغة، بدأ يهز ذيله. ذكّرته هذه الحركة الغريزية أنه لم يفعل بعد ما يُتوقّع أن يفعله كلب مبلل، أن ينتفض بقوّة، يبلل كل شيء حوله، فالأمر سهل جداً بالنسبة إلى الكلاب لأن جلدها أشبه بالمعطف. هطل عليهم، من السماء مباشرة، ماء مقدّس من أكثر الأنواع فاعلية، فساعد البلل الحجارة على أن تنتقل بنفسها إلى البشرية. بينما شاركت زوجة

الطبيب في عملية التحول هذه بفتح الأكياس البلاستيكية الواحد بعد الآخر، لم يَفُح كل كيس بما كان يحتويه، غير أن رائحة شرائح الخبز البائت ستكون جيدة، وبكلمات تفخيميّة، كجوهر الحياة نفسها. أخيراً، استيقظوا جميعاً، أيديهم ترتجف، وجوهم قلقة، عندئذٍ تذكر الطبيب، كما حدث مع كلب الدموع من قبل، إنه طبيب فقال، انتبهوا، الأفضل ألا تكثروا من الطعام، قد تؤذون أنفسكم. الجوع هو الذي يؤذينا، قال الأعمى الأول. انتبه إلى ما يقوله الطبيب، وبّخته زوجته. صمت الزوج وهو يفكّر باستياء مُنهّكٍ، إن هذا الطبيب لا يعرف شيئاً حتى عن الأعين. هذا كلام مجحف، لا سيما إن اعتبرنا أن الطبيب أعمى كالآخرين تماماً، ودليل ذلك أنه لم يعرف أن زوجته كانت عارية الجذع العلوي، إنما هي التي طلبت منه جاكيته كي تستر عرّيها. نظر العميان الآخرون صوبها، لكن بعد فوات الأوان. لو نظروا من قبل.

أخبرتهم المرأة وهم يأكلون، عن مغامراتها، عن كل ما حدث لها وعن كل ما فعلته، لكنها أغفلت أنها أغلقت باب المخزن، فلم تكن واثقة تماماً من الدوافع الإنسانية التي منحتها لنفسها، ولتعوّض ذلك أخبرتهم عن الأعمى الذي دخلت في ركبته نثرة زجاج، ضحكوا جميعاً من أعماق قلوبهم، حسنٌ، لم يضحكوا جميعاً، فلم يكن الطفل الأحول ينصت إلى أي شيء غير صخب جرش الطعام بين أسنانه. نال كلب الدموع نصيبه من الطعام، وردّ الجميل فوراً إذ إنه ينبح بقوّة عندما كان أي شخص يهز باب الحانوت من الخارج بقوّة. أيّاً كانوا، فلم يصرّوا على دخول الحانوت، فهناك نباح كلاب، أن أضع قدمي في مكان لا أعرفه، فهذا يجعلني مجنوناً. استُعيد الهدوء، وعندئذٍ أخبرتهم زوجة الطبيب وبعد أن هدأ جوع الجميع، عن الحوار الذي جرى بينها وبين الأعمى الذي خرج من هذا الحانوت ليعرف إن كانت السماء تمطر أم لا، ثم خلصت

إلى القول، إن كان أخبرني الحقيقة، فليس بوسعنا الجزم بأننا سنجد بيوتنا كما تركناها، حتى إننا لا نعرف إن كنا سنستطيع دخولها. أقصد أولئك من نسوا أن يجلبوا معهم مفاتيح بيوتهم عند مغادرتها، أو من فقدوها، فنحن مثلاً، فقدناها، اختفت في الحريق، ومن المستحيل إيجادها الآن وسط كل ذلك الرماد. نطقت تلك الكلمات وكأنها كانت ترى ألسنة اللهب تلتهم مقصّها، تَلتَهم أولاً الدم المتخثّر عليه، ثم الحدين والرأسين المدببين، تُثلمهما، وتذهب تدريجياً بحدّيهما الماضيين، ثم تذهب بصلابته، تجعله ليّناً، عديم الشكل، ولن يصدّق أحد أن هذه الآلة استطاعت أن تخترق حنجرة شخص ما، فعندما تنجز النار مهمّتها سيغدو مستحيلاً أن نميّز في كتلة المعدن المنصهر تلك، المقص عن المفاتيح. إن المفاتيح معي، قال الطبيب، وأدخل بحركة خرقاء، ثلاثة أصابع في جيب بنطلونه الداخلية تحت الخصر، وأخرج حلقة معدنية صغيرة فيها ثلاثة مفاتيح. كيف حصلت عليها وقد وضعتها أنا في الحقيبة التي تركناها هناك. لقد أخرجتها من الحقيبة، كنت خائفاً أن تضيع، شعرت أنها ستكون أكثر أماناً إن أبقيتها دائماً في حوزتي، ثم إنها كانت طريقة لإقناع نفسي أننا سنعود يوماً ما. إنه لشيء مريح أن تحتفظ بالمفاتيح، لكننا قد نجد باب البيت محطماً. وربما لم يحاولوا ذلك. لقد نسيا، للحظة، وجود الآخرين، غير أنهما وجدا أنه من المهم الآن أن يعرفا ماذا حدث لمفاتيح كلٍّ من الآخرين. لقد بقي والديَّ في البيت عندما حضرت سيارة الإسعاف وأخذتني، قالت الفتاة ذات النظار السوداء، أوّل المتحدثين، ولا أعرف ماذا جرى لهما في ما بعد. كنت في البيت عندما عميت، قال الكهل ذو العين المعصوبة، قرعوا بابي، أخبرني مالك بيتي أن هناك بعض الممرضين يبحثون عني، ولم تكن تلك لحظة للتفكير في المفاتيح. لم يبق إلا زوجة الأعمى الأول التي قالت بدورها، لا أستطيع الإدعاء بأني نسيتها، كانت تعرف وتذكر ما

جرى، بيد أن ما لم تودّ ذكره هو أنها عندما رأت نفسها عمياء فجأة، وهذا تعبير فارغ، إلا أنه متجذّر عميقاً في اللغة التي ليس بوسعنا تجنبها، هرولت خارجة من المنزل وهي تولول، تصيح على جيرانها المتبقين في البناية والذين فكروا مرتين قبل أن يهبّوا إلى مساعدتها، هي التي أظهرت رباطة جأش ومقدرةً عندما لاقى زوجها مصيره المشؤوم هذا، فقد انهارت الآن، تركت باب منزلها مفتوحاً، حتى أنه لم يخطر ببالها أن تطلب منهم اسمحوا لي بعدّة ثوانٍ لأذهب وأغلق باب بيتي ثم أعود إليكم فوراً، لم يسأل أحد الطفل الأحول عن مفتاح بيته، بما أنه لا يستطيع أن يتذكر حتى العنوان. عندئذٍ لمست زوجة الطبيب بلطف يد الفتاة ذات النظارة السوداء وقالت، دعينا نبدأ بمنزلكم فهو الأقرب، لكن في البداية يجب أن نجد بعض الثياب والأحذية، فليس بوسعنا التجوّل بهذه الأسمال ومن دون استحمام، همّت بالنهوض، غير أنها لاحظت أن الطفل الأحول، وقد هدأ جوعه ونال نصيبه من المواساة، قد نام ثانية. دعونا نستريح وننام قليلاً إذاً، وبعدئذٍ بوسعنا أن نذهب ونرى ماذا ينتظرنا. خلعت تنورتها المبللة، ثم تضامّت إلى زوجها طلباً للدفء، وفعل الأعمى الأول وزوجته الشيء نفسه، هذه أنت، سألها، فتذكرت بيتهما وآلمتها الذكرى. لم تقل له، واسني، لكن يبدو أنها فكّرت في الأمر. ما لا نعرفه هو أي شعور ذلك الذي قاد يد الفتاة ذات النظارة السوداء إلى أن تضع ذراعها حول كتفي الكهل ذي العين المعصوبة، لكن لا شك في أنها فعلت ذلك، وبقيا على تلك الحالة، وغفيت هي بينما بقي هو مستيقظاً. انطلق الكلب واستلقى أمام الباب، سادّاً المدخل، إنه حيوان فظ، سريع الغضب عندما لا يكون مضطراً لتجفيف دموع شخص ما.

لبسوا ثياباً وأحذية. بقي أن يغتسلوا، بيد أنهم يبدون الآن مختلفين

تماماً عن العميان الآخرين، بألوان ثيابهم هذه، رغم الندرة النسبية لتشكيلة الألوان المعروضة، وعلى رأي المثل المتفق عليه، فإن الفاكهة بالنظر، وتلك هي فائدة وجود من ينظر إلى هندامنا وينصحنا، البس هذا، فهو يناسب هذا البنطلون أكثر، المخطط لا يناسب المرقط، إن تفاصيل كهذه، بالطبع، ضئيلة القيمة بالنسبة إلى الرجال، غير أن الفتاة ذات النظارة السوداء، وزوجة الأعمى الأول أصرّتا أن تعرفا ألوان وموديلات ما تلبسانه فهكذا، وبمساعدة مخيلتيهما، تستطيعان تخيّل منظرهما. اتفق الجميع، في ما يخص الأحذية، أنه يجب مراعاة الراحة في الحذاء لا الشكل الجميل، جلد البقر، أو الجلد اللمّاع، وإذا أخذنا حال الشوارع في الحسبان فإن انتقاءات كهذه لا معنى لها، فهم بحاجة هنا إلى أحذية مطاطية، عازلة تماماً للماء، وتصل منتصف الساق، سهلة اللبس والخلع أيضاً، وليس هناك أفضل منها للسير في الوحل، لسوء الحظ. لا يمكن إيجاد جزمات كهذه للجميع، ولم يجدوا كذلك جزمة مناسبة للطفل الأحول، فإن القياس الأكبر، مثلاً، كان مثل الجزمة بالنسبة إليه، هكذا اضطر إلى أن يلبس حذاءً رياضياً لا على التعيين. أيّ مصادفة هذه، ستقول والدته، عندما سيخبرها أحد ما بما جرى، لأنه لو كان طفلها قادراً على الرؤية لاختار ذلك الحذاء عينه. والكهل ذو العين المعصوبة الذي كانت قدماه من القياس الأكبر، حلّ مشكلته بأن لبس حذاءً رياضيا خاصاً بلاعبي كرة السلة، صنع خصيصاً لمن يبلغ طولهم ستة أقدام، صحيح أنه يبدو مضحكاً إلى حدّ ما، وكأنه يلبس خفاً أبيض، غير أن هذا المنظر الغريب لن يطول كثيراً، فخلال عشر دقائق سيصبح الحذاء قذراً، ككل شيء آخر في الحياة، لندع الزمن يأخذ مجراه وسيكون هناك حل.

توقف هطل المطر، لم يعد هناك عميان واقفون فاغرو الأفواه.

لقد مضوا لا يلوون على شيء، يهيمون في الشوارع قليلاً، فالوقوف والجلوس سيّان بالنسبة إليهم، فليس لديهم غاية أخرى سوى البحث عن الطعام. لقد توقفت الموسيقا. لم يعرف العالم صمتاً كهذا، وأصبحت دور السينما والمسرح ملجأ لمن لا مأوى له، وكفَّ عن البحث عن مأواه، أما دور المسارح الأكبر فقد استخدمت كمحاجر صحيّة من قبل الحكومة، أو القلة القليلة من المبصرين، لاعتقادهم المستمر أن المرض الأبيض قد يمكن علاجه بوسائل واستراتيجيات معيّنة لم تكن فعالة في ما سبق في مواجهة الكوليرا والأوبئة الأخرى المُعدية. لكن هذا انتهى، حتى أنه لم تكن هنا حاجة إلى حريق. أما وضع المتاحف فكان مؤسياً حقيقة، فكل أولئك الناس، وأعني الناس بكل ما في الكلمة من دلالة، كل تلك الرسومات والمنحوتات، من دون أي زائر يقف أمامها. ما الذي ينتظره العميان في هذه المدينة، من يعرف. ربما ينتظرون علاجاً إذا ما كانوا لا يزالون يعتقدون في ذلك، غير أنهم فقدوا كلّ أمل فيه عندما أشيع خبر انتشار وباء العمى ليشمل جميع من في المدينة، ولم يبق هناك من يستطيع النظر عبر عدسات المجاهر، وهجرت المختبرات جميعاً، ولم يعد أمام البكتريات فيها إلا أن يلتهم بعضها بعضاً إن هي نشدت الأمل في الحياة. في البداية كان الأقارب ومن تبقى لديهم حسّ بالتعاضد الأسري يرافقون المحتجزين العميان إلى المشافي، غير أنهم وجدوا هناك أطباء عمياناً يجسّون نبض مرضى لا يستطيعون رؤيتهم، فيستجوبونهم عن شكاواهم وذلك كل شيء، بما أنهم لا يزالون قادرين على السمع. بعدئذٍ بدأ أولئك القادرون على السير يهربون، بعد أن شعروا بوخز الجوع، ليموتوا في الشوارع من دون أي حماية، فأسرهم، لو كانت لهم أسر، قد تكون في أي مكان آخر، لكانت قامت بدفنهم، أضف إلى ذلك، لو أن جثثهم اقتصرت على شارع رئيسي ما. ولا غرابة من رؤية هذا الكم من الكلاب وبعضها يشبه الضباع، وعلى

بطونها بقع تشبه الدمامل المتعفنة، تركض وكأن قوائمها الخلفية قد قَصُرتْ، كأنها خائفة أن الموتى والنافقين قد يعودون إلى الحياة كي يجعلوها تدفع ثمن عارها الذي ارتكبته بحق من عضّت من العاجزين عن الدفاع عن أنفسهم. كيف يبدو العالم هذا الآن، سأل الكهل ذو العين المعصوبة، فقالت زوجة الطبيب، لا فرق بين داخل المحجر وخارجه، بين هنا وهناك، بين القلّة والكثرة، بين ما نمرّ به الآن وما سنمرّ به. والناس، كيف سيواجه الناس هذه الحالة، سألتها الفتاة ذات النظارة السوداء، إنهم يسيرون كالأشباح، لا بدّ أن هذه هي الحالة التي أطلقت عليها تسمية شبح، أن يكون المرء واثقاً أن الحياة موجودة، يعيشها بحواسه الأربع، كما نسميها، ومع ذلك لا يستطيع أن يراها. هل يوجد كثير من السيارات، سأل الأعمى الأول الذي لم يستطع أن ينسى سيارته التي سرقت. إن ما أراه أشبه بمنظر مدفن سيارات. لم يسأل الطبيب ولا زوجة الأعمى الأول أيّ أسئلة –ما الفائدة منها، ما دامت الأجوبة على هذه الشاكلة. أما بالنسبة إلى الطفل الأحول، فقد حقق رغبته في ارتداء الحذاء الذي طالما حلم به، حتى أن حقيقة عجزه عن رؤيته لم تزعجه كثيراً. ربما هذا هو السبب في أنه لا يبدو كالشبح. ولن نستطيع وصف كلب الدموع الذي يتبع أثر زوجة الطبيب بأنه ضبع، فهو لا يقتفي رائحة الجثث، بل يرافق زوج عينين يعرف أنهما سليمتان وتنبضان بالحياة.

إن بيت الفتاة ذات النظارة السوداء ليس بعيداً، غير أن أفراد هذه المجموعة الذين تضوّروا جوعاً طوال الأسبوع الماضي، بدأوا يستعيدون قواهم الآن فقط، ولذلك يسيرون ببطء، فإن أرادوا أن يستريحوا فلا خيار أمامهم سوى الجلوس على الأرض. وما كان ينبغي أن يهتموا كثيراً في اختيار الألوان والموديلات، إذا ما كانوا

سيلوثون ثيابهم خلال وقت قصير كهذا. لم يكن الشارع الذي تقطن فيه الفتاة ذات النظارة السوداء قصيراً فحسب، بل ضيّقاً، وهذا يفسّر عدم وجود سيارات هنا، فالشارع وحيد الاتجاه، بالنسبة إلى حركة المرور، ولا مكان فيه لصف السيارات، بل إن وقوفها فيه ممنوع، ولا غرابة أيضاً أنه مقفر من البشر، ففي شوارع كهذه يمكن أن تمرّ لحظات عديدة خلال النهار لا ترى فيها كائناً يتحرك. ما هو رقم منزلكم، سألتها زوجة الطبيب. نسكن في الطابق الثاني، في الشقة اليسرى. كانت إحدى النوافذ مفتوحة، وهذا، في أي وقت آخر، يعني وجود شخص ما في البيت، لكن لا شيء مؤكّداً الآن. لا داعي لصعودنا جميعاً، قالت زوجة الطبيب سنصعد أنا وهي فقط، انتظرونا هنا. لاحظت زوجة الطبيب أن باب البناية الأمامي، المفضي إلى الشارع، قد فُتح عنوة وقفله مكسور، وانتزعت شظية كبيرة من إطار الباب. لم تذكر زوجة الطبيب شيئاً من هذا للفتاة، وتركتها تسير أمامها بما أنها تألف المكان، ولم تذكر لها العتمة التي تلفّ مطلع الدرج. تعثّرت الفتاة مرتين بسبب تسرّعها العصبي، لكنها ضحكت من نفسها. تخيّلي أن الدرج الذي كان بوسعي صعوده ونزوله وأنا مغمضة العينين، هكذا هي الكليشات عديمة الحساسية تجاه شفافية المعنى، وهذه الكليشة، على سبيل المثال، لا تعرف الفرق بين أن يكون المرء أعمى أو مغمض العينين. على مصطبة الطابق الثاني، وجدتا الباب الذي بحثتا عنه، مغلقاً. مررت الفتاة يدها فوق الإطار الخشبي حتى وجدت زر الجرس. الكهرباء مقطوعة ذكّرتها زوجة الطبيب. تلقت الفتاة هاتين الكلمتين اللتين تفيدان بما يعرفه الجميع، كرسالة مُحبطة. خبّطت بيدها على الباب، مرّة واثنتين وثلاثاً، كانت الخبطة الأخيرة قويّة صاخبة، إذ إنها خبطت بقبضتها وهي تصرخ، ماما، بابا. لم يفتح لها الباب أحد. لا تغيّر هذه الكلمات المحببة شيئاً من الواقع، فلم يخرج أحد ليقول لها، ابنتي الغالية، عُدتِ

أخيراً، كنا فقدنا الأمل في رؤيتك ثانية، ادخلي، ادخلي، ولتدخل هذه السيدة التي ترافقك، أيضاً. البيت غير مرتب قليلاً، لا تهتما لذلك. بقي الباب موصدا. لا أحد هنا، قالت الفتاة. اتكأت على الباب بساعديها المتقاطعين، ثم وضعت جبينها فوقهما وأجهشت في البكاء، وكأنها تلتمس، بائسة، الشفقة بكيانها كله. إن لم تكن خبرتنا كافية لفهم درجة تعقيد النفس البشرية، فسوف نندهش من ولعها بوالديها لدرجة أن تنغمس في مظاهر الأسى هذه، لا سيما أنها فتاة حرّة جداً في سلوكها، بيد أنه ما من أحد أكد أنه يوجد أو قد وُجِد في ما مضى تعارضٌ بين هذين الأمرين. حاولت زوجة الطبيب مواساتها، غير أنها لم تجد الكثير مما تقوله لها، فمن المعروف جيداً أنه من المحال عملياً أن يبقى الناس في بيوتهم لفترة طويلة. بوسعنا أن نسأل الجيران إذا كان أحدهم موجوداً، اقترحت زوجة الطبيب. نعم، هيا بنا، ردّت الفتاة. وراحتا تخبطان على الباب المجاور، لكن لا جواب أيضاً. في الطابق الثالث وجدتا بابي الشقتين مفتوحين. لقد نهبت الشقتان، كانت الخزائن فارغة، فلم تجدا شيئاً في خزائن المؤن، وكل العلائم تدل على أن شخصاً ما كان هنا مؤخراً، لا شك أنهم مجموعة متشردين، باعتبار أن هذه هي حال الناس، إلى هذا الحد أو ذاك، هذه الأيام، ينتقلون من بيت إلى آخر، من غياب إلى آخر.

هبطتا إلى الطابق الأول، طرقت زوجة الطبيب البابَ الأقرب إليها، وكان هناك الصمت المتوقّع، وبعدئذٍ صوت أجش يسأل بريبة، من الطارق. تقدمت الفتاة ذات النظارة السوداء إلى الأمام وقالت، هذه أنا، جارتك في الطابق الثاني، إني أبحث عن والديَّ، أتعرفين أين يمكن أن أجدهما، ماذا جرى لهما. سمعتا جرجرة قدمين، انفتح الباب وظهرت امرأة عجوز نحيلة، لقد هزلت ولم يبق منها سوى الجلد والعظم، وشعرها

الأبيض أشعث. تراجعت المرأتان إلى الوراء بسبب رائحة مغثية وتعفُن تصعب معرفة ماهيّته. فتحت العجوز عينيها على اتساعهما، كانتا بيضاوين تقريباً. لا أعرف شيئاً عن والديك، لقد حضروا وأخذوهما بعدك بيوم واحد، كنت لا أزال أرى في ذلك الوقت. هل يوجد غيرك في البناية. أسمع من حين إلى آخر ناساً يصعدون ويهبطون الأدراج، إنهم غرباء، ويأتون إلى هنا للنوم فقط، وماذا عن والديَّ. لقد أخبرتك للتو أني لا أعرف عنهما شيئاً، أخذوهما أيضاً. لكنهم لم يأخذوك، لماذا. لأني اختبأت. أين. احزري، في شقتكم. كيف استطعت دخولها. عبر باب الحريق والطوارئ كسرت زجاج النافذة وفتحت الباب من الداخل، كان المفتاح في القفل. وكيف تدبّرت أمر معيشتك وحيدة منذ ذلك الوقت، سألتها زوجة الطبيب. مَنْ هناك أيضاً، سألت العجوز المرتعبة وأدارت رأسها. إنها صديقتي، واحدة من مجموعتي، طمأنتها الفتاة. إن الأمر لا يقتصر على العيش بمفردك، بل كيف تدبّرت أمر الطعام أيضاً خلال هذه الفترة، أصرت زوجة الطبيب على سؤالها. الحقيقة هي أني لست مجنونة وبوسعي تدبّر شؤوني. لست ملزمة بالإجابة إذا كنت لا تريدين، فأنا أسأل بدافع الفضول فقط. سأخبرك إذاً، في البدء دخلت كل الشقق وجمعت كل طعام وجدته، أكلت ما يمكن أن يفسد بسرعة، واحتفظت بالباقي. ألا يزال لديك بعض الطعام، سألت الفتاة. كلا لقد نفد، أجابت العجوز، وفي عينيها العمياوين تعبير عدم ثقة مفاجئ. وهذه صيغة إنشائية تستخدم دائماً في حالات مشابهة، لكن لا أساس لها في الواقع، لأن العينين، بالدلالة الدقيقة للكلمة، خاليتان من التعبير، حتى إذا اقتُلِعتا فَهما مجرد شيئين مدوّرين يبقيان جامدين، إنها الجفون، الرموش والحاجبان هي التي تأخذ على عاتقها إيصال الفصاحات والإطنابات البصرية المختلفة، ومع ذلك فإن هذا يُنسب بشكل طبيعي إلى الأعين. ماذا تأكلين الآن إذاً، سألت زوجة الطبيب.

إن الموت يجتاح الشوارع، بيد أن الحياة تسري في الحدائق الخلفية، قالت العجوز بغموض. ماذا تقصدين. أقصد أنه في الحدائق الخلفية يوجد ملفوف، أرانب، دجاج، وزهور أيضاً لكن هذه ليست للأكل، كيف تتدبرين أمورك. هذا يتوقف على الظرف، فأحياناً أقطف بعض الملفوف، وأحياناً أخرى أقتل أرنباً أو دجاجة وآكلهما. نيّئين. في البداية كنت أشويهما، لكن اعتدت في ما بعد على اللحم النيّئ، ثم أن سوق الملفوف حلوة. لا تقلقا عليَّ فإن ابنة أمي لن تموت من الجوع. خطت خطوتين إلى الوراء، حتى أنها كادت تغيب تقريباً في عتمة المنزل، ولم يبق منها مرئياً سوى بياض عينيها المتألق، ثم قالت من الداخل، إن كنت تودين الصعود إلى بيتكم، فلن أمنعك، هيا انطلقي. أوشكت الفتاة ذات النظارة السوداء أن تقول، لا شكراً، لا يستحق الأمر ذلك العناء، فما الفائدة ما دام والدايّ غير موجودين، لكنها شعرت فجأة برغبة في رؤية غرفة نومها، أن أرى غرفتي، كم أنا غبية، كيف أرى وأنا عمياء، لكن على الأقل لألمس الجدران، غطاء السرير، الوسادة التي اعتدت أن أريح رأسي المجنون عليها، ألمس الأثاث، ربما لا تزال الورود في مزهرية تتذكرها، فوق سطح الكومودينة، إن لم تكن العجوز قد أوقعتها على الأرض، وأزعجتها فكرة أن تكون قد أكلتها. قالت، حسناً، أقبل عرضك، إن لم يكن يزعجك الأمر، هذا لطف منك، تفضلي، تفضلي بالدخول، لكن لا تفكري بالطعام، فما لديّ لا يكاد يكفيني، إضافة إلى أنه لن يناسبك إن كنت لم تتعوّدي على أكلّ اللحم النيئ. لا تقلقي فلدينا طعام. آه، لديكم طعام إذاً، في هذه الحال يمكنكم أن تكافئوني بقليل منه. سنعطيك بعض الطعام، لا تقلقي قالت زوجة الطبيب. كانتا قد تجاوزتا الممر عندما أصبحت رائحة النتن غير محتملة، وفي المطبخ الذي يضيئه نور النهار الشاحب، شاهدتا على الأرض جلد أرنب، ريش دجاج، عظاماً، وعلى الطاولة في طبق قذر يغطيه الدم الجاف، قطع

لحم يصعب تمييزها، تبدو كأنها قد مُضِغَت مراراً وتكراراً. ماذا تأكل الأرانب والدجاج إذاً، سألتها زوجة الطبيب. ملفوف جزر، أعشاب، وأيّ فضلات ترمى لها، قالت العجوز. لا تقولي لنا إن الأرانب والدجاج تأكل لحماً. الأرانب لم تأكله بعد، غير أن الدجاج يأكله بشهيّة، فالحيوانات كالبشر، تتعوّد كل شيء في نهاية المطاف. تقدّمت العجوز بخطا ثابتة، من دون تلكؤ، وأزاحت كرسياً من طريقهما وكأنها تستطيع رؤيتها، ثم أشارت إلى الباب المفضي إلى درج الطوارئ. من هنا، انتبها كي لا تنزلقا، فالدرابزون غير آمن كثيراً. وكيف نفتح الباب، سألت الفتاة ذات النظارة السوداء. ادفعيه إلى الداخل، المفتاح هنا في مكان ما. إنه معي، كادت أن تقول الفتاة، لكنها استدركت في اللحظة نفسها أن هذا المفتاح لن يفيدها، إن كان والداها، أو أي شخص آخر قد أخذ المفاتيح الأخرى، مفاتيح الباب الأمامي، فليس بوسعها أن تطلب من هذه الجارة السماح لها بالدخول والخروج إلى بيتهم مروراً ببيتها كلما أرادت ذلك. شعرت بقلبها ينقبض قليلاً، ربما لأنها كانت على وشك الدخول إلى البيت لتكتشف غياب والديها، أو لأي سبب آخر.

كان البيت نظيفاً ومرتباً، لم يكن الغبار فوق الأثاث سميكاً، وهذه إحدى فوائد المناخ الممطر، إضافة إلى أنه ساعد على استمرار نمو الملفوف والخضار. في الواقع، إن الحدائق الخلفية، عندما تراها من علٍ، قد أذهلت زوجة الطبيب فقد بدت لها كأجمات في لوحة. هل تستطيع الأرانب أن تركض داخلها بحريّة، غير محتمل على الأرجح، ستبقى محبوسة في خن الأرانب بانتظار أوراق الملفوف ثم تمسكها من أذنيها وتتركها متدلية ترفس الهواء بقدميها بينما اليد الأخرى تعدّ للضربة العمياء التي ستكسر فقراتها الرقبية. دخلت الفتاة إلى الشقة منقادة إلى إرشاد ذاكرتها، تماماً كالعجوز في الطابق الأول، لم تتعثّر أو تتردد.

كان سرير والديها غير مرتب، لا بدّ أنهم جاؤوا لاعتقالهم صباحاً، جلست على السرير وأجهشت في البكاء. اقتربت منها زوجة الطبيب وجلست بقربها، لا تبكي، قالت لها، وماذا بوسعها أن تضيف على ذلك. ماذا تعني الدموع عندما يفقد العالم كل المعاني. في غرفة الفتاة وعلى سطح الكومودينة كانت الورود ذابلة في المزهرية، فقد تبخّر الماء، امتدت يداها العمياوان إلى المزهرية، لامست البتلات الميّتة بأصابعها، كم هي هشّة الحياة عندما تُهجر. فتحت زوجة الطبيب النافذة ونظرت إلى الشارع، إنهم جميعاً تحت، جالسون على الأرض، ينتظرون بصبر. كان كلب الدموع المخلوق الوحيد الذي رفع رأسه إلى الأعلى مستجيباً لسمعه الرهيف، السماء تتلبد بالغيوم من جديد، بدأت تظلم، الليل يقترب. فكّرت أن لا حاجة بهم اليوم إلى البحث عن مأوى يستطيعون النوم فيه، سيمضون الليلة هنا. لن تُسَرّ العجوز إن بدأ الجميع في الدخول والخروج عبر بيتها، دمدمت لنفسها. وفي اللحظة ذاتها لمست الفتاة كتفها وقالت، انظري وجدت المفاتيح في قفل الباب، لم يأخذاها معهما. إن كانت هناك معضلة فقد انجلت، لن يكون عليهم احتمال مزاج العجوز النكد. سأنزل لأنادي الجميع، سيحلّ الليل قريباً، كم هو جميل أننا اليوم، أخيراً، سيكون بوسعنا أن ننام في بيت خاص يظلّل سقفه رؤوسَنا، قالت زوجة الطبيب. بوسعك أنت وزوجك أن تناما في سرير والديّ. سنبحث الأمر في ما بعد. أنا في بيتي الآن، فأنا من يصدر الأوامر هنا، أنت محقة، قالت زوجة الطبيب، لك ما تشائين، ثم نزلت لتحضر الآخرين. صعدوا الأدراج، يثرثرون بانفعال، ومن حين لآخر يتعثرون بالدرجات رغم أن مرشدتهم قد أخبرتهم أن هناك عشر درجات في كل شاحط. بدا الأمر وكأنهم قد حضروا إلى هنا في زيارة. تبعهم كلب الدموع بهدوء، وكأنه يكرر فعلاً يومياً. نظرت الفتاة ذات النظارة السوداء من فوق المصطبة إلى الأسفل، هذا فعل تقليدي نقوم

به عندما يكون شخص ما يصعد الأدراج، لنعرفه إن كان غريباً، وللترحيب به إن كان صديقاً. أما الآن، وفي هذه الحالة، فلا حاجة للعينين لمعرفة القادمين. ادخلوا، ادخلوا واستريحوا. خرجت عجوز الطابق الأول إلى الباب لتحدّق بفضول، فقد ظنّتهم بعض الرعاع الذين جاؤوا للنوم، ولم تكن مخطئة. مَنْ هناك سألت. ردت عليها الفتاة من الأعلى، إنها مجموعتي. اندهشت العجوز كيف استطاعت الفتاة أن تصل المصطبة، بعدئذٍ اكتشفت التفسير بنفسها وانزعجت لأنها نسيت أن تنزع المفاتيح من قفل الباب الأمامي، بدا الأمر وكأنها فقدت حقوقها التملكية على هذه البناية التي كانت ساكنتها الوحيدة، منذ أشهر عدّة. لم تجد أي تعويض عن إحباطها المفاجئ أفضل من أن تفتح الباب وتقول، تذكري أنك وعدتِ بإعطائي بعض الطعام، لا تنسي وعدك. وبما أن الفتاة وزوجة الطبيب المشغولتين الأولى باستقبال القادمين، والثانية بإرشادهم، لم تردّا عليها، صاحت العجوز بصوت هيستيري، هل تسمعانني. لقد أخطأت لأن كلب الدموع كان يمر من أمامها في تلك اللحظة تماماً، فوثب ناحيتها وبدأ ينبح غاضباً، رجَّع فراغ الأدراج صدى الصخب، كان مطبقاً، اندفعت العجوز متراجعة إلى داخل شقتها، وصفقت الباب خلفها. مَنْ تلك الحيزبون، سأل الكهل ذو العين المعصوبة، هذه أشياء نتفوّه بها عندما لا نعرف كيف ننظر إلى أنفسنا جيداً. سيسرنّا أن نرى، لو عاش كما عاشت، إن كان سلوكه الحضاري سيدوم طويلاً. لم يكن في البيت سوى الطعام الذي جلبوه معهم في الأكياس، سيضطرون إلى التقتير فيه حتى آخر لقمة. أمّا بالنسبة إلى الإضاءة، فقد وجدوا لحسن حظهم، شمعتين في خزانة المطبخ، وضعتا هناك للاستخدام عندما تنقطع الكهرباء، فأشعلتهما زوجة الطبيب لنفسها. فالآخرون لا يحتاجونها، فأضواؤهم داخل رؤوسهم، وقويّة لدرجة أنها أعمتهم. رغم ضآلة حصة الطعام التي

تناولوها، فقد كانت كوليمة عائلية، واحدة من تلك الولائم النادرة التي يتشارك فيها الجميع كل شيء، لقمتك هي لقمة الآخرين والعكس صحيح أيضاً. وقبل أن يتناولوا طعامهم، نزلت زوجة الطبيب والفتاة إلى الطابق الأول، ذهبتا للوفاء بوعدهما إن لم يكن الأكثر دقّة أن نقول إنهما نزلتا لتلبية طلب، دفع طعام مقابل مرورهما عبر الممر الجمركي ذاك. استقبلتهما العجوز مولولةً، مكفهرة الوجه، أنها نجت بمعجزة ولم يمزقها ذلك الكلب اللعين. لا بدّ أن لديكما كثيراً من الطعام كي تستطيعا إطعام حيوان مثله، لمّحت لهما، وكأنها تتوقع باتهامها هذا أن تثير لدى هاتين المبعوثتين ما نسميه ندماً، ما يمكن أن تقوله، حقيقة، إحداهما للأخرى، ليس من الإنسانية في شيء أن نترك هذه العجوز تموت من الجوع بينما يلتهم ذلك الحيوان الأخرس الفضلات. لم تعد المرأتان لجلب المزيد من الطعام، فما حملتاه لها كان حصةً كريمةً جداً، إذا ما أخذنا في الحسبان صعوبة ظروف الحياة الحالية، والغريب في الأمر هو طريقة تقويم العجوز في الطابق الأول للوضع، ففي نهاية المطاف، إنها أقل لؤماً مما بدت عليه. دخلت إلى الشقة لتجلب مفتاح الباب الخلفي وقالت للفتاة، خذيه إنه لك، وكأن هذا ليس كافياً، فراحت تدمدم وهي تغلق الباب شكراً جزيلاً. عادت المرأتان، صعدتا الأدراج وهما مذهولتان، فالحيزبون تمتلك مشاعر في نهاية الأمر. لم تكن شخصاً سيئاً. لا بدّ أن عيشها وحيدةً قد شوّشها، قالت الفتاة، وبدأ أنها لم تكن تفكّر في ما تقول. لم تعلّق زوجة الطبيب، قررت أن ترجئ المناقشة إلى وقتٍ لاحق. أوى الآخرون إلى الأسرّة، وبعضهم نائم، فجلست المرأتان في المطبخ كأم وابنتها تحاولان استجماع قواهما من أجل إنجاز الأعمال المنزلية الأخرى. سألت زوجة الطبيب، وأنت، ماذا ستفعلين الآن. لا شيء، سأنتظر هنا حتى يعود والداي. وحيدة وعمياء. لقد تعوّدت العمى. وماذا عن الوحدة. يجب أن أتقبلها، فالعجوز

في الطابق الأول تعيش بمفردها أيضاً. لا أظنك تريدين أن تصبحي مثلها، تأكلين الملفوف واللحم النيّئ، ما داما متوفرين، يبدو أن لا أحد يعيش في هذه الأبنية من حولكما، سوف تكونان وحيدتين، وتكره إحداكما الأخرى خشية أن ينفد الطعام، فكل عرق أخضر ستقطفه إحداكما سيكون بمنزلة انتزاع اللقمة من فم الأخرى، فأنت لم تري تلك العجوز المسكين، إنما شممت رائحة النتن المنبعثة من شقّتها، وبوسعي أن أؤكد لك أن الوضع هناك حيث كنا محتجزين لم يكن سيّئاً إلى هذا الحد. سنصبح مثلها عاجلاً أم آجلاً، وعندئذٍ سينتهي كل شيء، ستنتهي الحياة. إننا لا نزال أحياءً الآن. اسمعي أنت تعرفين أكثر مني، بالمقارنة معك أنا مجرّد فتاة جاهلة، لكن برأيي أننا أموات الآن، إننا عميان لأننا أموات، وإن أردتني أن أقولها بطريقة أخرى، إننا أموات لأننا عميان، والنتيجة واحدة في الحالتين. ما زلت قادرة على الرؤية. إنكِ محظوظة، زوجك محظوظ، وأنا والآخرون، غير أنك لا تعرفين كم سيدوم ذلك، وإذا ما عميت فستكونين مثلنا جميعاً، وكلنا سنؤول إلى ما آلت إليه عجوز الطابق الأول. لنعش اليوم لأن ما يخبئه لنا الغد سنراه غداً. إن مسؤوليتي هي تجاه اليوم، لا الغد وإذا ما كنت سأعمى غداً. ماذا تقصدين بقول مسؤوليتي. أقصد مسؤولية امتلاك بصري في حين فقده الآخرين. لا يسعك أن تأملي في إرشاد الآخرين أو إطعام كل العميان في هذا العالم. ينبغي أن آمل. لكنك لا تستطيعين. سأفعل ما بوسعي. طبعاً ستفعلين، فلولاك ربما ما كنت الآن على قيد الحياة. ولا أريدك أن تموتي الآن. يجب أن أبقى، فهذا واجبي، أريد أن يجدني والدايّ إذا عادا. إذا عادا، أنت نفسك قلتها، وليس لدينا وسيلة لنعرف إذا ما كانا لا يزالان والديك. لا أفهمك. لقد قلتِ إن الجارة في الأسفل طيّبة القلب، إمرأة مسكينة. والداك مسكينان، أنت مسكينة، وعندما تتقابلون ستتقابلون عمياناً، أعيناً عمياء، ومشاعر عمياء، لأن المشاعر التي

عشنا بها وجعلنا نعيش كما كنّا نعيش كانت قائمة على امتلاكنا الأعين البصيرة التي ولدنا بها، بدون الأعين تغدو المشاعر شيئاً مختلفاً، لا نعرف كيف، لا نعرف لماذا، لقد قلت إننا أموات لأننا عميان، وكنت محقة في ذلك. هل تحبين زوجك. نعم، أحبه كحبّي لنفسي، لكن لو عميت، إن أصبحت بعد العمى شخصاً مختلفاً عما كنته، فكيف سأستطيع الاستمرار في حبه. قبل، عندما كنا لا نزال مبصرين، كان هناك أُناس عميان أيضاً. إنهم قلّة بالمقارنة مع الوضع، الآن، المشاعر التي استخدمت كانت مشاعر من يستطيع أن يرى، لذلك السبب شعر العميان بمشاعر الآخرين، وليس بمشاعر العميان الذين كانوهم، والآن ما ينشأ، بالتأكيد، هو في الواقع مشاعر العميان ونحن لا نزال في بداية الطريق فقط، فحتى هذه اللحظة لا نزال نعتاش على ذاكرة ما كنّا نشعره، فأنتِ لا تحتاجين إلى أعين لتعرفي ما غدت عليه الحياة اليوم، فلو قال لي شخص ما في ما مضى أني سأقتل، لعدَدْتُ ذلك إهانةً، ومع ذلك فقد قتلت. ماذا تريدينني أن أفعل إذاً. أن تأتي معي إلى بيتي. وماذا عن الآخرين. سيأتون أيضاً، لكني معنيّة بكِ أكثر من الآخرين. لماذا. سألت نفسي هذا السؤال، ربما لأنك أصبحت كأختي تقريباً، ربما لأن زوجي قد نام معك، سامحيني، ليست تلك جريمة تستدعي الاعتذار عنها. لكننا سنمصّ دمك كالطفيليّات. كانوا كُثُراً عندما كنا مبصرين، ثم أن على الدم أن يؤدي غرضاً آخر إضافة إلى تغذية الجسد الذي يحتويه، ودعينا ننام الآن فأمامنا يوم جديد غداً.

في اليوم التالي، أو في اليوم الذي استيقظتا فيه كان الطفل الأحول بحاجة إلى دخول المرحاض، فقد أصيب بإسهال، وذلك شيء لم يوافق ضعف جسمه، لكن سرعان ما تبيّن أنه من المحال دخول المرحاض، فالمرأة العجوز في الطابق الأول قد استخدمت كل المراحيض في البناية

حتى غدت غير قابلة للاستخدام. كانت ضربة حظ غير عادية أنّ لا أحداً من السبعة اضطر مساء أمس إلى تفريغ أمعائه، قبل الذهاب إلى النوم، وإلاّ كانوا عرفوا حالة المراحيض المقرفة تلك. الآن، جميعهم يشعرون بالحاجة إلى تفريغ أمعائهم، لا سيما الطفل المسكين الذي لم يعد قادراً على ضبط أمعائه، في الواقع، مهما ترددنا في الاعتراف بذلك، فمن الضروري الاعتراف أيضاً بالوقائع البغيضة في هذه الحياة، عندما تعمل الأمعاء بشكل طبيعي. كلنا يستطيع أن يمتلك أفكاراً، يناقش، مثلاً، إن كانت هناك علاقة مباشرة بين الأعين والمشاعر، أو إن كان الإحساس بالمسؤولية هو النتيجة الطبيعية للرؤية الواضحة. لكن عندما نكون في محنة كبيرة وقد أُصبنا بوباء الألم والكرب عندئذٍ يصبح الجانب الحيواني في طبيعتنا أكثر وضوحاً. الحديقة، هتفت زوجة الطبيب، وكانت محقّة، ولو لم يكن الوقت مبكراً، لوجدنا جارة الطابق الأول هناك أيضاً، لقد آن الأوان لنتوقف عن تسميتها عجوزاً، كما فعلنا حتى الآن من دون احترام، كما قلنا، كنّا سنراها في الحديقة مقعية، يحيط بها الدجاج، والشخص الذي قد يسأل عن السبب فهو على الأغلب لا يعرف ما هو الدجاج. هبط الطفل الأحول درج الطوارئ وهو يقبض على بطنه في حالة من الألم المبرح، تقوده وتحميه زوجة الطبيب، الأسوأ في الأمر أنه عندما بلغ الدرجات الأخيرة، تخلّت عضلته العاصرة عن مقاومة ضغط الأمعاء من الداخل، وبوسعكم تخيّل النتائج المترتبة على ذلك. كان الخمسة الآخرون، أثناء ذلك، ينزلون درج الطوارئ بأقصى حذر ممكن، والتعبير الأكثر ملاءمة هو إن كان لا يزال لديهم بعض المحظورات التي اكتسبوها خلال عيشهم في المحجر، فهذه هي اللحظة المناسبة للتحرر منها. تفرقوا في الحديقة الخلفية، يئنون جاهدين، يعانون من البقية الباقية من حياء لا طائل تحته، فعلوا ما كان ينبغي عليهم فعله، حتى زوجة الطبيب التي بكت وهي

تنظر إليهم، بكت عنهم جميعاً، إذ بدوا لها غير قادرين على البكاء بعد، بكت عن زوجها، عن الأعمى الأول وزوجته، الفتاة ذات النظارة السوداء، الكهل ذي العين المعصوبة، وعن الطفل الأحول. رأتهم مقرفصين فوق الأعشاب، بين سوق الملفوف المملوءة بالعقد والدجاج يراقبهم. وكلب الدموع قد هبط ليفعلها ثانية. نظفوا أنفسهم بسرعة وبشكل سطحي، بأي شيء طالته أيديهم، بعض الأعشاب، أحجار صغيرة، وفي بعض الأحيان تزيد محاولة التنظيف هذه، الأمر سوءاً. صعدوا الأدراج بصمت. لم تظهر الجارة في الطابق الأول لتسأل من هناك، إلى أين يذهبون، لا بدّ أنها لاتزال نائمة بعد عشائها. وحاروا في ما يقولون بعد أن دخلوا الشقة، بعدئذٍ أوضحت الفتاة ذات النظارة السوداء أنهم لا يمكن أن يبقوا في تلك الحالة، هذا صحيح لا سيما مع عدم وجود الماء للاغتسال، وللأسف لا يوجد مطر غزير كمطر الأمس، وإلا لخرجوا إلى الحديقة الخلفية ثانية، لكن هذه المرّة عراةً تماماً ومن دون خجل، يتلقون المطر على رؤوسهم وأكتافهم، ماء السماء الكريمة من فوقهم، سيشعرون به يجري فوق ظهورهم وصدورهم، وأرجلهم، سيستطيعون حمله بين راحاتهم، بعد أن أصبح نقياً في نهاية المطاف ويقدمونه لشخص ما ليطفئ ظمأه به، لا يهمّ من هو ذلك الشخص، ربما ستلامس شفاههم البشرة الحساسة بلطف قبل أن تلغ الماء وترشفه، من شدّة عطشها، بلهفة كبيرة، آخر قطرة ماء من الراحتين المكوّبتين، مثيرة بذلك، ومَنْ يدري عطش الآخر. إن ما دفع الفتاة إلى الضلال، كما رأينا في مناسبات سابقة، هو مخيّلتها. فما الذي ستتذكره في حالة كهذه، مأسوية، غريبة ومحبطة. رغم كل شيء إنها لا تفتقر للحس العملي، ودليل ذلك أنها ذهبت إلى غرفتها فتحت خزانة ملابسها، ثم خزانة ملابس والديها، جمعت الشراشف والمناشف وقالت، لننظف أنفسنا

بهذه الأشياء، إنها أفضل من لا شيء. وكانت تلك فكرة جيّدة بلا شك، فقد شعروا بفرق واضح عندما جلسوا بعدها ليأكلوا.

حول طاولة الطعام أخبرتهم زوجة الطبيب بما في ذهنها. حان الوقت لنقرّر ماذا سنفعل، أنا مقتنعة أن كل الناس قد عموا، على الأقل هذا هو الانطباع الذي خرجت به من خلال مراقبتي لسلوك الناس، فلا يوجد ماء، لا كهرباء، لا طعام من أي نوع، لا بدّ أن هذا هو العماء، هذا هو المعنى الحقيقي لكلمة العمى. لا بدّ أن هناك حكومةً، قال الأعمى الأول. لا أعتقد ذلك، وإن وُجدت فسوف تكون حكومة من العميان تحاول أن تحكم العميان، أي بكلمة أخرى، إنه عَدَمٌ يحاول تنظيم العدم. لا مستقبل أمامنا إذاً، قال الكهل ذو العين المعصوبة. لا أستطيع أن أجزم إذا ما سيكون هناك مستقبل، فما يهمني الآن هو أن أرى كيف سنعيش الحاضر. لا معنى للحاضر من دون مستقبل، إذ إن الحاضر يبدو غير موجود. ربما ستتدبر الإنسانية أمر العيش من دون أعين، بيد أنها ستكفّ عن إنسانيتها عندئذٍ، والنتيجة واضحة، فمن يفكّر بأننا كائنات بشرية كما كنا نعتقد أنفسنا من قبل، أنا على سبيل المثال، قتلت رجلاً. أنت قتلت رجلاً، سأل الأعمى الأول مرعوباً. نعم، زعيم عصابة السفاحين، طعنته في حنجرته بالمقص. لقد قتلته لتنتقمي لنا، فقط المرأة تستطيع الانتقام للنساء، قالت الفتاة ذات النظارة السوداء، والانتقام، العادل، هو فعل انساني، فإن لم تكن للضحية حقوق على القاتل، لن يكون هناك عدل. ولا إنسانية، أضافت زوجة الأعمى الأول- لنعد إلى الموضوع الذي كنّا نناقشه، قالت زوجة الطبيب، فإن بقينا معاً نستطيع تدبّر البقاء على قيد الحياة، إن تفرّقنا، فسوف تبتلعنا الحشود وتدمّرنا. لقد ذكرتِ أن هناك مجموعات عميان منظمة، علّق الطبيب، وهذا يعني أنه قد تم استنباط طرائق جديدة للحياة وليس

هناك مسوّغ لأن تنتهي إلى أشلاء أو أثر، كما تنبأتِ، ولا أعرف درجة قوة تنظيمهم. كل ما رأيته أنهم يخرجون في مجموعات للبحث عن الطعام وعن مأوى، ولا شيء أكثر من ذلك. إننا نرتدّ إلى جماعات بدائية، قال الكهل، مع فارق أننا لم نعد بضعة آلاف رجل وامرأة كحد أعظمي، في طبيعة غير مخرّبة، إنما آلاف الملايين في عالم واهن، منقطع الجذور. وأعمى، أضافت زوجة الطبيب. عندما تتزايد الصعوبة في إيجاد الماء والطعام، ستتبعثر هذه المجموعات بالتأكيد، وسوف يفكّر كل شخص أنه سيجد فرصة شخصية أفضل في البقاء حياً بمفرده، إذ إنه لن يتشارك أي شيء مع أي مخلوق، وأي شيء يستطيع الحصول عليه هو ملكه وليس ملك أي شخص آخر. لا بدَّ أن يكون هناك قائد للمجموعات، شخص ما يعطي الأوامر وينظم الأمور، ذكّرهم الأعمى الأول. ربما، لكن في هذه الحالة فإن أولئك الذين يأمرون هم عميان مثل متلقّي الأوامر. أنتِ لست عمياء، قالت الفتاة، وهذا هو السبب في أنك الشخص الذي يعطي الأوامر وينظمنا. أنا لا أعطي أوامر، أنا أنظم الأمور بأفضل ما أستطيع، أنا ببساطة الأعين التي تفتقدونها جميعاً. نوع من القائد الطبيعي، ملك مبصر في مملكة عميان، قال الكهل. إذا كان الأمر كذلك، فسلموا قيادكم لعيني ما دامتا تبصران، لذلك أقترح عليكم بدلاً من أن نتشتت، هي هنا في بيتها، وكل واحد منكم في بيته، دعونا نتابع العيش معاً. بوسعنا البقاء هنا، قالت الفتاة. بيتنا أوسع، أوضحت زوجة الأعمى الأول، إذا افترضنا أنه غير محتل، وإن وجدناه محتلاً بوسعنا العودة إلى هنا، أو نذهب لنرى بيتكِ، أو بيتكَ، أضافت مشيرة إلى الكهل. لا أملك بيتاً، قال الكهل ذو العين المعصوبة، أنا أعيش وحدي في غرفة. ألا توجد لديك عائلة، سألت الفتاة، لا، على الإطلاق. ولا حتى زوجة، أولاد، إخوة، أخوات. كلا. إن لم يظهر والداي، فسوف أكون وحيدة مثلكَ. سأبقى معكِ، قال الطفل الأحول، غير أنه لم يضف،

إن لم تظهر أمي، لم يضع هذا الشرط. سلوك غريب، أو ربما ليس شديد الغرابة، فالشبان يتكيّفون بسرعة، لأن حياتهم كلها أمامهم. ما رأيك سألت زوجة الطبيب، أنا قادمة معك، قالت الفتاة ذات النظارة السوداء، وكل ما أطلبه هو أن تحضريني إلى هنا مرّة في الأسبوع لأرى إن كان والديّ قد عادا. هل ستتركين المفاتيح عند الجارة في الطابق الأول. لا خيار أمامي، فهي لن تأخذ أكثر مما أخذت. قد تخرّب ما تبقى. ربما لن تفعل، لا سيما بعد أن عدتُ. إننا قادمان أيضاً، قال الأعمى الأول، مع أننا نودّ، حالما تسنح الفرصة، أن نمرّ ببيتنا لنرى ما حدث له. طبعاً. لا داعي للمرور ببيتي، فقد أخبرتكم أنه كان مجرّد غرفة واحدة. لكنك ستأتي معنا. نعم، بشرط واحد، في البداية إنَّ تَشَرُّط شخص يُسدي إليه معروف، قد يبدو مخزياً، بيد أن بعض العجائز يفضّلون ذلك، يتجملون بالكبرياء في البقية الضئيلة المتبقيّة من حياتهم. ما هو ذلك الشرط، سأل الطبيب. عندما أبدأ في التحوّل إلى عبء يستحيل عليكم احتماله، يجب أن تخبروني بذلك، وإذا امتنعتم عن إخباري بذلك، بدافع الصداقة أو الشفقة، آمل أن أكون ما زلت أمتلك ملكة التمييز لأفعل ما هو ضروري. ماذا يمكن أن يكون ذلك الضروري، سألت الفتاة ذات النظارة السوداء. أنسحبُ، أنخلعُ، أختفي، كما تعوّدت الفيّلة أن تفعل. سمعتهم يقولون مؤخراً إن الأمور قد اختلفت، لم يعد أحد تلك الحيوانات يصل سن الشيخوخة، وأنت لست فيلاً، على وجه الدقة. وأنا لست رجلاً على وجه الدقة. خصوصاً إن بدأت تجيب إجابات صبيانية، ردّت عليه الفتاة، بالمثل، وانتهى النقاش عند هذا الحد.

إن الأكياس البلاستيكية أخف الآن منها عندما جاءوا إلى هنا، لا غرابة في ذلك، فحتى الجارة في الطابق الأول قد أكلت من محتوياتها، مرتين، الأولى كانت مساء أمس، واليوم تركوا لها بعض الطعام عندما

أعطوها المفاتيح، وأوصوها بالاعتناء بالبيت ريثما يعود أصحابه الحقيقيون. طلبٌ أريد منه طمأنة الفتاة، لأننا عرفنا ما فيه الكفاية عن شخصها. وكان يجب إطعام كلب الدموع أيضاً، إن قلباً قُدَّ من حجر، وحده فقط، يستطيع ادعاء اللامبالاة أمام هاتين العينين المتوسلتين، وبما أننا في الموضوع ذاته، فأين اختفى الكلب، إنه ليس هنا، ولم يخرج من باب الشقة، لا يمكن أن يكون إلاّ في الحديقة الخلفية. خرجت زوجة الطبيب لتتأكد من الأمر، وكان كذلك، في الواقع، إنه في الحديقة يمزّق دجاجة. كان هجومه سريعاً جداً بحيث لم يكن هناك وقت لإطلاق الإنذار. لكن لو كانت العجوز في الطابق الأول قادرة على الرؤية لتعدَّ دجاجاتها، فمن يستطيع أن يعرف، بسبب غضبها، أي قدر كان سينزل بالمفاتيح. ما بين إدراكه للجريمة التي اقترفها وإدراكه أن الكائن البشري الذي كان يحميه، على وشك المغادرة، تردد كلب الدموع لحظةً واحدة، ثم بدأ ينبش الأرض الطريّة، وقبل أن تخرج عجوز الطابق الأول إلى المصطبة أمام درج الطوارئ لترى ما هي تلك الأصوات التي تصلها إلى داخل الشقة. كانت جثة الدجاجة قد دُفنت، طُمرت الجريمة، واحتفظ بالندم لمناسبة أخرى. انسل الكلب صاعداً الدرج، ومرّ كنسمة هواء ملامساً تنورة العجوز، التي لم تكن لديها أي فكرة عن الخطر الذي واجهته للتو، ومضى ليقف بجانب زوجة الطبيب، حيث اعترف للسماء بالعمل الفذ الذي أنجزه. خافت عجوز الطابق الأول عندما سمعته ينبح بعنف، لكن، كما نعرف، بعد فوات الأوان. ومن أجل أمان مخزن لحومها، رفعت رأسها عالياً وقالت، يجب أن يبقى هذا الكلب تحت السيطرة قبل أن يقتل إحدى دجاجاتي. لا تقلقي، ردّت زوجة الطبيب، فالكلب ليس جائعاً، لقد أكل للتو، ثم إننا مغادرون الآن. الآن، قالت العجوز، وكان في صوتها انكسار وكأنه ناجم عن ألم، كأنها أرادت أن يفهموها بطريقة مختلفة تماماً، كأنها أرادت أن تقول، ستتركوني

هنا وحدي، غير أنها لم تنبس بكلمة أخرى، فقط كلمة، الآن التي كانت سؤالاً من غير جواب. إن أصحاب القلوب القاسية لهم أحزانهم أيضاً، وهكذا كان قلب هذه المرأة العجوز، حيث أنها رفضت أن تفتح الباب لتقول كلمة وداع لهؤلاء الجاحدين بالجميل، الذين فتحت لهم بيتها كمّمر حرّ. سمعتهم يهبطون الأدراج، وهم يتكلمون، انتبه ألا تتعثر. ضع يديك على كتفي. تمسك بالدرابزين. كلمات عادية، بيد أنها أكثر تداولاً في عالم العميان هذا، وأكثر ما أذهلها أنها سمعت إحدى النساء تقول، إن الظلام دامس في هذا المكان ولا أستطيع أن أرى شيئاً. إنَّ عمى هذه المرأة ليس أبيض وهذا بحد ذاته، أمر مدهش، لكن ألا تستطيع أن ترى بسبب الظلام الدامس، فماذا يمكن أن يعني هذا. أرادت أن تفكّر في الأمر، حاولت جاهدة، لكن رأسها الواهن لم يساعدها، وسرعان ما راحت تقول لنفسها، لا بدّ أني سمعت خطأ، مهما يكن ما سمعته. في الشارع، تذكّرت زوجة الطبيب ما قالته، يجب أن أنتبه إلى كلامها، بوسعها أن تتحرك كشخص مبصر، غير أن كلامي يجب أن يكون كلام شخص أعمى، فكّرت لنفسها.

وصلوا الرصيف، رتّبت زوجة الطبيب مرافقيها في صفين ثلاثيين، في الأول وضعت زوجها، الفتاة ذات النظارة السوداء، والطفل الأحول بينهما، في الثاني الكهل ذو العين المعصوبة، الأعمى الأول وبينهما زوجته. أرادت أن تُبقي الجميع قريبين منها، ليس كما في الطابور الهندي المعتاد، الذي يمكن أن ينشطر عقده في أيّ لحظة. كل ما كان ينقصهم هو أن يواجهوا مجموعة أكثر عدداً، أو أكثر عدوانية، وسوف يكون الأمر شبيهاً بسفينة تصدم مركباً اتفق أنه كان يمخر عباب البحر أمامها، ونعرف عاقبة حوادث كهذه: تحطم السفن، كوارث، أناس يغرقون، صراخ طلباً للنجدة بلا طائل في ذلك اليم المترامي الأطراف،

والسفينة تتابع إبحارها، حتى إنها لم تلاحظ ذلك الاصطدام، وهذا ما سيحدث لهذه المجموعة، أعمى هنا، آخر هناك، يضلاّن في فوضى تيارات العميان الآخرين، كأمواج البحر التي لا تهدأ أبداً ولا تعرف أين تمضي. وزوجة الطبيب أيضاً لن تعرف إلى نجدة من تهبُّ أولاً، تضع يدها على ذراع زوجها، ربما على ذراع الطفل الأحول، لكنها تفوت الفتاة والآخرين، الكهل ذو العين المعصوبة يوغل بعيداً نحو مقبرة الفيَلة. ها هي تلفُّ حول نفسها وحول الآخرين أيضاً حبلاً قطنياً صنعته من مزق ثياب ربطتها بعضها إلى بعض عندما كان الآخرين أيضاً نائمين. لا تتمسكوا بي، قالت لهم، بل تمسكوا بالحبل بكل ما أوتيتم من قوّة، ولا تفلتوه تحت أي ظرف كان، ومهما حدث. حرصوا على ترك مسافة فاصلة بين بعضهم البعض كي يتجنبوا التعثّر أحدهم بالآخر، لكنهم كانوا بحاجة للإحساس أحدهم بقرب الآخر، بملامسته مباشرة إن أمكن. واحد منهم لم يكن مضطراً للانشغال بهذه التكتيكات البريّة الجديدة، إنه الطفل الأحول الذي يمشي في الوسط، محمياً من كلا الجانبين. لم يفكر أحد أصدقائنا العميان في السؤال كيف كانت تبحر المجموعات الأخرى، إن كانوا يتقدمون وهم مربوطون أحدهم إلى الآخر بهذه الوسيلة أو تلك، إلاّ أن الردّ سيكون سهلاً، وذلك من خلال ما استطعنا مشاهدته عموماً، باستثناء حالة مجموعة أكثر تماسكاً لسبب وجيه نجهله، تكسب وتخسر مناصرين، تدريجياً، خلال النهار، فهناك دائماً أعمى يضل وآخر يُفقد، والآخر الذي التقطوه بقوة الجاذبية ولحق بهم فوراً، قد يقبل وقد يُطرد، فهذا يتوقف على ما يحمله معه. فتحت عجوز الطابق الأول النافذة بهدوء، إنها لا تريد أن يعرف أحد نقطة ضعفها العاطفية، بيد أنه لا يصلها أي صخب من الشارع، لقد رحلوا، غادروا هذا المكان الذي لا أحد يمرّ فيه. ينبغي أن تفرح العجوز، لأنها بهذه الطريقة لن تضطر إلى أن تتقاسم دجاجاتها وأرانبها مع

الآخرين، ينبغي أن تفرح، إلا أنها ليست فرحة، فقد ترقرقت دمعتان في عينيها العمياوين، ولأول مرّة تسأل نفسها إن كان لديها سبب وجيه لترغب في الاستمرار في الحياة. وحارت في الجواب، فالأجوبة لا تأتي دائماً عند الحاجة إليها.

سيمرّون في طريقهم ببنايتين قبل البناية التي تقع فيها غرفة العزوبة للكهل ذي العين المعصوبة، غير أنهم قرّروا مسبقاً مواصلة سيرهم، إذ لا يوجد هناك طعام، أما الثياب فلا يحتاجون إليها، والكتب لا يستطيعون قراءتها. الشوارع ملأى بعميان يبحثون عن الطعام، يدخلون الحوانيت ويخرجون منها خالي الوفاض، بعدئذٍ يتناقشون في ضرورة أو فائدة مغادرة هذه الضاحية والذهاب للبحث عن الطعام في مكان آخر من المدينة، فالمشكلة، والحال هذه، أنه بلا ماء جارٍ، واسطوانات غاز ملأى، إضافة إلى خطورة إضرام النار داخل المنازل، لا يمكن طهو أي طعام. بافتراض أنه بوسعنا إيجاد الملح، الزيت، والتوابل، فسوف نحاول إعداد بعض الأطباق فيها بعضٌ من نكهة أيام زمان، وإن وجدنا بعض الخضراوات فإن سلقها يكفي ببساطة لجعلها قابلة للأكل، والشيء نفسه يصح على اللحم. فإضافة إلى الأرانب والدجاج يمكن أيضاً طهو القطط والكلاب إن أمكن الإمساك بها، لكن بما أن التجربة هي سيّدة الحياة، فحتى الحيوانات التي كانت مدجنة سابقاً، تعلّمت الشك في الملاطفات، إنها تصيد الآن في مجموعات وتدافع عن نفسها في مجموعات أيضاً بمواجهة صائديها، بما أنها، ولله الحمد، لا تزال ترى، فهذا يساعدها على تفادي الخطر، وأن تهاجم عند الضرورة. كل هذه الظروف والأسباب تدفعنا إلى استنتاج أن الطعام المعلب هو الأفضل للبشر، ليس لأنه يكون مطهواً غالباً، وجاهزاً للأكل، إنما لأنه سهل النقل وجاهز للاستهلاك في أي لحظة. صحيح أن

كل هذه العلب المعدنية، أو غير المعدنية المختلفة مدوَّنٌ عليها تاريخ انتهاء صلاحية استهلاكها وبعده يكون استهلاكها محفوفاً بالمخاطر، بل إن خطره مؤكّد في حالات معيّنة، بيد أن الحكمة الشعبية كانت سريعة فروّجت في التداول مثلاً ليس له ردّ شافٍ بمعنى من المعاني، وهو يشبه المثل القائل، ما لا تراه العين لا يحزن عليه القلب، وهذا خرج من التداول منذ زمن طويل، أما الآخر فيقول الناس غالباً، إن الأعين التي لا ترى تمتلك معدة حديدية، وهذا ما يفسّر إقبالهم على التهام الكثير من النفايات. أجرت زوجة الطبيب، وهي تقود مجموعتها، عملية حسابية ذهنية على الطعام الذي لا يزال بحوزتهم، فوجدت أنه يكفي لوجبة واحدة، إذا استثنينا حصة الكلب، لكن ليتدبّر أموره بالوسائل المتوفّرة لديه، الوسائل نفسها التي ساعدته على قضم عنق الدجاجة والقضاء على صوتها وحياتها. إن لديها في المنزل، كما يسعكم أن تتذكروا، هذا على افتراض أنه لم يدخله أحد عنوة، مؤونة شخصين، لكنهم سبعة أشخاص الآن، وبذلك لن تدوم مؤونتها طويلاً حتى لو قتّرت في الوجبات. ستضطر غداً، أو بعد غد، إلى العودة إلى مخزن السوبر ماركت، ستقرر حينها إذا ما كانت ستذهب بمفردها أو برفقة زوجها، أو الأعمى الأول الأكثر شباباً وقوة، فالاختيار هو بين امكانية حمل أكبر كمية من الطعام وبين العمل بسرعة، مع عدم نسيان ظروف الانسحاب. النفايات في الشوارع، والتي تبدو تضاعفت من الأمس إلى اليوم، مخلّفات البشر، التي كانت راشحة أو طريّة قبل أن تجعلها الأمطار الموسميّة شبه سائلة، وما يتغوطه الآن الرجال والنساء، ونحن نمرّ بهم، كلّ هذا ملأ الجو برائحة نتن كريهة جداً، فغدت كضباب لا يمكنك اجتيازه إلا بجهد جاهدٍ. في ساحة تحفّ بها الأشجار، وفي وسطها تمثال، كان رهط من الكلاب يمزّق جثة رجل. لا بدّ أنه مات منذ زمن قصير، فأوصاله ليست متيبّسة، كما يمكن أن يُلاحظ من اهتزازها

أثناء تمزيق الكلاب للّحم عن العظم. وهناك غراب يقفز حولها بحثاً عن منفذ للانضمام إلى الوليمة. أشاحت زوجة الطبيب بصرها، لكن بعد فوات الأوان، لم يكن بإمكانها مقاومة الإقياء الذي دفعت به أحشاؤها إلى فمها، مرتين، ثلاثاً، وكأن جسدها الحيُّ هو الذي كانت تهزه الكلاب الأخرى ناهشةً. إنه حِملُ إحباط مطبق. هذا أقصى ما أستطيع احتماله، أريد أن أموت هنا. ما الأمر سألها زوجها، ما الأمر رددت المجموعة المتحزّمة بالحبل نفسه وتجمعت بعضها على بعض في هلع مفاجئ. ماذا جرى. هل يقلقك أمر الطعام. شيء ما كريه. لا أشعر بشيء. ولا أنا. هذا أفضل لهم. فكل ما يستطيعونه هو سماع زمجرة الكلاب، ونعيب الغراب المفاجئ وغير المتوقع، إذ إنه وسط هذا الهياج عض أحد الكلاب جناحه من غير قصد، أثناء محاولته الوصول إلى الجثة. عندئذٍ قالت زوجة الطبيب، سامحوني، لم أستطع امتلاك نفسي، فها هنا كلابٌ تنهش كلباً آخر. هل تأكل كلبنا، سألها الطفل الأحوال. كلا، إن كلبنا، كما تسميه، لا يزال حياً، يدور حولها لكن عن بعد. فبعد أن أكل تلك الدجاجة، لا يمكن أن يكون شديد الجوع، قال الأعمى الأول، هل تشعرين بتحسنٍ، سألها الطبيب. نعم، لنتابع طريقنا. الكلب ليس لنا، بل ببساطة تعلّق بنا، ومن المرجح أنه سيبقى الآن برفقة تلك الكلاب الأخرى، كان بوسعه البقاء معها سابقاً، بيد أنه قد وجد أصدقاءه من جديد. أريد أن أتغوط، معدتي تؤلمني هنا، توجعني كثيراً، قال الطفل الأحول شاكياً. أفرغ أمعاءه حيث كان واقفاً. تقيأت زوجة الطبيب من جديد، لكن لسبب آخر هذه المرّة. اجتازوا بعدئذٍ الساحة الفسيحة، وعندما وصلوا ظل الأشجار، نظرت زوجة الطبيب وراءها. تزايد عدد الكلاب وكانت تتزاحم على ما تبقى من الجثة. وصل إليهم كلب الدموع وخطمّه يكاد يلامس الأرض وكأنه يقتفي أثراً ما. إنها عادة، لأنه في هذه المرّة كانت تكفيه نظرة واحدة كي يرى المرأة التي يبحث عنها.

استؤنف السير وغدا بيت الكهل ذي العين المعصوبة خلفهم، إنهم يسيرون الآن على طول شارع عريض تقوم على جانبيه أبنية شاهقة. السيارات هنا باهظة الثمن، فارهة ومريحة، وهذا يفسِّر وجود كثير من العميان نائمين فيها، فقد تحول كثير من سيارات الليموزين إلى بيت دائم، ربما لأن العودة إلى السيارة أسهل من العودة إلى المنزل. لا بدّ أن شاغلي هذه السيارات يفعلون ما كان يفعله الآخرون هناك في المحجر للوصول إلى أسرّتهم، يتلمّسون طريقهم وهم يعدّون السيارات من عند الناصية. السيارة السابعة والعشرون على الجانب الأيمن، لقد وصلت بيتي. إن سيارة الليموزين الواقفة أمام مدخل بنك قد أوصلت رئيس مجالس البنوك إلى الاجتماع الأسبوعي، مكتمل النصاب، أول اجتماع يُعقد بعد الإعلان عن تفشّي وباء المرض الأبيض، ولم يتح الوقت لإدخال السيارة إلى المرآب تحت الأرضي لأن سائقها قد عَميَ في اللحظة التي كان يدخل فيها المدير، الباب الرئيسي للمبنى، كالعادة، فأطلق صرخة، نقصد السائق، إلا أنه، أي المدير، لم يسمعه. علاوة على ذلك، فإن اجتماع المجلس الموسّع لن يكون مكتمل النصاب كما هو مفترض، لأنه خلال الأيام القليلة الماضية عَميَ بعضُ المديرين. لم يستطع الرئيس افتتاح الجلسة، بجدول الأعمال الذي أُعِدَّ لمناقشة الإجراءات الواجب اتخاذها في حال عَميَ كل المديرين، ونوّابهم، حتى أنه لم يكن قادراً على دخول غرفة الاجتماعات لأنه عندما كان المصعد يرقى به إلى الطابق الحادي عشر، وبين الطابقين التاسع والعاشر، على وجه الدقّة، انقطع التيار الكهربائي، ولن يُعاد إيصاله البتة. وبما أن المصائب لا تأتي فرادى، فقد عمي في اللحظة نفسها الكهربائي المسؤول عن تشغيل مولّد الطاقة الكهربائية الداخلي، وبالتالي، في ما يخص مولّد الكهرباء قديم الطراز، غير الأوتوماتيكي، الذي كان ينبغي استبداله منذ زمان، كانت النتيجة أن علق المصعد بين الطابقين التاسع

والعاشر. رأى رئيس المجالس عامل المصعد الذي كان برفقته، يعمى، وهو بدوره عمي بعد ساعة، وبما أن الطاقة الكهربائية لم تعد، وقد تضاعفت حالات العمى داخل البنك في ذلك اليوم فالمرجح أن الاثنين لا يزالان داخل المصعد، ولا حاجة للتأكيد أنهما ميّتان، حُبِسا في كفن فولاذي، وبناء عليه إنهما في مأمن من الكلاب النهمة.

لم يكن هناك شهود، وإن وجدوا فليس هناك دليل على أنهم دُعوا بعد وقوع الحادثة لإبلاغنا بما قد جرى، فأن يسأل شخص ما كيف أمكن معرفة أن تلك الأشياء قد جرت في تلك الطريقة لا في غيرها، نقول إن هذا يمكن فهمه، والردّ عليه هو أن كل القصص مشابهة للقصص عن خلق الكون، فلا أحد كان هناك، لا أحد شاهد أي شيء، رغم ذلك فالجميع يعرف ما قد جرى. سألت زوجة الطبيب، ماذا سيكون جرى للبنوك، ليس لأنها مهتمة جداً بالأمر، رغم أنها تحتفظ بمدخراتها في أحدها، إنما طرحت السؤال بدافع الفضول فحسب، ولم تنتظر من أحد أن يجيبها، على سبيل المثال، إجابة كهذه، في البدء، خلق الله السموات والأرض، كانت الأرض خربة وخالية، وعلى وجه الغمر ظلمة، وكانت روح الله ترفرف فوق الماء، وبدلاً من ذلك انبرى الكهل ذو العين المعصوبة ليقول لها وهم يتقدمون على طول الشارع، على ما أذكر، وعندما كنت لا أزال قادراً على الرؤية، في البدء حدث هرج كبير، خاف الناس من أن يعموا وهم مفلسون، فتسابقوا إلى البنوك لسحب مدّخراتهم، بدافع شعور أنه يجب عليهم تأمين مستقبلهم وهذا يمكن فهمه، فعندما يعرف المرء أنه لم يعد قادراً على العمل، فالعلاج الوحيد، مع احتمال أن تطول فترة العطالة، هو في الالتجاء إلى مدّخراتهم قليلاً فقليلاً، فإن ما ترتب على هذا الاندفاع المتهوّر إلى البنوك أن بعضها كان يواجه الانهيار في ظرف أربع وعشرين ساعة.

تدخلت الحكومة طالبة الهدوء ومناشدة ضمير المواطنين، وانتهت إلى التصريح بالإعلان المهيب بأنها ستتحمل كل المسؤوليات والواجبات المترتبة عليها جرّاء هذه الكارثة العامة التي يواجهونها، غير أن هذا الإجراء التسكيني لم ينجح في تخفيف الأزمة، ليس لأن الناس كانوا يعمون على التوالي، إنما لأن أولئك الذين كانوا لا يزالون قادرين على الرؤية انصبَّ اهتمامهم على حماية أموالهم الغالية على قلوبهم، ففي النهاية، لم يكن هناك مناص من أن تفلس البنوك، أو بطريقة أخرى، أن تغلق أبوابها وتستنهض حماسة رجال الشرطة، ولم ينفع هذا الإجراء، لأنه بين الجمع الغفير الصاخب أمام البنوك كان هناك رجال شرطة بثيابهم الرسمية يطالبون بمدخراتهم بكل ما أوتوا من جهد، وإمعاناً من قبل بعضهم في إظهار إرادتهم، أبلغوا رؤساءهم أنهم عموا وبذلك استُغنيَ عن خدماتهم. والآخرون الباقون على رأس الخدمة واستخدموا أسلحتهم في مواجهة الجماهير الغاضبة، لم يعودوا يرون هدفهم، فجأة، وفقد هؤلاء الآخرون إن كانت لهم مدخرات في البنك، أيّ أمل، وكأن ذلك لم يكن كافياً، فقد اتهموا بدخول حلف مع السلطة القائمة، غير أنه حدث ما هو أسوأ عندما اقتحمت الجموع الغاضبة البنوك، عمياناً ومبصرين، كلّهم بائسون، هنا كفّت المسألة عن كونها تسليم شيك، بهدوء، إلى الموظف والقول له، أودّ أن أسحب مدخراتي، بل أصبحت مسألة وضع يَد على كل شيء ممكن، على النقود في الصندوق، مهما يكن ما قد تبقى في بعض الأدراج، في بعض صناديق الودائع التي تركت مفتوحة بدافع الإهمال، في بعض الحقائب القديمة الطراز كحقائب أجدادنا من الأجيال السابقة، لا تستطيعين أن تتخيّلي ما كانت عليه الحال، مكاتب المديرين الفسيحة المترفة الأثاث، مكاتب الأفرع الصغيرة في ضواحي مختلفة، كلها شهدت مناظر مرعبة حقيقة. ويجب ألاّ ننسى أن صناديق الدفع الأوتوماتيكية قد كُسِرَت،

ونُهب كلُّ ما فيها حتى آخر قرش، وكتب على شاشاتها رسائل شكر مبهمة، لاختيارهم هذا البنك. إن الآلات شديدة الغباء حقاً، حتى إنه يمكن القول بدقّة أكبر، إن هذه الآلات قد خدعت مالكيها، أي، لقد انهار كل النظام المصرفي، تطاير في الهواء كبيت من كرتون، وليس لأن حيازة المال لم تعد أمراً محموداً، بل لأنه ثبت أن كلَّ من يمتلك مالاً لا يريد التخلي عنه، وهذا الدافع الأخير يزعَم أن لا أحدَ بوسعه التنبؤ بما سيحصل غداً، ولا شك أن هذا ما فكر فيه العميان الذين تمركزوا في سراديب البنوك حيث توجد خزائن المال القوّية، بانتظار معجزة ما، تفتح أبواب هذه الخزائن المعدنية الثقيلة التي تحول دونهم والثروة، ولم يغادروا المكان إلا للبحث عن طعام وماء وتلبية حاجات الجسد الأخرى، ثم يعودون إلى مكانهم، وقد أوجدوا كلمة السر والشارات الخاصة بهم، شارات يدوية، بحيث لا يستطيع أي غريب أن يخترق معقلهم هذا، ولا داعي للتذكير بأنهم كانوا يعيشون في ظلمة مطلقة، وهذه عديمة الأهمية في هذا العمى الخاص حيث كل شيء أبيض. سرد الكهل ذو العين المعصوبة هذه الأحداث المروّعة عن البنوك والمال بينما كانوا يعبرون المدينة ببطء، مع بعض التوقفات المفاجئة كي يتمكن الطفل الأحول من تسكين ذلك الاضطراب في أحشائه، ورغم النبرة المقنعة التي أضفاها على وصفه المتّقد، فمن المنطقي الارتياب بوجود شيء من المبالغة في حكايته، قصة العميان الذين يعيشون في سراديب البنوك، على سبيل المثال، فكيف عرف بها إن لم يكن ملمّاً بكلمة السر أو الشارات اليدويّة، في أي حال كانت قصةً كافيةً لتزوّدنا بفكرة ما.

كان النهار قد ذوى عندما وصلوا أخيراً الشارع الذي يقطن فيه الطبيب وزوجته. حاله كحال الشوارع الأخرى، القذرة، في كل مكان،

وتهيم فيه مجموعات عميان. وللمرة الأولى، وهذه مصادفة محض، أنهم لم يلتقوها من قبل، كان في الشارع جرذان كبيران جداً، حتى القطط تتجنبهما أيضاً وهما يجوسان المكان، لأنهما كبيران جداً وأكثر شراسة من المعتاد، بالتأكيد. نظر كلب الدموع إلى الجرذين والقطط بلا مبالاة شخص يعيش في عالم مشاعر آخر، كان بوسعنا قول هذا، لولا حقيقة أن الكلب يبقى كلباً، حيواناً من نموذج بشري. لم تغرق زوجة الطبيب، من النظرة الأولى إلى الأماكن المألوفة، في التأمل الكئيب، كأن تقول، كم مضى من الزمن. منذ يومين كنّا نعيش هنا بسعادة. صدمها الإحباط، فقد اعتقدت مخطئة، أنه فقط لكونه الشارع الذي تقطن فيه فيجب أن تجده نظيفاً، مكنوساً، مرتباً، أن جيرانها قد عَموا في بصرهم لا في بصيرتهم، يا لي من غبية، قالت بصوت مسموع. لماذا، ما الأمر، سألها زوجها. لا شيء، أحلام يقظة. كم مرّ من الزمن، كيف ستكون حال الشقة، تساءل الطبيب. سنعرف قريباً. لم تكن قواهم على ما يرام فصعدوا الأدراج ببطء، متوقفين عند كل شاحط لالتقاط أنفاسهم. الشقة في الطابق الخامس، قالت زوجة الطبيب. صعدوا على أفضل نحو يستطيعون، كل بمفرده، وكان كلب الدموع يُرى في المقدمة حيناً، وفي المؤخرة حيناً آخر، كأنه قد خُلق ليرعى قطيعاً وفق تعليمات لئلاّ يضيّع خروفاً. كانت أبواب بعض الشقق مفتوحةً، ومن داخلها تنبعث أصوات، والروائح الكريهة المعتادة. ظهر ناس عميان على العتبات، مرّتين، وتطلعوا بأعين خاوية وسألوا، من هناك. تعرفت زوجة الطبيب إلى أحد الصوتين، أما الآخر فلم يكن من سكان البناية السابقين. كنّا نقطن هنا، هذا كل ما قالته. ظهرت ومضة معرفة على وجه جارتها، أيضاً، لكنها لم تسأل، هل أنت زوجة الطبيب، ربما ستعلن حال عودتها إلى الداخل، لقد عاد جيراننا في الطابق الخامس. لدى وصولهم شاحط الدرج، حتى قبل أن تطأه بقدمها، أعلنت زوجة الطبيب أن الباب لايزال

مغلقاً. توجد عليه علائم محاولات فتحه عنوةً بيد أنه قد ثبت في وجه الاعتداء. أخرج الطبيب المفاتيح من الجيب الداخلي في جاكيته الجديد. مد يده في الفراغ منتظراً، غير أن زوجته قادت يده بلطف باتجاه ثقب المفتاح في قفل الباب.

نترك جانباً تنفيض الغبار المنزلي الذي يغتنم فرصة غياب العائلة ليشكّل طبقة رقيقة جداً على سطح الأثاث، يمكن القول بهذا الخصوص إن هذه هي الفرصة الوحيدة التي يتسنى فيها للغبار أن يرتاح بدون أن تزعجه منفضة غبار، أو مكنسة كهربائية، بدون أطفال يغدون ويجيئون مطلقين العنان وراءهم لدوّامات غباريّة في الجو. كانت الشقة نظيفة، وأي فوضى تُشاهد فيها هي تلك التي يمكن توقعها لدى مغادرة المرء بيته بسرعة. رغم ذلك، وبينما كانا يتوقعان استدعاءهما من قبل الوزارة والمشفى، فإن زوجة الطبيب وبنوع من بصيرة تدفع الناس الحساسين إلى تنظيم شؤونهم خلال حياتهم، بحيث لا تكون هناك بعد موتهم حاجة إلى المشقّة المسعورة لتنظيم الأمور، قامت عندئذٍ بغسل الصحون، ترتيب السرير، ترتيب غرفة الحمّام، لم تكن النتيجة مثالية، لكن في الواقع ستكون قسوة منّا أن نطلب ذلك من تينك اليدين المرتجفتين والعينين المترقرقتين. مع ذلك لقد كانت الشقة جنّة وصلها أولئك الحجاج السبعة، وهذا هو الانطباع الذي سيطر عليهم، من غير نفور كبير من المعنى الحرفي للتسمية، كان بوسعنا القول إنه متعالٍ، ذلك أنهم توقفوا في أماكنهم، في المدخل، وكأنهم شُلّوا من رائحة الشقّة، وهذه ببساطة رائحة شقّة بحاجة إلى تهوية جيّدة، ففي أي وقت آخر كنا سنهرع فوراً إلى فتح كل النوافذ لتهوية المكان، بيد أن أفضل ما نفعله اليوم هو أن نتركها مغلقة بحيث لا تتمكن رائحة العفن في الخارج من الدخول. سنلوّث الشقّة كلها، قالت زوجة الأعمى الأول.

وكانت محقّة، فلو دخلوها بأحذيتهم القذرة هذه المغطاة بالوحل والغائط لتحوّلت الجنة إلى جحيم في غمضة عين. وإذ تحل الثانية محل الأولى، حيث وفقاً للمرجعيات المطّلعة، فإن العفن، النتانة، الروائح المغثية، النتن المهلك هي أسوأ ما ستعانيه الأرواح الملعونة، وليس فقط حرق الألسن، ومراجل القار الغالي، وأوعية السباكة والمطبخ. كانت ربة المنزل، في الأزمنة الغابرة، تقول عادة، ادخلوا، ادخلوا لا مشكلة، سأنظّف الأوساخ في ما بعد، إلا أن ربّة المنزل هذه، مثل ضيوفها، تعرف من أين جاؤوا جميعاً، وتعرف أن القَذَر سيزداد قذارة في هذا العالم الذي تعيش فيه، لذلك ها هي تطلب منهم أن يتلطفوا وينزعوا أحذيتهم على المصطبة. صحيح أن أقدامهم ليست نظيفة أيضاً، لكن لا مجال للمقارنة، فقد كانت مناشف وشراشف الفتاة ذات النظارة السوداء كانت مفيدة إلى حدّ ما، فقد تخلصوا بوساطتها من معظم القذارة. هكذا دخلوا البيت حفاة، وجاءت زوجة الطبيب بطست بلاستيكي كبير وضعت فيه كل الأحذية على نيّة أن تنظّفها، لم تكن لديها فكرة أين أو كيف، بعدئذٍ حملتها إلى الشرفة، فالهواء في الخارج لن تضيره هذه القذارة الإضافية. بدأت السماء تظلم، تكاثفت فيها الغيوم الثقيلة، فقط لو تمطر، فكّرت زوجة الطبيب. عادت إلى رفاقها، وفي ذهنها فكرة واضحة عما يجب فعله. كانوا في غرفة الجلوس، صامتين، واقفين، لأنهم رغم تعبهم، لم يتجرأوا على البحث عن كراس يجلسون عليها. وحده الطبيب مرر يده كيفما اتفق فوق الأثاث مخلّفاً آثارها على سطوحه، لقد جرت أول عملية تنفيض للغبار، إذ علق بعض الغبار على أصابعه. اخلعوا ملابسكم، قالت زوجة الطبيب، لا يسعنا البقاء في هذه الحالة، فثيابنا قذرة مثل أحذيتنا تقريباً. نخلع ثيابنا، سأل الأعمى، الأول، هنا، أمام بعضنا البعض، لا أظنه عملاً صحيحاً. بوسعي، إن أردتم، أن أضع كل واحد منكم في نحو مختلف من الشقة،

ردّت عليه زوجة الطبيب بنبرة ساخرة، عندئذٍ لن يخالج أحدكم شعور بالإحراج. سأخلع ملابسي هنا، قالت زوجة الأعمى الأول، فأنت فقط تستطيعين رؤيتي، حتى لو لم تكن الحال كذلك، فأنا لم أنسَ إنك رأيتني في وضع أسوأ من العُريّ التام، لكن ذاكرة زوجك ضعيفة، لا أستطيع أن أرى الفائدة في استعادة ذكرى أمور كريهة بعد أن نُسيَتْ، دمدم الأعمى الأول. لو كنت إمرأة، وعانيت ما عانيناه، لكنتَ غيّرت نبرتَكَ، قالت الفتاة ذات النظارة السوداء وشرعت تعرّي الطفل الأحول. كان الطبيب والكهل ذو العين المعصوبة عاريي الجذعين العلويين، وبدأا الآن يخلعان بنطاليهما. دعني أستند إليك لأخلع بنطلوني، قال الكهل للطبيب الواقف بقربه. بدا ذانك الرجلان المسكينان مثيرين للضحك وهما يتقافزان في مكانيهما، منظر يدفعك إلى البكاء على الأغلب. فقد الطبيب توازنه فسحب معه الكهل ذا العين المعصوبة، وهو يسقط أرضاً. لحسن الحظ أنهما وجدا الحالة مضحكة، إنه لأمر مؤسٍ أن تراهما وقد غطّت جسديهما كل القذارات الممكن تخيّلها، أعضاؤها الحميمة والمهنة المحترمة. تقدّمت زوجة الطبيب لمساعدتهما على النهوض، سيحلُ الظلام قريباً وسيختفي دافع الإحراج لدى الجميع. تسألت زوجة الطبيب، إن كان في المنزل شموع، الجواب هو أنها تذكّرت وجود قنديلين قديمين، قنديل زيت قديم، بثلاث فتحات لثلاث فتائل، وقنديل بارافين قديم بغطاء زجاج قمعي الشكل، في الوقت الحالي، سيكون قنديل الزيت كافياً، لديَّ زيت، ويمكن تحضير فتيل، غداً أبحث عن بعض البارافين في أحد تلك المخازن، إن إيجاده أسهل من إيجاد الطعام، خصوصاً إن لم أبحث عنه في البقاليات، فكرت لنفسها، مندهشة من أنها لا تزال قادرة على المزاح حتى في هذا الظرف. كانت الفتاة ذات النظارة السوداء تتعرى ببطء، بطريقةٍ توحي أن هناك دائماً شيئاً أكثر ولا يهم كم قطعة ثياب قد خلعت، قطعة ثياب أخيرة

تغطي عريّها الكامل. لا تستطيع زوجة الطبيب أن تفسِّر هذا الاحتشام المفاجئ، لو كانت قريبة منها لرأت كيف كانت الفتاة تتضرّج، رغم كل القذارة التي تغطي وجهها. لندع أولئك القادمين يحاولون فهم النساء، حيث دهم الخجل فجأة إحداهن بعد أن كانت تنام مع رجال، بالكاد تعرفهم، والأخرى قادرة تماماً على أن تهمس في أذنها بهدوء تام، لا تنحرجي، لا يستطيع أن يراك، وهي تشير هنا إلى زوجها، طبعاً، إذ لا يجب أن ننسى أن الفتاة المتهتكة قد أغوته للنوم في سريرها، حسن، وكما يعرف الجميع، فالأمر مع النساء هو دائماً حالة المشتري الحذر. ربما في الوقت نفسه، يكون ذلك بسبب آخر، فهناك رجلان آخران عاريان، وأحدهما قد نام معها.

جمعت زوجة الطبيب الثياب المبعثرة على الأرضية بناطيل، قمصان، جاكيتات، تنانير، بلوزات، بعض السراويل التحتية المتيّبسة، وهذه الأخيرة تحتاج إلى أن تُنقع شهراً قبل تنظيفها ثانية. جمعتها بعضها فوق بعض في حمل وقالت، ابقوا هنا، سأعود حالاً. حملت الثياب وخرجت بها إلى الشرفة كما فعلت بالأحذية، وهناك تعرّت بدورها، وهي تنظر إلى المدينة المظلمة في الأسفل تحت السماء المدلهمّة. لا ضوء شاحباً في النوافذ، ولا انعكاس باهتاً على مداخل البيوت. إن ما رأته لم يكن مدينة، بل خيمة هائلة، تجمّدت بسبب البرودة على شكل أبنية، أسطح، مداخن، كلها ميّتة، كلها ذاوية، ظهر كلب الدموع على الشرفة، كان قلقاً، بيد أن لا دموع الآن ليلحسها، كان الإحباط داخلها هي، فالعينان قد جفّتا. بردت زوجة الطبيب تذكّرت الآخرين، الواقفين عراةً في منتصف الغرفة، بانتظار، من يعرف بانتظار ماذا. دخلت. لقد تحوّلوا إلى أشكال بسيطة عديمة الجنس، أشكال مبهمة ظلال تفقد أنفسها في نصف– الضوء. غير أن هذا لا يؤثّر عليها، فكّرت

لنفسها، إنها تذوي وسط الضوء المحيط بها، والضوء هو الذي لا يسمح لها أن ترى. سأشعل ضوءاً، قالت، ففي هذه اللحظة أنا عمياء مثلكم. هل عادت الكهرباء، سأل الطفل الأحول. كلا، بل سأشعل قنديل زيت. ما هو قنديل الزيت، سأل الطفل الأحول ثانيةً. سأريكه في ما بعد. فتشت في أحد الأكياس البلاستيكية عن علبة كبريت، ومضت إلى المطبخ. إنها تعرف أين خزّنت الزيت، لا تحتاج إلى الكثير منه. مزقت مزقةً طويلةً من منشفة صحون لتصنع فتائل، وعادت بعدئذٍ إلى الغرفة حيث يوجد القنديل، الآن ولأول مرّة بعد تصنيعه سيكون ذا فائدة، ولم يبد أن هذا هو قدره في البداية، بيد أن أحداً منا، مصابيح، كلاباً أو بشراً، لا يعرف منذ البداية، لماذا أتينا إلى هذا العالم. تصاعدت من فتحات القنديل الثلاث، على التتالي، شعلات لوزية الشكل، راحت تتراقص. من حين لآخر حتى أنها توحي بأنها علت وانفصلت عن جذرها وضاعت وسط الهواء، ثم تعود لتستقرّ ثانية وكأنها غدت أكثف، أصلب، ثلاث كرات ضوء صغيرة. قالت زوجة الطبيب، بما أني أصبحت الآن قادرة على الرؤية، سأجلب لكم ثياباً نظيفة. لكننا قذرون قالت الفتاة ذات النظارة السوداء. كلتاهما، هي وزوجة الأعمى كانت تغطي صدرها وفرجها بيديها. هذا ليس بسببي، فكّرت زوجة الطبيب، بل لأن ضوء القنديل ينظر إليهما. بعدئذٍ قالت، أن نلبس ثياباً نظيفة على أجساد قذرة، أفضل من أن نلبس ثياباً قذرة على أجساد نظيفة. حملت القنديل ومضت تبحث في أدراج ثيابها، في الخزانة، عادت بعد دقائق عدّة، تحمل بيجامات، أثواب نوم، تنانير، بلوزات، فساتين، بناطيل، سراويل تحتية كل ما هو ضروري لإلباس سبعة أشخاص. باحتشام. صحيح أنهم لم يكونوا من المقاس نفسه، غير أنهم كانوا يشبهون التوائم إلى حدّ بعيد في نحولهم. ساعدتهم زوجة الطبيب على ارتداء الملابس. لبس الطفل الأحول أحد بناطيل الطبيب، بنطلوناً من النوع الذي يُلبس عادة

على شاطئ البحر أو في الريف ونغدو فيه كالأطفال. بوسعنا الآن أن نجلس، قالت زوجة الأعمى متنفسة الصعداء، أرجوكِ أرشدينا، فنحن لا نعرف أين نجلس.

الغرفة ككل غرف الجلوس، فيها طاولات صغيرة في الوسط، وعلى الجوانب أرائك تتسع للجميع. جلس الطبيب وزوجته والكهل على إحداها، وعلى الأخرى، الأعمى الأول وزوجته. إنهم مرهقون. نام الطفل الأحول فوراً، ورأسه في حضن الفتاة ذات النظارة السوداء، ونسي أمر القنديل. مضت ساعة، كانت أقرب ما تكون إلى السعادة، بدت وجوههم ألقة كأنها غُسلت تحت الشعلات الثلاث الصغيرة، وكذلك أعين من بقوا صاحين، كانت ألقة. مدّ الأعمى الأول يده وعندما وجد يد زوجته ضغط عليها، وبوسعنا، من هذه الإيماءة، أن نرى كيف يساهم الجسد المرتاح في تناسق الذهن. بعدئذٍ قالت زوجة الطبيب، عما قريب سنتناول بعض الطعام، لكن في البدء يجب أن نقرر كيف سنعيش هنا، لا تقلقوا، لن أعيد على مسامعكم ما كان يردِّده مكبر الصوت، فهنا متسع للجميع، توجد غرفتا نوم يمكن استخدامهما من قبل الأزواج، ويمكن أن ينام الآخرون هنا، كلٌّ على أريكة، وغداً يجب أن أذهب للبحث عن طعام، فمؤونتنا تنفد، وإن رافقني أحدكم لمساعدتي في حمل الطعام ستكون مساعدته مشكورةً، وتساعدونني مشكورين أيضاً إن استطعتم تعلّم الحركة بحريّة في البيت، لتتعرفوا على زواياه، وانعطافاته، لأني قد أمرض في يوم ما، أو أن أعمى وهذا ما أنتظر حدوثه دائماً، وفي هذه الحالة عليَّ أن أعتمد عليكم. من ناحية أخرى، سأضع سطلاً في الشرفة من أجل قضاء حاجاتنا الجسدية، أعرف أنه من غير المريح أن نفعل ذلك في الشرفة بوجود كل ذلك المطر والبرد، لكنه في كل الأحوال، أفضل من تنتن رائحة البيت، دعونا لا ننسى ما كانت عليه حياتنا هناك في

المحجر، فقد انحدرنا إلى الدرك الأسفل من المهانة، كل أنواع المهانة، حتى وصلنا درجة الانحطاط الكامل، ويمكن أن يحدث الأمر ذاته هنا وإنْ يكن بطريقة مختلفة، هناك كنا نزعم أن الانحطاط هو نتيجة أفعال الآخرين، لكن الآن جميعنا نميّز وعلى التساوي بين الصالح والطالح، أرجوكم لا تسألوني ما هو الصالح والطالح فطالما كنّا نعرف ما هما عندما كنّا نضطر للقيام بفعل ما حينما كان العمى استثناءً. إن الخطأ والصواب، ببساطة، طريقتان مختلفتان في فهم علاقاتنا بالآخرين، لا تلك العلاقات التي نقيمها مع أنفسنا، فهذه يجب ألاّ نثق بها، اعذروني على هذا الوعظ الأخلاقي، فأنتم لا تعرفون، لا يسعكم أن تعرفوا، ماذا يعني أن نكون مبصرين في عالم كلٌّ من فيه عميان، أنا لست ملكةً، بل أنا ببساطة تلك الإنسانة التي وُلِدت لترى هذا الرعب، بوسعكم أن تشعروا به، غير أني أشعر به وأراه، وكفاني وعظاً الآن. دعونا نأكل. لم يطرح أيٌّ منهم أسئلةً، أما الطبيب فقال ببساطة، إن استعدت نظري ثانيةً، فسوف أدقق النظر في أعين الآخرين، وكأنني أنظر في أرواحهم. في أرواحهم أم في عقولهم، سأل الكهل ذو العين المعصوبة. لا تهمّ التسميات حتى لو كانت مثيرة للدهشة، إذا ما أخذنا في الحسبان أننا نتعامل مع ناس غير مثقفين. إن في داخلنا شيئاً ما لا اسم له، وذلك الشيء هو ما نحن عليه، قالت الفتاة.

كانت زوجة الطبيب قد وضعت على الطاولة بعضاً من الطعام القليل المتبقّي لديهم، ثم ساعدتهم على الجلوس إلى الطاولة وقالت، امضغوا ببطء فهذا يساعد على مخادعة المعدة. لم يتقدم كلب الدموع لاستجداء الطعام، فقد اعتاد على الصوم، علاوة على ذلك، لا بدّ أنه فكّر بأن لا حقّ له، بعد وليمة الصباح، في انتزاع طعام مهما كان قليلاً من فم المرأة التي جفف دموعها، أما الآخرون فلا يهمونه في شيء على ما

يبدو. على الطاولة وفي المنتصف كان قنديل الزيت منتصباً بشعلاته الثلاث بانتظار أن تفي زوجة الطبيب بوعدها. أخيراً وبعد أن فرغوا من الطعام قالت للطفل الأحول، اعطني يدك، ثم ببطء قادت أصابعه، هذه هي القاعدة، مدوّرة كما ترى. وهذا هو العمود الذي يحمل الجزء العلوي الذي يحتوي الزيت. هنا، وانتبه كي لا تحرق أصابعك، هذه هي الفتحات الثلاث، واحدة، اثنتان، ثلاث، من هذه الفتحات تبرز فتائل مجدولة من مواد تمتص الزيت إلى الأعلى، وحالما تقرّب منها عود ثقابٍ مشتعلٍ، تبدأ بالاشتعال حتى تنتهي. صحيح أن ضوءها شحيح لكنّه يكفي ليرى بعضنا بعضاً. أنا لا أستطيع أن أرى. سترى يوماً ما وعندئذٍ سأهديك القنديل. ما هو لونه. هل رأيتَ في حياتكَ شيئاً مصنوعاً من النحاس. لا أعرف؛ لا أذكر، ما هو النحاس. إنه معدن أصفر. آه. فكّر الطفل الأحول ملياً هنيهةً. لا بدّ أنه سيسأل الآن عن أمه، فكّرت زوجة الطبيب، لكنها كانت مخطئة. قال الطفل، ببساطة، إنه يريد ماء، إنه ظمآن. عليك أن تنتظر حتى الغد، فليس لدينا ماء هنا في البيت. في هذه اللحظة تماماً تذكّرت أنه يوجد ماء، خمسة ليترات أو أكثر من الماء الثمين، إنها كل ما يتّسع له صهريج المرحاض، ولا يمكن أن تكون أسوأ من تلك التي كانوا يشربونها هناك في المحجر. عمياء في الظلام، ذهبت إلى الحمام، تتلمس طريقها بيديها، رفعت غطاء الصهريج. لم تستطع حقيقة، أن ترى إذا ما كان فيه ماء. فيه ماء، قالت لها أصابعها، بحثت عن كأس، غطّستها بحرص مبالغ فيه وملأتها. لقد ارتدّت الحضارة إلى مصادرها البدائية اللزجة. عندما دخلت الغرفة كان الجميع لا يزالون متحلقين حول الطاولة، والقنديل يضيء وجوههم التي تطلعت صوبها. بدا الأمر وكأنها قالت لهم، ها قد عدت كما يمكنكم أن تشاهدوا، اغتنموا الفرصة وتذكّروا أن هذا الضوء لن يدوم إلى الأبد. قرّبت زوجة الطبيب الكأس من شفة الطفل الأحول

وقالت، هذا هو الماء، اشرب ببطء، ببطء، وتذوّقه، إنَّ كأساً من الماء شيء رائع. لم تكن تخاطبه، ولم تخاطب أحداً من الآخرين، بل كانت، ببساطة تقول للعالم، أي شيء رائع هو كأس من الماء. من أين أتيت بالماء، أهو ماء مطر، سألها زوجها. كلا، إنه من صهريج المرحاض. ألم يكن لدينا زجاجة ماء كبيرة عندما غادرنا المنزل، سألها ثانية. طبعاً، قالت زوجته، لماذا لم أفكّر في هذا، نصف زجاجة ملأى، وأخرى لم تفتح بعد. ما هذا الحظ. لا تشرب، لا تشرب، قالت للطفل، سنشرب جميعاً ماءً عذباً. سأضع على الطاولة أفضل كؤوس لدينا وسنشرب جميعاً ماءً عذباً. هذه المرّة أخذت القنديل ومضت إلى المطبخ، عادت بزجاجة الماء، والضوء يشع عبرها، ويجعل الكنز الذي في داخلها يتلألأ. وضعتها على الطاولة، وذهبت لتحضر الكؤوس، أفضل كؤوس لديهما، من أفضل أنواع الكريستال جودة، بعدئذٍ وببطء، ملأت الكؤوس، وكأنها تؤدي طقساً شعائرياً. في النهاية قالت، لنشرب. تلمّست الأيدي العمياء بحثاً عن الكؤوس، وجدتها، رفعتها وهي ترتجف، لنشرب قالت زوجة الطبيب ثانية. كان القنديل في وسط الطاولة كشمس تحفّ بها نجوم مشعّة. كانت الفتاة والكهل يبكيان عندما وضع الجميع الكؤوس على الطاولة ثانية.

كانت ليلة مضطربة. انتقلت الأحلام من نائم إلى آخر، غامضة في البدء، وغير دقيقة تلكأت هنا وهناك، جلبت معها ذكريات وأسراراً، ورغبات جديدة، لهذا السبب كان النائمون يتنهدون ويتمتمون، هذا الحلم ليس حلمي، غير أن الحلم كان يجيب، أنت لا تعرف أحلامك بعد. بهذه الطريقة عرفت الفتاة ذات النظارة السوداء من هو الكهل ذو العين المعصوبة، الذي ينام على بعد خطوتين منها. بالطريقة نفسها عرف هو من هي، اعتقد أنه عرف، إذ لا يكفي أن تكون الأحلام تبادلية كي

تكون متطابقة. بدأ المطر ينهمر مع حلول الفجر. الرياح تسوط النوافذ بقوة بدت أشبه بوقع آلاف السياط. استيقظت زوجة الطبيب، فتحت عينيها ودمدمت، اصغِ إلى ذلك المطر، ثم أغمضتهما ثانية، كان الظلام دامساً في الغرفة، بوسعها أن تنام الآن. لم تدم إغماضتها أكثر من دقيقة، واستيقظت بغتة وفي رأسها فكرة عن شيء تفعله، لكنها لم تكن تعي بعد ماذا يمكن أن يكون. كان المطر يقول لها، انهضي. ما الذي يريده المطر. غادرت الغرفة ببطء، وبحذر كبيرين كي لا توقظ زوجها، اجتازت غرفة الجلوس، توقفت فيها هنيهة كي تتأكد أن الجميع على الأرائك، ثم تابعت صوب الممر، فإلى المطبخ. كان المطر يهمي بقوّة على هذا الجانب من البناية، بسبب الريح. مسحت بكمّ فستانها البخار المتجمّع على زجاج نافذة الباب، ونظرت إلى الخارج. كانت السماء كلها غيمةً هائلةً والمطر يهمي مدراراً. كانت الثياب القذرة التي خلعوها مكوّمة على أرضية الشرفة، وفي الطست البلاستيكي أحذيتهم القذرة بانتظار من يغسلها. اغسلي. لقد زالت عنها غشاوة النوم الأخيرة، هذا ما كان عليها أن تفعله. فتحت باب الشرفة، خطت خطوة واحدة، وفي الحال بللها المطر من رأسها حتى قدميها، وكأنها وقفت تحت شلال ماء. يجب أن أستفيد من هذا المطر، فكّرت لنفسها. عادت إلى المطبخ ويحرص على تجنّب أكبر قدر من الجلبة، بدأت تجمع الزبادي، الطناجر، والمقالي، أي شيء يمكن أن تجمع فيه بعض الماء الذي ينهمر من السماء كستائر تسرّعها الريح، تكنسها فوق أسطح المدينة كمكنسة ضخمة صخّابة. حملتها إلى الشرفة، صفّتها على طول الدرابزين. الآن ستتوفر المياه لغسل الثياب والأحذية القذرة. لا تتوقفي عن الهطل، دمدمت وهي تبحث في المطبخ عن صابون ومنظفات، فراشي، مكاشط، أي شيء يمكن أن يستخدم لتنظيف قليل، على الأقل، قليل من قذارة الروح التي لا تحتمل. قذارة الجسد، قالت وكأنها تصحح هذه

الفكرة الميتافيزيقية، ثم أضافت، لا فرق، إنهما الشيء نفسه. بعدئذٍ كأن هذه هي النتيجة المحتومة، التوفيق التناغمي بين ما قالته وما فكّرت فيه، خلعت بسرعة ثوب نومها المبلل، وراحت الآن، وهي تتلقى مداعبات المطر حيناً وسياطه أحياناً أخرى، تغسل الثياب وجسدها في الوقت نفسه. حال صوت المطر من حولها دون انتباهها إلى أنها لم تعد وحيدة. كانت الفتاة ذات النظارة السوداء وزوجة الأعمى الأول تقفان في باب الشرفة، لا نعرف أي شعور سبقي، أي حدس، أيّ أصوات داخلية قد تكون أيقظتهما، ولا نعرف كيف وجدتا طريقهما إلى هنا. لا فائدة الآن من البحث عن تفسير، والتكهنات حرّة. ساعداني، قالت زوجة الطبيب، عندما رأتهما. كيف سنساعدك، ما دمنا لا نستطيع أن نرى، سألت زوجة الأعمى الأول. اخلعا ثيابكما، فكلما قلَّ ما سنجففهُ في ما بعد كان الأمر أفضل، لكننا لا نستطيع أن نرى، كررت زوجة الأعمى الأول. لا يهم قالت الفتاة، سنفعل ما نستطيعه. سأنتهي عما قريب، قالت زوجة الطبيب، وسوف أنظف أي شيء لا يزال وسخاً، هيا إلى العمل الآن. هيا، إنني المرأة الوحيدة في العالم تمتلك زوج أعين وست أيادٍ. ربما، هناك في البناء المقابل، استيقظ رجال ونساء عميان بسبب صخب المطر المستمر، ووقفوا خلف النوافذ مسندين جباههم إلى أفاريز النوافذ الباردة، وأنفاسهم المتكثّفة على الزجاج تحجب الظلمة الباهتة، يتذكرون آخر مرة، مثل الآن، شاهدوا فيها المطر ينهمر من السماء. لا يستطيعون أن يتخيّلوا أن هناك، علاوة على المطر، ثلاث نساء عاريات، كما ولدتهن أمهاتهن، يبدين مجنونات، لا بد أنهن مجنونات، فالنساء العاقلات لن يخرجن إلى الشرفة ليغتسلن هناك ويعرضن أجسادهن للجيران. حتى إن بدا الأمر أقل من ذلك، فكوننا عمياناً لا يغيّر في الأمر شيئاً، لأن أموراً كهذه يجب ألا تُفعل. يا إلهي، كيف يهمي المطر عليهن، كيف يترقرق بين أثدائهن، ويجري متكاسلاً

ويختفي في سواد عاناتهن، كيف يبلل أخيراً أفخاذهن ويجري عليها، ربما أخطأنا الحكم عليهن، أو ربما لسنا قادرين على رؤية هذا الأمر الأكثر جمالاً وروعة في تاريخ المدينة. تجري فوق أرضية الشرفة طبقة من الزبد، ليتني أستطيع الجريان معها، أسقط بلا تناه، نظيفاً، عارياً. الله وحده يرانا، قالت زوجة الأعمى الأول، التي رغم الإحباطات والنكسات لا تزال متعلقة بالاعتقاد أن الله ليس أعمى. ردّت عليها زوجة الطبيب، حتى الله لا يرانا، فالسماء ملبّدة بالغيوم. أنا فقط أستطيع أن أراكما. هل أنا قبيحة سألت الفتاة. أنت وسخة وشديدة النحول، لكن لن تكوني قبيحة أبداً. وأنا، سألت زوجة الأعمى الأول، أنت وسخة وشديدة النحول مثلها، لست بجمالها، بيد أنك أجمل مني. أنت جميلة، قالت الفتاة. كيف تعرفين ذلك، وأنت لم تريني البتة. لقد حلمت بك مرتين. متى. المرّة الثانية كانت ليلة أمس. كنتِ تحلمين بالبيت لأنك شعرت فيه بالأمان والهدوء، وهذا طبيعي بعد كل ما قاسيناه، ففي حلمك كنتُ أنا البيت، وكنتِ بحاجة إلى وجه كي تريني، وهكذا اخترعت هذا الوجه. أنا أيضاً أراك جميلة، رغم أني لم أحلم بك البتة، قالت زوجة الأعمى الأول. هذا يفيد في أن العمى هو ثروة القبيح. أنتِ لستِ قبيحة. كلا، في الواقع لست قبيحة، لكن في سِني هذه. كم عمرك قاطعتها الفتاة. إني على مشارف الخمسين. مثل أُمي. وأمك. ما بها أمي. هل لا تزال جميلة. كانت أكثر جمالاً ذات يوم. أنتِ لم تكوني أكثر جمالاً البتة، قالت زوجة الأعمى الأول. هكذا هي الكلمات المخادعة، يتراكم بعضها فوق بعض، تبدو لا تعرف أين تمضي، وفجأة بسبب اثنتين، أو ثلاث، أو أربع تخرج فجأة وبسيطة بحد ذاتها.. ضمير، فعل، حال، صفة، ونتحفّز لرؤيتها تنساب إلى السطح. بشكل لا يقاوم، عبر الجلد والأعين وتقلب هدوء مشاعرنا رأساً على عقب، وأحياناً الأعصاب التي لا تستطيع احتمالها بعد، بوسعنا القول إنها تبدي مقاومة فائقة، تقاوم كل

شيء، وكأنها تلبس دروعاً. إنَ لزوجة الطبيب أعصاباً فولاذية ومع ذلك فقد ارتدّت زوجة الطبيب إلى الدموع بسبب ضميرٍ، فعل، حالٍ، صفةٍ مجرّد تصنيفات قواعدية، مجرّد تسميات، تماماً مثل المرأتين الأخريين، ضميرين نكرتين، إنهما تبكيان أيضاً، إنهما تحتضنان إمرأة الجُملة كلها، ثلاثُ نِعَم تحت المطر. هذه لحظات لا تدوم إلى الأبد، فأولئك النسوة تحت المطر منذ أكثر من ساعة فقد آن الأوان ليشعرن بالبرد، إني بردانة قالت الفتاة. لا نستطيع فعل المزيد للثياب، وقد غدت الأحذية جديدة كما كانت، والآن حان دور النساء كي يغتسلن. ينقعن شعرهن، وتغسل إحداهن ظهر الأخرى ويتضاحكن كطفلات صغيرات يلعبن لعبة الأعمى العارية في الحديقة قبل أن يعمين. بزغ النهار، فقد أطلّت أولى خيوط الشمس من فوق كتف العالم قبل أن تحتجب ثانية خلف الغيوم. استمر الهطل لكن بغزارةٍ أقل. عادت الغسالات الثلاث إلى المطبخ، جففن وفركن أجسادهن بالمناشف التي جلبتها زوجة الطبيب من خزانة الحمّام، أجسادهن مضمّخة برائحة المنظفات، لكن هذه هي الحياة، فإن لم يكن لديك كلب تصيد به فاستخدم قطة، فقد اختفى الصابون في غمضة عين، رغم أن هذا البيت يبدو أنه يحتوي كل شيء، أو أنهن يعرفن كيف يستفدن من كل شيء على أكمل وجه. أخيراً، سترن أجسادهن، لقد كانت الجنة ظاهرة للعيان. كان ثوب نوم زوجة الطبيب مبللاً. لكنها لبست ثوباً مزهراً لم تلبسه منذ سنوات فجعلها تبدو أجمل الثلاث.

رأت زوجة الطبيب عندما دخلت غرفة الجلوس، الكهل جالساً على الأريكة التي كان نائماً عليها. يحمل رأسه بين راحتيه وأصابعه غائرة في غرة شعره الأبيض الذي ما زال محافظاً على كثافته، كان هادئاً، متوتّراً وكأنه يريد التشبث بأفكاره، أو، على العكس، أن ينفضها من

رأسه. سمعهن يدخلن. عرف من أين جئن، وماذا كنَّ يفعلن، أَنّهن كنّ عاريات، وإن عرف كل هذه الأمور فليس لأنه استعاد بصره بغتة، وتسلل مثل الكهول الآخرين ليتلصص ليس على سوزانا واحدة في الحمام، بل على ثلاث. كان لا يزال أعمى. جلُّ الأمر أنه وقف بباب المطبخ ومن هناك سمع ما كنَّ يقلنه على الشرفة، الضحكات، صخب المطر، وضرب الماء، تنشّق رائحة الصابون، من ثم عاد إلى الأريكة، يفكر أنه لا يزال في هذا العالم حياة، ليسأل إذا ما تبقى هناك مكان له فيها. قالت زوجة الطبيب، لقد اغتسلت النساء، حان الآن دور الرجال. هل لا تزال تمطر، سأل الكهل ذو العين المعصوبة. نعم، لا تزال تمطر، وهناك ماءٌ في الأواني في الشرفة. إني أفضل إذاً أن أستحمّ في الحمّام، في البانيو. لفظ هذه الكلمة الأخيرة وكأنه يستعرض شهادة ميلاده، كأنه يشرح، إنني من جيل لا يتكلم أفراده عن الحمامات، بل عن البانيوهات، وأضاف، إن لم يكن لديك مانع، طبعاً. لا أريد أن أوسّخ البيت. أعدك بأني لن أسفح قطرة ماء واحدة على الأرض، على الأقل، سأبذل جهدي. في هذه الحال سأجلب لك بعض الماء إلى الحمّام. سأساعدك. أستطيع فعل ذلك بنفسي. يجب أن أكون ذا نفعٍ ما، لست عديم الفائدة. تعال إذاً. على الشرفة، جذبت زوجة الطبيب وِعاءً ملآنَ إلى الداخل. أمسك هنا، قالت للكهل، وهي ترشد يده. الآن، رفعا الوعاء معاً. جيّد أنك أتيت لمساعدتي، فلم يكن بوسعي حمله بمفردي. أتعرفين ذلك المَثَل. أيّ مَثَل. لا يستطيع العجائز فعل الكثير، لكن يجب عدم الاستهانة بعملهم. لا تجري الأمور على هذا النحو. حسن فبدلاً من العجائز يجب أن يكون الأطفال، والازدراء بدلاً من الاستهانة. لكن إذا كانت الأمثال راغبة في الاحتفاظ بأي معنى، وتريد البقاء في ذاكرة الناس وعلى ألسنتهم، فعليها أن تتكيّف مع الأزمنة. أنت فيلسوف. ما هذه الفكرة، فأنا مجرّد رجل كهل. أفرغا الماء في البانيو، ثم فتحت زوجة الطبيب دِرْجاً، تذكّرت أنها لا

تزال تحتفظ فيه بقطعة صابون. وضعتها في يد الكهل وقالت، استخدمِ هذه، وسوف تغدو زكي الرائحة، أكثر منّا، ولا تقلق، فقد لا نجد طعاماً في الحوانيت، بيد أننا سنجد صابوناً بالتأكيد. شكراً لكِ. انتبه كي لا تنزلق، وإن أردت فسوف أرسل زوجي ليساعدك. شكراً، أفضّل أن أغتسل بنفسي. كما ترغب، لكن انتظر، ناولني يدك، ها هنا توجد موسى حلاقة وفرشاة، إن أردت أن تحلق هذه اللحية. شكراً. غادرت زوجة الطبيب. خلع الكهل البيجاما التي كانت من نصيبه أثناء توزيع الثياب، بعدئذٍ، نزل إلى البانيو بحذر. وكان الماء بارداً وقليلاً، ارتفاعه في البانيو أقلّ من قدم. كم تختلف هذه البركة البائسة عن تلقي الماء المدرار من السماء، مثل أولئك النسوة الثلاث. ركع على أرضية البانيو، أخذ نفساً عميقاً، غرف الماء بكلتا راحتيه ورشقه فجأة على صدره الذي توقف عن التنفّس تقريباً. أسرع في رشق الماء على جسده كله كي لا يشرع في الارتجاف، ثم، تدريجياً وبانتظام، بدأ يفرك جسمه بالصابون، وليفرك بقوّة فقد بدأ بالكتفين، الذراعين، الصدر، البطن، الإربيّتين، قضيبه، بين فخذيه، إني أسوأ من حيوان، فكّر لنفسه، بعدئذٍ الفخذين النحيلين هابطاً إلى طبقة الوسخ التي تغطي قدميه. أرغى الصابون كي يطيل أمد عملية التنظيف، قال، يجب أن أغسل شعري وحرك يديه إلى الوراء كي يفك العصابة السوداء عن عينه، أنت أيضاً بحاجة إلى حمّام، فكّها، تركها تسقط في الماء. شعر الآن بالدفء بلل شعره وصوبنه، كان الآن رجل الرغوة. رجلاً أبيض وسط عماء أبيض فسبح حيث لا أحد يستطيع أن يجده. إن كان فكّر في ذلك، فقد كان يخدع نفسه، إذ إنه في تلك اللحظة شعر بيدين تلمسان ظهره، تجمع الرغوة عن ذراعيه، عن صدره وتنشرها على ظهره، وتعملان ببطء، كأنهما غير قادرتين على رؤية ما تفعلان، كانتا مضطرتين إلى العمل بحذر شديد. أراد أن يسأل من أنت، غير أنه أسقط في يده. كان يرتجف، الآن، ليس بسبب البرد،

تابعت اليدان تغسيله بلطف. لم تقل المرأة، أنا زوجة الطبيب، أنا زوجة الأعمى الأول، أنا الفتاة ذات النظارة السوداء. أنهت اليدان مهمتهما، انسحبت في صمت يستطيع المرء خلاله سماع الجلبة الخفيفة لإغلاق باب الحمّام. تُرك الكهل وحيداً، راكعاً على أرضية البانيو، يرتجف، ويرتجف، كأنه يلتمس مِنَّةُ من السماء. مَنْ يمكن أن تكون، سأل نفسه. أوصلته محاكمته العقلية إلى أنها يمكن أن تكون زوجة الطبيب فحسب، إذ إنها الوحيدة القادرة على الرؤية، إنها مَنْ حمتنا جميعاً، اعتنت بنا وأطعمتنا، ولن يكون مدهشاً أن تولينا هذا الاهتمام السرّي هذا ما انتهى إليه منطقه، غير أنه لا يؤمن بالمنطق. لم يتوقف عن الارتجاف، لم يعرف إن كان يرتجف من الإثارة أم من البرد. وجد العصابة في قعر البانيو، فركها بقوّة، جففها ولبسها، فعندما يلبسها يشعر بأنه أقلّ عرياً. عندما دخل غرفة الجلوس، وقد جفف جسده الذي تفوح منه رائحة الصابون، قالت زوجة الطبيب، ها هنا لدينا رجل نظيف حليق الذقن، ثم وبنبرة من تذكّر أن هناك أمراً كان يجب فعله ولم يُفعل. أضافت، للأسف لم يفرك أحد لك ظهرك. ولم يردّ الكهل، اكتفى بأن فكّر أنه كان على صواب عندما لم يؤمن بالمنطق.

أعطوا الطعام القليل المتبقي للطفل الأحول، أما الآخرون فعليهم أن ينتظروا طعاماً جديداً. توجد في حافظة اللحوم بعض مرطبانات المؤن، فواكة مجففة، سكّر، بعض بقايا البسكويت، توست مجفف، لكنهم سيستهلكونها، وأخرى مضافة إليها في حالة الضرورة القصوى فقط، أما طعام كل يوم بيومه فيجب تحصيله تباعاً، وفقط عندما تعود حملة البحث عن الطعام، في بعض حالات سوء الحظ، خالية الوفاض، فيعطى عندئذٍ كلٌّ شخص قطعتي بسكويت وملعقة مرملاد، فهناك مربى الفريز والخوخ. ماذا تفضّل جوزة ونصف، كأس ماء، والماء ترف إذا ما

بقي متوفراً. قالت زوجة الأعمى الأول إنها تريد أيضاً أن تذهب للبحث عن طعام. إن ثلاثة لا يضيعون، حتى إن كانوا عمياناً إذ يستطيع اثنان منهم أن يساعدا في حمل الطعام، إضافة إلى ذلك فهي تفكّر في الذهاب لترى ما حلّ ببيتهما، إذا ما كانوا قريبين منه، وأمكنهم ذلك لترى إن كان محتلاً من قبل آخرين، إن كانت تعرف ساكنيه الجدد، قد يكونون جيراناً، مثلاً، من سكان البناية نفسها، عائلة أصبحت كبيرة بسبب وصول أقاربها من الريف ظناً منهم أنهم بهذه الطريقة يحمون أنفسهم من وباء العمى الذي هاجم قريتهم، فالمدينة تتمتع دائماً بموارد أفضل. بناءً عليه غادر الثلاثة المنزل، مرتدين الثياب الجافة المتوفّرة في المنزل، وأولئك الآخرون الذين استحمّوا عليهم انتظار مناخ أفضل. بقيت السماء ملبّدة بالغيوم لكنها لم تعد تنذر بالمطر. كانت القاذورات التي جرفتها سيول المطر قد شكلت تلالاً في أسفل الطرقات الأكثر انحداراً، مخلّفة وراءها فسحات واسعة من الأرصفة النظيفة. لو يستمر هطل المطر، لأن شروق الشمس سيكون سيئاً علينا في هذه الحالة، إذ يوجد ما يكفي من القذارة والرائحة النتنة. إننا نلاحظها أكثر من ذي قبل لأننا نظيفون، مغتسلون، قالت زوجة الأعمى الأول، ووافقها زوجها الرأي، رغم تشككه في أن استحمامه بالماء البارد قد تسبب له بالزكام. كانت الشوارع مزدحمة بالعميان، اغتنموا فرصة انقطاع المطر وخرجوا يبحثون عن طعام، وكي يقضوا حاجاتهم الجسدية من حين إلى آخر، تلك الحاجات التي ما زالت تضغط عليهم رغم قلّة ما يتناولونه من طعام وشراب. الكلاب تتشمّم كل مكان، تنبش في القاذورات، والغريب في الأمر أن كلباً كان يحمل في فمه جرذاً غريقاً، وهذا أمر نادر الحدوث، لا يمكن تفسيره إلاّ بأن شدّة سيول الأمطار التي هطلت مؤخراً قد جرفته إلى مكان لا تفيده فيه قدرته على العوم. لم ينخرط كلب الدموع مع رفاقه القدامى في الرهط ولا في الصيد. لقد

حسم خياره، لكنه لم ينتظر أن يطعمه أحد، فقد كان يمضغ شيئاً ما الله وحده يعرف ما هو، فأكوام القاذورات هذه تخبئ تحتها كنوزاً لا يمكن تخيّلها، لكن يجب نبشها، ابحث تجد. سيضطر الأعمى الأول وزوجته إلى البحث في ذاكرتهما عند الضرورة. إنهما يعرفان الآن، عن ظهر القلب النواصي الأربع لا لبيتهما الذي تزيد نواصيه عن هذا العدد، بل نواصي الشارع الذي يقع فيه بيتهما، وهذه ستفيدهما كنقاط علام، فالعميان لا يهمّهم أين يقع الشرق أو الغرب، الشمال أو الجنوب، فكل ما يريدونه هو أن تخبرهم يدهم المتلمّسة إنهم يسيرون في الطريق الصحيح.. سابقاً، عندما كانوا قلّة، اعتادوا على حمل عصيّ بيض، وكانت نقرات عصيهم المستمرة على الأرض والجدران، نوعاً من الشيفرة تسمح لهم بتحديد طريقهم والتعرّف عليها، لكن اليوم، وبما أن الجميع عميان، فإن عصا بيضاء، وسط هذه الضجة العامة، هي أقلّ من مفيدة. هذا بصرف النظر عن أن الأعمى، الغارق في بياضه الخاص، قد يرتاب في أنه يحمل، حقيقة، أيّ شيء في يده. إن الكلاب، كما نعرف جميعاً، إضافة إلى ما نسميه الغريزة، تمتلك طرائق أخرى لتحديد الاتجاهات، إنها تعتمد كثيراً على بصيرتها وذلك بسبب قصر بصرها بالتأكيد، ومن ناحية أخرى ربما أن أنفها يقع تحت أعينها، فإنه يوصلها دائماً إلى حيث تريد، في هذه الحالة، وفقط من أجل التأكيد، فإن كلب الدموع قد رفع ساقه إلى جهات الريح الأربع. وبذلك سيتكفّل النسيم بإرشاده إلى البيت إذا ما ضاع يوماً. كانت زوجة الطبيب تجيل ناظرها وهم يسيرون قُدماً في الشوارع بحثاً عن حوانيت تستطيع أن تملأ من موجوداتها خزانة مؤونتها التي تزداد شحاً. لم تكتمل الغنيمة لأنه لم يتبقَّ في مخازن البقاليات قديمة الطراز، إلا الفاصولياء والبازيلاء المجففة، وهذه تستغرق زمناً طويلاً في الطهو، وتحتاج إلى ماء، ونار، لذلك فهي غير مرغوبة هذه الأيام. لم تكن زوجة

الطبيب عملياً تُجلُّ مواعظ الأمثال إلى حد بعيد، رغم أنه لا تزال هناك بقيّة من تلك المعرفة في ذاكرتها، ودليل ذلك أنها ملأت أحد الأكياس التي كانت بحوزتها بالفصولياء، وآخر بالبازيلاء المجفّفتين. احتفظ بما لا قيمة له اليوم، وغداً ترى ما أنت فاعل به. هذا واحد من أمثال حفظتها عن جدّتها. تسلقه بالماء نفسه الذي تنقعه فيه، والماء المتبقي عن الطعام يمكن شربه، غير أنه سيغدو مرق حساء. فليس في الطبيعة وحدها يجري أنّ من حين إلى آخر لا يضيع كل شيء ويُستعاد شيء ما.

لماذا كانوا محمّلين بأكياس الفاصولياء والبازيلاء وأي شيء آخر يتّفق أن يتلقطوه بينما لايزالون بعيدين عن الشارع الذي كان يقطن فيه الأعمى الأول وزوجته، هذا سؤال قد يخطر فقط لشخص لم يعانِ البتة من العوز في حياته. خذيه إلى البيت حتى وإن كان حجراً. هذا ما قالته جدّتها، غير أنها نسيت أن تضيف، حتى إن اضطررت إلى حمله والدوران حول الأرض. وهذا ما كانوا يفعلونه الآن، إنهم ذاهبون إلى البيت من أطول الطرق. أين نحن الآن، سأل الأعمى الأول زوجة الطبيب، وهذه هي الغاية من عينيها المبصرتين. هنا عَميتُ، قال، عند هذه الناصية، بجانب شارة المرور. هنا تماماً، على هذه الناصية، في هذه البقعة تحديداً. لا أريد تذكّر ما جرى، عَلِقتُ في زحمة سيارات، غير قادر على الرؤية، والناس تصرخ عليَّ من الخارج، وأنا أصرخ يائساً إنني أعمى، حتى ظهر رجل واصطحبني إلى المنزل. يا للمسكين، قالت زوجة الأعمى الأول، لن يسرق سيارة بعد الآن قط، إننا نهاب جداً فكرة موتنا، ولهذا نحاول دائماً إيجاد الأعذار للموتى، وكأننا نطلب مسبقاً أن نُعذر عندما يحين دورنا. لا يزال هذا كله يبدو كالحلم، قالت زوجة الأعمى الأول، يبدو كأنني أحلم بأني عمياء. هذا ما فكّرت به بالضبط عندما كنت أنتظركِ في البيت، قال زوجها. تجاوزوا الناصية

حيث عَميَ، إنهم يصعدون الآن متاهة شوارع ضيّقة لا تعرفها زوجة الطبيب، غير أن الأعمى الأول لم يَضعْ، إنه يعرفها جيداً. تنطق زوجة الطبيب باسم الشارع، فيقول هو، لننعطف يساراً، لننعطف يميناً، ويقول أخيراً، هذا هو شارعنا. ما هو رقم البناية، تسأله زوجة الطبيب. لا يستطيع أن يتذكر. ليس الأمر لأني لا أتذكّر، بل لقد طار الرقم من رأسي، وذلك نذير شؤم. إن كنا لا نذكر حتى أين نعيش، إنْ كان الحلم قد محا ذاكرتنا، فإلى أين سيقودنا هذا الطريق. لا بأس، ليس الأمر خطيراً هذه المرّة، فمن حسن الحظ أن زوجة الأعمى الأول، صاحبة فكرة هذه الرحلة، كانت تكرر على الدوام رقم المنزل، وهذا ما جنّبها اللجوء إلى ذاكرة زوجها الذي كان يفاخر دائماً بأنه قادر على تمييز باب بيته بلمسة سحرية، كأنه يحمل عصا سحرية، بلمسة، هذا معدن، بلمسة أخرى، هذا خشب، وبثلاث أو أربع لمسات أخرى سيبلغ النموذج الأمثل. أنا واثق أن هذا هو المدخل. دلفوا إلى الداخل تتقدمهم زوجة الطبيب. في أي طابق، سألته، في الطابق الثالث. لم تكن ذاكرته سيّئة كما بدا الأمر. هذه هي الحياة، نتذكّر أشياء، وننسى أخرى، فلنتذكر، مثلاً، أنه عندما عمي دخل هذا الباب، وسأله الرجل الذي سرق سيارته، في أي طابق تسكن. في الطابق الثالث، أجابه، والفارق الآن أنهم لن يصعدوا بالمصعد، بل سيرتقوا الأدراج التي يتناوب فيها النور والعتمة. كم يفتقد المبصرون نور الكهرباء، أو نور الشمس، أو نور الشمعة، فقد اعتادت زوجة الطبيب، الآن، نصف -العتمة هذه. التقوا في منتصف الطريق بامرأتين عمياوين تهبطان الأدراج من الطوابق العليا، ربما من الطابق الثالث، لم يتبادلوا الأسئلة معهما، صحيحٌ إذاً أن الجيران ليسوا جيران أيام زمان.

كان الباب مغلقاً. ماذا سنفعل سألت زوجة الطبيب. اتركا الأمر لي،

قال الأعمى الأول. قرعوا الباب مرّة، مرّتين، ثلاثاً. لا أحد في الداخل، قال. انفتح الباب في اللحظة نفسها. لم يكن التأخّر مدهشاً، فالعميان في الداخل، لا يستطيعون الجري لفتح الباب. من الطارق، من تريد، سأل الرجل الذي فتح الباب، بوجهٍ صارم القسمات، وكان مهذّباً، لا بدّ أنه إنسان يمكن التفاهم معه. قال الأعمى الأول، كنت أعيش في هذه الشقة. آه، ردّ الآخر، وأردف، هل معك أحد. زوجتي وصديقة. كيف أتأكد أن هذه شقتك. هذا بسيط قالت زوجة الأعمى الأول، فبوسعي أن أعدد لك كل موجودات الشقة. صمت الرجل بضع ثوان، ثم قال، تفضلوا ادخلوا. كانت زوجة الطبيب آخر الداخلين. لا أحد يحتاج للإرشاد هنا. أنا وحدي هنا، قال الرجل الأعمى، فقد ذهبت عائلتي للبحث عن طعام، ربما يجب أن أقول، النساء، لكني لا أعتقد أنها الكلمة المناسبة، صمت قليلاً ثم أضاف، مع ذلك قد تظنون أني يجب أن أعرف. ماذا تقصد، سألت زوجة الطبيب. النساء اللاتي قصدتهن، إنهن زوجتي وابنتاي، ويجب أن أعرف متى يكون مناسباً استعمال تعبير «النساء»، فأنا كاتب، ويفترض بنا أن نعرف أشياء كهذه. شعر الأعمى الأول بإطراء، تخيّلوا أنَّ كاتباً يعيش في شقّتي، بعدئذٍ تردّد في ما إذا كان من اللائق أن يسأله عن اسمه، فربما يكون قد سمع باسمه، بل من الممكن أنه قرأ له. كان لا يزال مشتتاً بين الفضول واللباقة، عندما وجّهت زوجة الطبيب السؤال مباشراً. ما اسمك. لا يحتاج العميان إلى اسم، فأنا هو صوتي وكل ما عداه لا يهم. لكنّك ألّفت كتباً تحمل اسمك، قالت زوجة الطبيب. ليس بمقدور أحد أن يقرأها الآن، لذلك يمكن اعتبارها أنها لم توجد. شعر الأعمى الأول أن الحديث ينحرف بعيداً عن الموضوع الذي يهمّه، فسأل، وكيف وصلت بك الأمور إلى أن تستقر في شقتي. مثل كثير من الآخرين الذين لا يعيشون بعد في الأماكن التي اعتادوا العيش فيها. لقد وجدت بيتي محتلاً من قبل ناس يمكن القول إنهم رفضوا

الإصغاء للمنطق، ويمكن القول إنهم طردونا، دُحرجنا على الأدراج. هل بيتك بعيد عن هنا، كلا. هل حاولت العودة إليه، سألت زوجة الطبيب، فالشائع الآن، أن يتنقل الناس من بيت إلى آخر. لقد حاولت مرتين. ولا يزالون فيه. نعم. ماذا سنفعل الآن بعد أن عرفت أن هذه شقّتنا، استفسر الأعمى الأول، هل ستطردنا كما فعلوا بك. كلا، فلا عمري ولا قوّتي يساعدانني على ذلك، حتى إن فعلت، لا أظنني قادراً على إجراء سريع كهذا، فالكاتب يحاول أن يحوز في حياته الصبر الذي يحتاجه للكتابة. ستخلي لنا الشقة إذاً. نعم، إن استطعنا إيجاد حلّ آخر، ولا أستطيع أن أعرف ما قد يكونه الحل الآخر. لقد خمّنت زوجة الطبيب ماذا سيكون ردّ الكاتب. أنت وزوجتك، مثل صديقتكما، تعيشون في شقة، على ما أعتقد، نعم، في الواقع إننا نعيش في شقتها. هل هي بعيدة جداً. ليست بعيدة كثيراً. إذاً، لدي اقتراح لو تسمحون لي. تفضّل قلهُ. نستمر في الحالة التي نحن عليها، فلدى كلينا الآن مكان يستطيع العيش فيه، وسوف أتابع أنا ما يجري لبيتي، فإذا ما وجدته فارغاً ذات يوم، أنتقل إليه مباشرة، وتفعلون أنتم الشيء نفسه، تأتون إلى هنا من حين إلى آخر بانتظام وعندما تجدون البيت فارغاً تستقرّون فيه. لست واثقاً من أني استسيغ الفكرة. لم أتوقع منك أن تستسيغها، غير أني أشك إذا ما كنت ستقبل بالبديل الوحيد المتبقي. ما هو. كي تستعيدا شقتكما، في هذه الحال، وتحديداً في هذه الحال، يجب أن نجد نحن مكاناً آخر نعيش فيه. كلا، لا تفكر في هذا الأمر البتة، قالت زوجة الأعمى الأول، فلنترك الأمور على حالها، ولنر ماذا سيحدث. لقد خطر لي أن هناك حلّاً آخر، قال الكاتب. وماذا يمكن أن يكون، ردّ الأعمى الأول. سنعيش هنا كضيوف عليكما، فالشقة واسعة بما يكفي لنا جميعاً. كلا، قالت زوجة الأعمى الأول، سنستمر على ما نحن عليه، نعيش مع صديقتنا، وأضافت مخاطبة زوجة الطبيب، لا حاجة لأن أسألك رأيك. ولا أنا مضطرة أن

أجيبك. وأنا مَدين بالفضل لكم جميعاً، قال الكاتب، لقد انتظرت طول الوقت أن يأتي شخص ما ليطالب بهذه الشقة. إن الأمر الأكثر طبيعية في حالة العمى هو أن يقنع المرء بما بين يديه، قالت زوجة الطبيب. كيف تدبرتم أمور معيشتكم منذ انتشار الوباء. لقد خرجنا من المعتقل منذ ثلاثة أيام فقط. آه، كنتم في المحجر إذاً. نعم. هل كان قاسياً، بل كان أقسى من دلالة هذه الكلمة، يا للرعب. أنت كاتب، وأنت مُلزَمٌ. كما قلت منذ لحظات، بمعرفة الكلمات، لذلك فأنت تعرف أن الصفات عديمة الفائدة بالنسبة إلينا، فإن قتل شخصٌ شخصاً آخر، على سبيل المثال، فمن الأفضل أن تسمّي هذه الحقيقة مباشرة وصراحة، وأن تثق أن فعل القتل بحد ذاته فظيع جداً، ولا فائدة من وصفه بأنه مرعب، هل تعنين أن لدينا من الكلمات ما يفوق حاجتنا. أقصد أننا فقراء جداً بالمشاعر، أو أننا لسنا فقراء بها، غير أننا توقفنا عن استخدام الكلمات التي تعبّر عنها. وبهذا نكون قد أضعناها. أودُّ لو تخبرينني كيف عشتم في المحجر. لماذا. لأني كاتب. كان يجب أن تعيش هناك. إن الكاتب كالآخرين تماماً، لا يستطيع معرفة كل شيء، ولا يستطيع تجريب كل شيء فيجب عليه أن يسأل ويتخيّل. قد أخبرك عن ذلك ذات يوم، ويمكنك عندئذ أن تؤلف كتاباً. نعم، إني أعمل على تأليف كتب الآن. كيف ذلك وأنت أعمى. الأعمى أيضاً يستطيع الكتابة. تقصد أن لديك الوقت لتتعلم الكتابة بطريقة بريل. لا أعرف طريقة بريل في الكتابة. كيف تكتب إذاً سأل الأعمى الأول. دعوني أريكم. نهض من كرسيه، غادر الغرفة وعاد بعد دقيقة، يحمل بين يديه ورقة وقلم حبر. هذه آخر صفحة كاملة كتبتها. لا نستطيع أن نراها، قالت زوجة الأعمى الأول. ولا أنا، قال الكاتب. سألته زوجة الطبيب وهي تنظر إلى الورقة في نور الغرفة الباهت، واستطاعت أن ترى أسطراً متلاصقة بعضها مع بعض، ومتداخلة أحياناً. كيف تستطيع الكتابة إذاً. بطريقة اللمس. أجاب

الكاتب مبتسماً، إنه أمر سهل، تضعين الورقة على سطح طري، فوق بضع أوراق، على سبيل المثال، ثم تغدو المسألة مسألة كتابة. لكن إذا كنت لا تستطيع أن ترى شيئاً، قال الأعمى الأول. قاطعه الكاتب قائلاً، إن قلم الحبر أداة كتابة ممتازة للعميان، لا يسمح لهم بقراءة ما كتبوه، لكنه يساعدهم على معرفة أين كتبوا على الورقة، وما عليهم إلاّ أن يقتفوا بأصابعهم أثر القلم على آخر سطر كتبوه، ثم نتابع الكتابة حتى الطرف الآخر من الورقة، بعدئذ نحسب المسافة الفاصلة من أجل السطر التالي، إنه أمر سهل. ألاحظ أن بعض الأسطر متداخلة، قالت زوجة الطبيب، وهي تأخذ الورقة من يده بلطف. كيف تعرفين ذلك. إني أبصر. أنت تبصرين. هل استعدت بصرك. كيف. متى، سألها الكاتب مستثاراً. أعتقد أني الشخص الوحيد الذي لم يفقد بصره. ولماذا، ما تفسير ذلك. لا أملك تفسيراً، ويمكن ألاّ يوجد تفسير لذلك. ذلك يعني أنك رأيت كل ما قد جرى. رأيت ما رأيته، لم يكن أمامي خيار آخر. كم كان عددكم في المحجر. كنّا قرابة ثلاثمئة. منذ متى. منذ البداية. لقد خرجنا منذ ثلاثة أيام، كما أخبرتك. أعتقد أني أول شخص عَميّ، قال الأعمى الأول. لا بد أنه كان أمراً مرعباً. تلك الكلمة من جديد، علّقت زوجة الطبيب. سامحيني فإن كل ما كنت أكتبه منذ عمينا أنا وعائلتي، صدمني فجأة بسخافته. عن ماذا كنت تكتب. عن معاناتنا، عن حياتنا، يجب أن يتكلم الجميع عما يعرفونه، ويسألون عما لا يعرفونه. لهذا السبب أنا أسألك. وسوف أجيبك، لا أعرف متى، لكنني سأجيبك يوماً ما. مست يد الكاتب بالورقة وأضافت، هل تتلطف وتريني أين تعمل وماذا تكتب. نعم، بالتأكيد، تفضلي. هل نستطيع أن نأتي أيضاً. سألت زوجة الأعمى الأول. الشقة لكما، وأنا مجرّد عابر بها. في غرفة النوم كانت هناك طاولة صغيرة عليها مصباح قراءة غير مضاء. كان نور النهار الباهت الذي يدخل عبر النافذة يسمح برؤية أوراق الكتابة على يسار

الطاولة، وعلى اليمين الأوراق التي كتب عليها، وفي الوسط ورقة كُتبَ على نصفها، وبجانب المصباح قلما حبر لم يستعملا بعد. ها هي ذي الغرفة، قال الكاتب. هل يمكنني؟ سألت زوجة الطبيب، وبدون أن تنتظر الردَّ تناولت الأوراق المكتوبة، لا بد أنها عشرون ورقة تقريباً، جالت بصرها فوق الخط الصغير، فوق الأسطر الصاعدة والهابطة، فوق الكلمات المخطوطة على بياض الورقة على عماها. إنّي أسجل المعاناة فحسب، قال الكاتب. وهذه هي العلامات التي خلّفها في معاناته. وضعت زوجة الطبيب يدها على كتفه، فتناولها بكلتا يديه ورفعها ببطء إلى شفتيه. لا تضيّعي نفسك، لا تتركيها تنساق إلى الضياع، قال لها، وكانت تلك كلمات غير متوقّعة، ملغّزة، بدت غير منسجمة مع الموقف.

عندما عادوا إلى المنزل، يحملون طعاماً يكفي لثلاثة أيام، قاطع الأعمى الأول وزوجته مستثارين بما حدث، سرد زوجة الطبيب.. والأمر الوحيد الذي حدث في تلك الليلة أنها قرأت لهم في كتاب جلبته من مكتبة البيت. لم يستمتع الطفل الأحول بالقصة، فغط في النوم بعد هنيهة قصيرة واضعاً رأسه في حضن الفتاة ذات النظارة السوداء، وقدميه على فخذي الكهل ذي العين المعصوبة.

بعد مضيّ يومين قال الطبيب، أودّ لو أعرف ماذا جرى للعيادة، رغم أننا في هذه المرحلة، أنا وهي عديما الفائدة، لكن ربما يستعيد الناس بصرهم ذات يوم ولذلك يجب أن تبقى الأدوات في مكانها. بوسعنا الذهاب إليها متى شيءت، ردّت زوجته، الآن فوراً. فأضافت الفتاة ذات النظارة السوداء، بوسعنا أيضاً أن نستغل هذا المشوار لنمرّ ببيتنا، ليس لأني أعتقد أن والديَّ قد عادا، بل لأهدّئ ضميري. بوسعنا الذهاب إلى بيتكم أيضاً، قالت زوجة الطبيب. لم يرغب الآخرون في الانضمام

إلى حملة استطلاع المنازل هذه، لا الأعمى الأول وزوجته لأنهما كانا يعرفان مسبقاً ماذا يمكن أن يأملا من هذا الاستطلاع، ولا الكهل ذو العين المعصوبة أيضاً، لكن ليس للسبب نفسه، وكذلك الطفل الأحول لأنه لا يزال عاجزاً عن تذكّر اسم الشارع الذي كانوا يقطنون فيه. كان الجو صافياً، بدا أن المطر قد توقفَ عن الهطل، وكانوا يشعرون بحرارة الشمس، رغم شحوبها، تسفع بشرتهم. لا أعرف كيف سنستطيع العيش إذا واصلت درجات الحرارة ارتفاعها، قال الطبيب، ذلك أن القاذورات تتعفّن في كل مكان، والحيوانات النافقة، ربما الناس الأموات أيضاً، لا بدّ أن هناك أناساً ماتوا داخل بيوتهم، والأسوأ في الأمر أننا غير منظمين، يجب أن يوجد هناك تنظيم في كل بناية، في كل شارع، في كل ضاحية. حكومة، قالت زوجته. تنظيم، فالجسد البشري منظّم أيضاً، ويستمر في الحياة ما دام منظماً وليس موته إلا نتيجة لخلل في التنظيم. وكيف يستطيع مجتمع عميان أن ينظم نفسه كي يبقى حياً. يستطيع ذلك بتنظيم نفسه، وأن ينظم المرء نفسه يعني، بطريقة ما، أن يبدأ بامتلاك عينين. ربما تكون على حق، غير أن تجربة العمى هذه لم تجلب لنا غير الموت والبؤس، فعيناي مثل عيادتك، كانتا عديمتي الفائدة. بل الفضل كل الفضل لعينيك في أننا بقينا أحياء، علّقت الفتاة. كنا سنبقى أحياء لو كنت عمياء أيضاً، فالعالم مليء بالعميان. أعتقد أننا سنموت جميعاً، والمسألة مسألة وقت. طالما كان الموت مسألة وقت، قال الطبيب. لكن أن تموت فقط لأنك أعمى، فتلك أسوأ ميتة. إننا نموت من المرض، من الحوادث، من المصادفات، وسنموت الآن من العمى. أقصد أننا سنموت... سنموت بسبب العمى والسرطان، العمى والسل، العمى والأيدز، العمى والنوبات القلبية، قد يختلف المرض من شخص إلى آخر إلا أن ما يقتلنا الآن حقيقة هو العمى. لسنا خالدين، لا يمكننا الفرار من الموت، لكن على الأقل لا ينبغي أن نكون عمياناً، قالت

زوجة الطبيب. كيف إذا كان هذا العمى ملموساً أو حقيقياً. لست متأكدة من ذلك قالت زوجته. ولا أنا أضافت الفتاة ذات النظارة السوداء.

لم يضطروا إلى خلع الباب، فقد فُتح الباب بشكل عادي، إذ إن مفتاحه كان في حلقة المفاتيح التي بقيت في البيت عندما اقتادوا الطبيب إلى المحجر. هذه غرفة الانتظار، قالت زوجة الطبيب. الغرفة التي كنت أجلس فيها، أضافت الفتاة ذات النظارة السوداء، إن الحلم يستمر، لكنني لا أعرف أي حلم من الأحلام هو، إذا ما كان الحلم الذي عشته في ذاك اليوم عندما حلمت بأني أفقد بصري، أو الحلم الذي كان يعاودني دائماً فأرى نفسي أعمى وأجيء إلى العيادة، ومازلت في الحلم، لأعالج التهاب الملتحمة في عيني.. التهاباً لم يكن ينذر بخطر العمى. لكن المحجر لم يكن حلماً، قالت زوجة الطبيب. كلا بالتأكيد، ولم يكن حلماً بأننا اغتُصبنا. ولا بأني طعنت رجلاً، خذيني إلى مكتبي. بوسعي دخوله بمفردي، لكن قوديني إليه، قال الطبيب. كان الباب مفتوحاً. قالت زوجته، لقد قُلبَ المكان عاليه سافله، الأوراق على الأرض، هناك أدراج الملفات نزعت من أماكنها، لا بدّ أنهم مبعوثو الوزارة، أخذوها كي لا يضيّعوا وقتهم في البحث. ربما. وأدوات المعاينة. إنها تبدو في حالة سليمة، منذ النظرة الأولى. هذا على الأقل شيء جيد، علّق الطبيب، ثم تقدّم بمفرده، وذراعاه ممدودتان أمامه، لمس صندوق العدسات، المِعْيان[٧]، طاولته، وبعدئذٍ خاطب الفتاة قائلاً، أعرف ماذا تحاولين قوله عندما تقولين إنك تَعيشين حلماً. جلس وراء طاولته، وضع يديه على سطحها المغبر، ثم بابتسامة حزينة ساخرة تابع كلامه وكأنه يخاطب شخصاً ما يجلس قبالته فقال، كلا يا عزيزي الطبيب، إني

---

(٧) الجهاز الذي يفحص الطبيب بوساطته باطن العين. – م –

شديد الأسف لأجلك، لكن ليس هناك علاج معروف لحالتك، وإن أردتَ نصيحتي الأخيرة فعليك أن تتمسك بالأمثال القديمة، فقد كانت محقّة عندما قالت، إن الصبر خير دواء للأعين. لا تزد معاناتنا، قالت المرأة، سامحاني كلاكما، فنحن الآن في عيادة كانت تُنَجزُ فيها المعجزات عادةً، بيد أني لا أمتلك الآن حتى الدليل على قواي السحرية، لقد سلبوها كلها. المعجزة الوحيدة التي نستطيع تحقيقها هي أن نستمر في العيش، قالت المرأة، نحافظ على هشاشة الحياة من يوم إلى آخر، وكأنها عمياء ولا تعرف أين تمضي، وربما هي كذلك، ربما لا تعرف ذلك حقيقة، لقد وضعت نفسها بين أيدينا بعد أن منحتنا الذكاء وها هو ذا ما فعلناه بها. تتكلّمين وكأنك عمياء أيضاً، قالت الفتاة ذات النظارة السوداء. إنني كذلك بطريقة ما، إني عمياء بعماكم، ربما كان بوسعي أن أرى أفضل لو كان بيننا مبصرون آخرون. أخشى أنك تشبهين شاهداً يبحث عن محكمة استدعيَ للمثول أمامها، والله وحده يعرف من دعاه، وليدلي بشهادة الله وحده يعرف ما هي أيضاً، قال الطبيب إن الزمن يدنو من نهايته، العفن ينتشر، الأبواب مفتوحة أمام الأمراض، الماء ينفد، الطعام تسمم، هذا ما سأدلي به أولاً، قالت زوجة الطبيب، وثانياً، سألت الفتاة. ثانياً، سأطلب أن نفتح أعيننا. لا نستطيع، قال الطبيب، إننا عميان. عظيمة هي تلك الحقيقة التي تقول، إن الأعمى الأسوأ هو ذلك الذي لم يرِد أن يفتح عينيه. لكني أريد أن أبصر، قالت الفتاة ذات النظارة السوداء. لن تكون رغبتك سبباً في أن تبصري، والفرق الوحيد هو أنك لن تكوني بَعد الأعمى الأسوأ. لنذهب الآن، قال الطبيب، فلم يعد هنا المزيد لنراه.

في طريقهم إلى بيت الفتاة، عبروا ساحة مليئة بمجموعات عميان يستمعون إلى خطابات عميان آخرين. وللوهلة الأولى لا تخال المتكلمين

ولا المستمعين عمياناً، إذ يدير المتكلمون رؤوسهم نحو مستمعيهم، والمستمعون بدورهم يشرئبون بأعناقهم متطلّعين صوبَ محدّثيهم. كانوا يعلنون عن نهاية العالم، عن الخلاص عبر التوبة، عن رؤى اليوم السابع، ومجيء الملائكة، اصطدامات كونية، انطفاء الشمس، الروح القبلية، نسغ اللفاح[٨]، مرهم النمر، طهارة الأمارة، انضباط الريح، عطر القمر، البرء من الظلمة، قوة التعويذة، أمارة الهاوية، صلب الورد، طهارة اللنف[٩]، دم القطة السوداء، نوم الظل، فيضان البحار، منطق أكل لحم البشر، الإخصاء غير المؤلم، الوشم المقدس، العمى الطوعي، الأفكار المحدّبة، أو المتكهّفة، أو الأفقية، أو العمودية، أو المائلة، أو المكثّفة، أو المشتتة، أو الرشيقة، عن وهن الحبال الصوتية، وموت الكلمة. لا أحد يتكلم هنا عن التنظيم، قالت زوجة الطبيب. ربما يتحدثون عنه في ساحة أخرى، ردّ عليها. تابعوا سيرهم. قالت زوجة الطبيب بعد هنيهة قصيرة، يوجد موتى أكثر من المألوف. إن مقاومتنا تضعف، فالزمن ينقضي، والماء ينفد، و الأمراض تزداد، والطعام يتسمم، هذا ما قلتهِ أنتِ سابقاً، ذكّرها الطبيب. مَنْ يعرف أن والديَّ ليسا بين هؤلاء الموتى، قالت الفتاة، وها أنذا أمرّ بهما من غير أن أراهما. يقضي العرف المقدس بفعل تقادم الزمن، أن نمرّ بالموتى من غير أن نراهم، قالت زوجة الطبيب.

بدا الشارع الذي تقطن فيه الفتاة ذات النظارة السوداء مقفراً، حتى

---

(٨) اللفاح، اليبروح، نبات عشبي من الفصيلة الباذنجانية، وهو سام تُستخلص منه مخدرات. – م –

(٩) اللنف: سائل عديم اللون تقريباً تشتمل عليه الأوعية اللنفاوية ويتألّف من بلازما وكريات دم بيضاء. – م –

أكثر من المعتاد. وأمام باب البناية رأوا جثة عجوز الطابق الأول، ميّتة، وقد جعلتها الحيوانات الشاردة نصف أشلاء. من حسن حظ كلب الدموع أنه لم يرغب اليوم بمرافقتهم، وإلا كان لزاماً عليهم أن يمنعوه من غرز أنيابه في هذه الجثة. إنها الجارة التي كانت تسكن الطابق الأول، قالت زوجة الطبيب. مَنْ، سأل زوجها، أين. هنا تماماً، عجوز الطابق الأول، ألا تشمّان رائحتها. يا للمرأة المسكينة، قالت الفتاة. لماذا اضطرت إلى الخروج إلى الشارع، فهي لم تكن تخرج قط. ربما شعرت بدنوّ أجلها، ربما لم تحتمل فكرة أن تبقى في الشقة وتتعفن، قال الطبيب. ليس بوسعنا الدخول الآن، فالمفاتيح ليست معي. ربما عاد والداك وهما ينتظرانك في الداخل، قال الطبيب. لا أعتقد ذلك. أنت محقة في ذلك، قالت زوجة الطبيب، فها هي ذي المفاتيح. كانت هناك مجموعة مفاتيح تلمع، تبرق في راحة المرأة، الميّتة، نصف المفتوحة المستقرة على الأرض. ربما تكون هذه مفاتيحها هي، قالت الفتاة. لا أعتقد ذلك، لم يكن عندها مبرّر لتأخذ مفاتيحها إلى حيث تعتقد نفسها ستموت. لكن إن كانت قد فكرت بمساعدتي بجلبها المفاتيح إلى خارج الشقة، فقد نسيت أني لن أستطيع رؤيتها لأني عمياء. لا نعرف بماذا فكّرت عندما قرّرت اصطحاب المفاتيح معها، ربما فكرت أنك ستستعيدين بصرك، ربما ارتابت في شيء ما غير طبيعي في تنقّلنا السهل إلى حد بعيد، عندما كنّا هنا، وربما سمعتني أقول إن الأدراج كانت شديدة العتمة ولا أكاد أستطيع أن أرى شيئاً، أو ربما لم يكن هناك شيء من هذا القبيل، إنما كان الأمر خَبلاً، هذياناً، كأنها فقدت عقلها، فكّرت أن تعطيك المفاتيح، الشيء الوحيد الذي نعرفه هو أنها قضت نحبها في اللحظة التي وضعت فيها قدمها خارج عتبة الباب. التقطت زوجة الطبيب المفاتيح، أعطتها للفتاة، وسألت، والآن ماذا نفعل. هل سنتركها هنا. لا يمكننا دفنها في الشارع، لا نمتلك أدوات

لحفر الحجارة، قال الطبيب. ندفنها في الحديقة الخلفية. سنضطر في تلك الحالة إلى حملها إلى الطابق الثاني ثم النزول بها على درج الطوارئ. تلك هي الطريقة الوحيدة. هل نملك القوة الكافية لفعل ذلك، سألت الفتاة. السؤال الأهم هو إذا ما كنا سنسمح لأنفسنا بترك هذه المرأة هنا. كلا، بالتأكيد، قال الطبيب. يجب أن نوجد القوة إذاً. استجمعوا قواهم، بيد أن جرّ الجثة على الأدراج كان عملاً شاقاً، ليس بسبب وزنها، فقد كانت هزيلة جداً، ونهشت الكلاب والقطط نصف جثتها، بل لأنها كانت متيّبسة، كالخشب. لقد واجهوا صعوبة كبيرة في جرها على الأدراج الضيّقة والكثيرة الانعطافات، فاضطروا إلى الاستراحة أربع مرّات أثناء هذا الصعود القصير. لا الصخب، ولا رائحة العفن جعلت سكان البناية يخرجون إلى نواصي الأدراج. تماماً كما حسبت، قالت الفتاة، فإن والديَّ ليسا هنا. وصلوا باب الشقة مرهقين ولا يزال أمامهم أن يعبروها إلى الطرف الآخر من البناية ويهبطوا درج الطوارئ، لكن هناك وبمساعدة القديسين هبطوا الدرج، وكان الحمل أخف، فالمناورة مع الانحناءات هنا أكثر سهولة لأن الدرج كان في الخلاء، وليس على المرء هنا إلاّ أن يحذر من انزلاق الجثة من يده، فالشقلبة ستجعل إصلاح الجثة أمراً عسيراً، هذا إن أغفلنا ذكر الألم الذي يكون أسوأ بعد الموت.

كانت الحديقة كدغل بكر، فالأمطار الأخيرة ساعدت على نمو الأعشاب والبذور التي حملتها الريح، بكثافة، ولن تفتقد الأرانب، التي كانت تتقافز حولهم، الخضرة الطازجة، وكذلك الدجاج الذي يتدبّر أمره حتى في الأوقات الصعبة. كانوا جالسين على الأرض يلهثون وقد هدّهم التعب، وزوجة الطبيب تحرس الجثة التي ترتاح مثلهم، تطرد الدجاج والأرانب. فالأرانب قد اقتربت من الجثة بأنوفها المرتعشة

بدافع الفضول فحسب، بينما شرّع الدجاج مناقيره كحراب جاهزة لأي استخدام. لقد تذكّرت العجوز قبل مغادرتها أن تفتح باب خن الأرانب، قالت زوجة الطبيب، لقد حرصت على ألا تتركها تموت من الجوع. إن الصعوبة لا تكمن في معايشة الناس، إنما في فهمهم، قال الطبيب. اقتلعت الفتاة ذات النظارة السوداء كومة أعشاب ونظفت بها يديها المتسختين، إنها غلطتها، فقد أمسكت الجثة من حيث لا يجب أن تمسكها، ذلك ما يحدث عندما تكون أعمى. إننا نحتاج إلى رفش أو مجرفة، قال الطبيب. هنا بوسعنا أن نرى تكرار الحقيقة الأبدية في الكلمات التي تتكرر الآن، تُنطق للسبب نفسه. أولاً من أجل الرجل الذي سرق السيارة، والآن من أجل المرأة العجوز التي أعادت المفاتيح، وما من أحد سيعرف الفرق بينهما بعد أن يُدفنا، إلا إذا وُجِدَ من يتذكّرهما. صعدت زوجة الطبيب إلى شقة الفتاة كي تجلب شرشفاً نظيفاً، كان عليها أن تختار أقل الشراشف اتساخاً، وعندما عادت وجدت الدجاج يُعمل مناقيره في الجثة، بينما كانت الأرانب تكتفي بمضغ الأعشاب الطرية. غطت الجثة ولفّتها بالشرشف ثم ذهبت للبحث عن رفش أو مجرفة. وجدت الاثنين معاً إلى جانب أدوات أخرى في ركن من أركان الحديقة. سأقوم بالحفر، قالت زوجة الطبيب، فالأرض رطبة وسهلة الحفر، ارتاحا أنتما. اختارت بقعة خالية من جذور تحتاج للقطع بالبلطة، ولا تعتقدوا أن هذا عمل سهل، فللجذور أساليبها الخاصة للاستفادة من طراوة التربة والتغلغل عميقاً لمقاومة الرياح وإضعاف فاعلية مقصلتها المميتة. لا زوجة الطبيب، ولا الطبيب، أو الفتاة ذات النظارة السوداء لاحظوا ما يجري حولهم، الأولى لانشغالها في حفر القبر، والآخران بسبب عماهما، فقد خرج بضعة رجال ونساء عميان إلى الشرفات المطلّة على الحديقة، لا بدّ أن جلبة حفر القبر قد أثارت فضولهم، حتى الحفر في تربة طرية تندّ عنه جلبة. بدا الرجال والنساء هلاميين كالأشباح، ربما كانوا

أشباحاً يحضرون دفناً بدافع الفضول، فقط كي يتذكروا كيف جرى دفنهم. رأتهم زوجة الطبيب أخيراً عندما انتهت من حفر القبر، انتصبت رافعة ظهرها الذي بدأ يؤلمها، ورفعت ساعدها إلى جبينها لتجفف عرقه. بعدئذٍ وبدون تفكير، مدفوعة بحافز لا يقاوم، صاحت بكل أولئك العميان، وكل العميان في هذا العالم، سوف تنهض ثانية. لاحظوا أنها لم تقل إنها سوف تعيش ثانية، لا يكمن الأمر في أهمية تلك الكلمات، رغم أن القاموس موجود لتعزيزها، ليؤكّد أو ليفترض أننا نتعامل مع مترادفات تامة التطابق. خاف العميان ودخلوا عائدين إلى شققهم، لم يستطيعوا أن يفهموا سبب نطق كلمات كهذه. إضافة إلى أنهم لم يكونوا مستعدين لتلقّي بوحٍ كهذا، ومن الواضح أنهم لم يذهبوا إلى الساحة حيث كانت تلقى الكلِمات السحرية، وبهذا الخصوص لم يكن ينقصها حتى تكتمل الصورة إلا جمل النبي[١٠] وانتحار العقرب. سأل الطبيب، لماذا قلت إنها ستنهض ثانية، من كنت تكلمين. خاطبت بضعة عميان خرجوا إلى الشرفات، لقد أرعبني منظرهم وكان لا بدّ من أن أخيفهم. ولماذا اخترت تلك الكلمات لا غيرها. لا أعرف، تلك هي التي جرت على لساني فنطقتها. ما سنعرفه تالياً هو أنك ستبدئين الوعظ في الساحة التي سنمر بها. نعم، موعظة حول أسنان الأرانب ومناقير الدجاج، هيّا تعالا ساعداني الآن. نعم هنا، تمام، أمسكاها من قدميها، وسأرفعها أنا من هنا، انتبها كي لا تنزلقا في القبر، تمام، هكذا، أخفضاها ببطء، أكثر، أكثر، لقد جعلتُ القبر أعمق قليلاً بسبب الدجاج، لأنه ما أن يبدأ البحث، فلا تعرفان أين ينتهي به المطاف، تمام. استخدمت الرفش

(١٠) السرغوف حشرة تشبه الجندب تضم ساقيها الأماميتين وكأنها في حالة صلاة.

لردم القبر، ورصّت التربة جيداً ومن التراب الذي يتبقى عادة صنعت تلة صغيرة فوق القبر فما يتبقى من الأرض يعود إلى الأرض، وكأنها لم تفعل طول حياتها شيئاً آخر غير هذا. أخيراً قطفت غصناً من أجمة ورد في ركن الحديقة وزرعته في أعلى القبر. هل ستنهض ثانية، سألت الفتاة ذات النظارة السوداء. لا، هي لن تنهض، قالت زوجة الطبيب، أولئك مَنْ لا يزالون أحياءً هم أكثر حاجة لأن ينهضوا بأنفسهم ولا ينهضون. إننا نصف أموات تماماً، قال الطبيب. ولا نزال نصف أحياء، ردّت زوجته. أعادت المجرفة والرفش إلى مكانهما، طوّفت ببصرها في الحديقة لتتأكد أن كل شيء منظّم. أيُّ نظام. سألت نفسها وأجابت، النظام الذي يقتضي أن يكون الموتى حيث يجب أن يكونوا بين الموتى، والأحياء بين الأحياء، بينما الدجاج والأرانب تغذّي البعض، وتتغذى على البعض الآخر. أريد أن أترك علامة صغيرة لوالدي، قالت الفتاة، فقط لأعلمهما أني ما زلت حيّة. لا أريد أن أحبط آمالك، قال الطبيب، لكن عليهما في البدء أن يجدا المنزل وهذا غير محتمل. فقط تذكّري أننا ما كنا لنصل منزلكم لو لم يرشدنا شخص ما. أنت محق، ولا أعرف إذا ما كانا أحياء بعد، بيد أني إذا لم أترك لهما علامة ما، فسوف أشعر بأني تخلّيت عنهما. ما هي تلك العلامة، سألت زوجة الطبيب شيء ما يمكّنهما من معرفتي لمجرد لمسه، قالت الفتاة، والمحزن في الأمر أنه لم يعد لديّ شيء قديم يذكّرهما بي. نظرت زوجة الطبيب إليها وهي جالسة على الدرجة الأولى من درج الطوارئ، ويداها ترتاحان على ركبتيها، والكرب ساكن في وجهها الجميل، وشعرها ينساب مرسلاً فوق كتفيها. أعرف أي علامة تستطيعين تركها لهما، قالت زوجة الطبيب، وصعدت بسرعة إلى الشقّة وعادت بمقص وخيط. بماذا تفكرين، سألت الفتاة ذات النظارة السوداء، وقد أقلقها سماع صوت المقص الذي يعمل في شعرها. إن كان والداك سيعودان، فسوف يجدان

خصلة من شعرك تتدلى من مسكة الباب، إلى من يمكن أن تعود خصلة الشعر هذه إلاّ إلى ابنتهما، قالت زوجة الطبيب. إنك تدفعينني إلى البكاء. قالت الفتاة، وما كادت تفرغ من كلامهما حتى أحنت رأسها ووضعت جبينها فوق ساعديها المتقاطعين فوق ركبتيها، واستسلمت لأساها، لحزنها، لمشاعرها التي أثارها اقتراح زوجة الطبيب، ولاحظت بعدئذٍ ومن غير أن تعرف بأيّ طريقة وصلت إلى هناك، لاحظت أنها كانت تبكي على المرأة العجوز، آكلة اللحم النيئ، الحيزبون المخيفة، التي جلبت لها مفاتيح شقّتهم، في يدها الميّتة. أي زمن هذا الذي نعيش فيه، قالت زوجة الطبيب، زمن نرى فيه انقلاب نظام الأشياء، فالأمارة التي طالما كانت دليل موت أصبحت أمارة حياة. هناك أيادٍ قادرة على اجتراح هذه العجائب، بل أعظم منها، قال الطبيب إنَّ الضرورة هي السلاح الأمضى، يا عزيزي، قالت زوجته، والآن كفانا فلسفة وعرافّة، دعونا نمضي في الحياة يداً في يد. قامت الفتاة بربط خصلة الشعر بمسكة الباب. أتعتقد أن والديّ سيلاحظانها، سألتهما، إن مسكة الباب كَيَد البيت الممدودة للتحية، قالت زوجة الطبيب، وبهذا التعبير الشائع، كما يمكن للمرء أن يقول، أنهوا زيارتهم.

استمعوا في تلك الليلة أيضاً إلى القراءة، إذ لا توجد طريقة أخرى لإلهائهم. للأسف لم يكن الطبيب هاوياً، على سبيل المثال، للعزف على الكمان، وإلا فأيّ ألحان جميلة كانت ستُسمع من هذا الطابق الخامس، كان جيرانهم سيقولون، إن عزفه جيّد جداً، أو قد يكونون غير مبالين البتة ويعتقدون أن بوسعهم الهروب من بؤسهم بالضحك من بؤس الآخرين. لا موسيقا الآن سوى موسيقا الكلمات، وهذه في هذا الكتاب تحديداً، كلمات حكيمة، حتى إن جاء الفضول بشخص ما من سكان البناية إلى الباب ليستمع إليها، فسوف يسمع دمدمات وحيدة فحسب،

لكنها نغمة صوت يمكن أن تستمر إلى ما لا نهاية، لأن كتب هذا العالم قاطبة، كما يقولون عن الكون ذاته، لا تنضب. عندما انتهت من القراءة، في وقت متأخر من تلك الليلة، قال الكهل ذو العين المعصوبة، هذا ما انتهينا إليه، أن نستمع إلى شخص يقرأ لنا. أنا لا أشتكي، بوسعي البقاء هنا إلى الأبد، قالت الفتاة ذات النظارة السوداء. ولا أنا أشتكي أيضاً، بل أردت أن أقول إن هذه هي فائدتنا، أن نستمع إلى شخص يقرأ لنا قصة البشر الذين وجدوا قبلنا. لنبتهج بحظنا الجيد، بأننا ما زلنا نمتلك بيننا زوج أعين، آخر زوج أعين، إن انطفأتا ذات يوم، ولا أريد مجرّد التفكير في ذلك، فسوف ينقطع عندئذ ذلك الخيط الذي يربطنا بالنوع البشري، سيغدو الأمر كأننا يجب أن يفترق بعضنا عن بعض وإلى الأبد، عمياناً تماماً في الفراغ. سأبقى، آمل ما حُييتُ، بعودة والدي، قالت الفتاة، آمل بظهور والدة الطفل. لقد نسيتِ أن تتكلمي عن الأمل الذي نأمله جميعاً. ما هو. حلم استعادة بصرنا. إن التعلّق بآمال كهذه هو ضرب من الجنون. حسن، أؤكد لك أنه من دون آمال كهذه لكنت استسلمت منذ زمن طويل. أعطني مثالاً. كأن نرى ثانية. هذا سمعناه، أعطني مثالاً آخر. لن أعطيكِ. لماذا. لأنه لن يسرّك. وكيف تعرف أنه لن يسرّني، ماذا تعتقد أنك تعرف عني كي تقرر بنفسك ما يسرّني وما لا يسرّني. لا تغضبني، لم أشأ إيذاءك. الرجال جميعهم متشابهون، يعتقدون أنهم يعرفون كل شيء عن النساء لمجرّد أنهم خرجوا من رحم امرأة. لا أعرف سوى القليل جداً عن النساء، ولا أعرف عنك شيئاً. أما بالنسبة إلى الرجال فبرأيي أنا، بالمقياس العصري، كهل بعين واحدة فقط، إضافة إلى كوني أعمى. ليس لديك شيء آخر تقوله ضد نفسك. لدي الكثير، الكثير، لا يسعك أن تتخيّلي كم تطول قائمة اتهام –الذات مع التقدّم في العمر. أنا شابة وقد أديت ما يترتب عليّ على أكمل وجه. ولم تفعلي أي شيء سيئ البتة، رغم ذلك. كيف تجزم بذلك إن كنت

لم تعاشرني قط. أنت محقّة، فأنا لم أعاشرك قط. لماذا تكرر كلماتي بهذه النبرة. أي نبرة. تلك النبرة. كل ما قلته هو إني لم أعاشرك قط. هيّا هيّا، لا تتظاهر بعدم الفهم. أرجوكِ لا تلحّي. إني مصرّة على أن أعرف. دعينا نعود إلى الآمال. حسن. هذا هو المثال الآخر عن الأمل الذي رفضت البوح لك به. ما هو. الاتهام الأخير في قائمة اتهام الذات. أرجوك، أوضح قصدك، فأنا لا أفهم الألغاز. إنه الرغبة العارمة في عدم استعادة بصرنا. لماذا. كي نستطيع الاستمرار في العيش معاً كما نحن الآن. تقصدنا جميعاً، أو فقط أنت وأنا. لا تضطريني إلى الإجابة. لو كنت مجرّد رجل، كان بوسعك تجنب الإجابة، مثل الرجال الآخرين طراً، بيد أنك بنفسك قلت إنك رجل كهل، والكهول، هذا إن كان لطول العمر أي معنى، يجب ألا يشيحوا بوجوههم عن الحقيقة؛ أجبني. أستمر في العيش معك أنت. ولماذا تريد العيش معي. أتريدني أن أعلن ذلك صراحة أمام الجميع. لقد فعلنا معاً أقذر، وأبشع، وأكثر الأشياء مقتاً، وما تستطيع أن تقوله لي لا يمكن أن يكون أسوأ. حسن، ما دمت مصرّة، فليكن، هذا لأني الرجل الذي لا يزال قابعاً داخلي يحب المرأة التي هي أنتِ. كان التصريح بالحب يشقّ عليّ كثيراً، ففي مثل عمري يخشى الناس أن يُسخر منهم. لم تكن مثيراً للسخرية. أرجوك أن تنسي الأمر إذاً. ليس لديّ نيّة في أن أنساه، أو أدعك تنساه. هراء، لقد أجبرتني على البوح، ثم الآن. الآن حان دوري. لا تقولي أي شيء قد تندمين عليه لاحقاً، تذكّري اللائحة السوداء. إن كنت صادقة اليوم، فماذا يهمُّ إذا ما ندمت غداً. أرجوكِ توقفي. أنت تريد أن تعيش معي وأنا أريد أن أعيش معك. أنت مجنونة. وسنبدأ العيش كزوجين هنا بالذات، وسنستمر في العيش معاً إن انفصلنا عن أصدقائنا، فإن أعميين يجب أن يكونا قادرين على الرؤية أكثر من أعمى واحد. هذا جنون، فأنت لا تحبينني. ما هذا الكلام عن الحبِّ، فأنا لم أحبّ أحداً قط في ما سبق، بل كنت أضاجع الرجال

فحسب. أنت توافقينني الرأي إذاً. ليس تماماً. لقد تكلمت عن الصدق، فأخبريني إذاً إن كنت تحبينني حقاً. إني أحبك بما يكفي لأرغب في العيش معك، وهذه أول مرّة أقول هذه الكلمة لأيّ شخص. وما كنت لتقولينها لي أيضاً لو قابلتني في مكان ما قبل الآن، فأنا كهل، نصف أصلع، أشيب، وعصابة سوداء فوق إحدى عيني، وفي الأخرى ساد، إن المرأة التي كنتها حينئذٍ ما كانت لتقولها لك. إني أوافق الشخص الذي قال، إنها المرأة التي هي أنا الآن. لنر إذاً ماذا ستقوله المرأة التي ستكونيها غداً. هل تختبرني، ما هذه الفكرة، من أنا كي اختبرك. إنما الحياة هي من يقرر هذه الأمور. لقد اتخذت القرار وانتهى الأمر.

جرت هذه المحادثة بينهما وجهاً لوجه، عينان عمياوان تحدّقان بعضهما إلى بعض، تضرّج وجهاهما واتقدا بالعاطفة وعندما قالها أحدهما، ولأن كليهما أرادها، اتفقا أن الحياة هي مَنْ قرّر أنهما يجب أن يعيشا معاً، مدّت الفتاة ذات النظارة السوداء يديها، لتعطيهما فحسب، لا لتعرف من أين تمضي، لامست يدي الكهل ذي العين المعصوبة، الذي جذبها نحوه بلطف، وبقيا متلاصقين هكذا، ومن الواضح أنها ليست المرة الأولى، غَير أن كلمات الارتباط قد نطقت الآن. لم ينبس أيٌّ من الآخرين بكلمة، ولم يهنئهما أحد، لا أحد تمنى لهما السعادة الأبدية. ولنقل الصدق فليس هذا وقت الاحتفالات والآمال، وعندما يكون القرار بهذه الجديّة التي ظهر فيها، فليس من المفاجأة في شيء حتى إن فكر أحد أنّ على المرء أن يكون أعمى كي يتصرّف بهذه الطريقة. الصمت خير أنواع التصفيق. والذي فعلته زوجة الطبيب، من ناحية ثانية، هو أنها وضعت حشيّة أريكة مريحة للنوم في الردهة، ثم قادت الطفل الأحول إليها وقالت له، من اليوم فصاعداً سوف تنام هنا. وبالنسبة إلى القرار الذي اتخذ في غرفة المعيشة فإنه يشكل مفتاح سرّ اليد التي

فركت ظهر الكهل ذي العين المعصوبة في ذلك الصباح عندما كان الماء وفيراً، كلّه يطهّر.

في اليوم التالي، وبينما كانا لا يزالان في الفراش قالت زوجة الطبيب، لدينا قليل من الطعام، يجب أن نخرج للبحث ثانيةً. أفكر أني يجب أن أذهب اليوم إلى مخزن الطعام في السوبر ماركت الذي ذهبت إليه أول يوم. وإن لم يكن أحد قد اكتشفه، فبوسعنا أن نتزوّد عن أسبوع أو اثنين. سآتي معك، وسنصحب واحداً أو اثنين من الآخرين أيضاً. أفضّل أن أصحبك أنت فقط، فهذا أسهل ويقلل من خطر الضياع. إلى متى ستحتملين عبء ستة أشخاص عاجزين. سأحتمله مادمت قادرةً، غير أنك محقٌّ، فقد بدأت أشعر بالإنهاك، حتى أني أتمنى أحياناً لو كنت عمياء أيضاً، مثل الآخرين، لا تكون لديَ التزامات أكثر منهم. لقد تعوّدنا الاعتماد عليك. فلو لم تكوني موجودة لكنّا سنصاب بعمى ثانٍ، فشكراً لعينيك اللتين بفضلهما نحن أقلّ عمى. سأستمر بقدر ما أستطيع، وليس بمقدوري أن أعدك بأكثر من ذلك. عندما نلاحظ يوماً، أننا لا نستطيع فعل شيء جيّد ونافع فيجب أن نمتلك الشجاعة كي نغادر هذا العالم ببساطة، كما قال. من قال ذلك، ذلك الرجل المحظوظ الذي قابلناه أمس. أنا واثقة أنه لن يقول ذلك اليوم، إذ لا شيء كالأمل الحقيقي يستطيع تغيير آراء المرء. إن لديه ما يكفي وأتمنى له دوامه. في صوتك نبرة توحي لي بأنك مضطرب. مضطرب، لماذا أضطرب. كأن شيئاً ما قد انتزع منك. هل تشيرين إلى ما حدث مع الفتاة في ذلك المكان المرعب. نعم. تذكّري أنها هي من رغبت في مضاجعتي. إن ذاكرتك تخدعك. هل أنت متأكدة. لم أكن عمياء. حسن. إني لأقسم لكِ على ذلك. ستحلف يميناً كاذبة على نفسك إذاً. غريب كيف تستطيع الذاكرة خداعنا. في هذه الحال من السهل جداً أن نرى أن ما يُقدَّم لنا

نشعر بملكيّته أقوى من ملكيتنا للشيء الذي نجاهد للظفر به. إلا أنها لم تقترب مني ثانية، وأنا لم أقترب منها. إن أردتما ذلك فبوسعكما أن تجدا ذاكرتي بعضكما بعضا، هذا ما خُلقَتْ لأجله الذاكرة. أنت غيورٌ، كلا، لست غيوراً، حتى إني لم أَغرْ حينئذٍ، إنما شعرت بالأسى لأجلكما، وتأسيّت لنفسي لأني لم أستطع مساعدتك. ما هي كمية الماء المتبقية لدينا. سيّئة جداً. بعد فطور مقتّر فيه إلى حد بعيد، خففت من غلواء التقتير بعض التلميحات الباسمة المواربة إلى أحداث الليلة السابقة. كانت الكلمات ملائمة جداً لحجب التفكير في أمور ثانوية راهنة، وهذه حيطة غريبة إذا ما تذكرنا المشاهد المرعبة التي شهدها خلال إقامته في المحجر. انطلق الطبيب وزوجته، يرافقهما كلب الدموع الذي رفض هذه المرّة البقاء في البيت.

تزداد حالة الشوارع سوءاً ساعة بعد أخرى. تبدو القاذورات تتزايد خلال ساعات العتمة، يبدو كأنها تأتي من الخارج، من بلد مجهول حيث لايزال فيه حياة عادية، يأتون ليلاً ويفرغون حاويات نفاياتهم. لو لم تكن في أرض العميان لرأينا خلال هذه العتمة البيضاء عربات شبحية وشاحنات محمّلة بالنفايات، أنقاضاً، دبشاً، نفايات كيميائية، بطاريات مستهلكة، أكياساً بلاستيكية، جبال أوراق، الشيء الوحيد الذي لا يجلبونه هو فضلات الطعام، ولا حتى قشور الفاكهة التي قد نستطيع إسكات جوعنا بها، أثناء انتظارنا للأيام الأفضل القريبة جداً. رغم أن الوقت في الصباح الباكر، بيد أنّ حرارة الشمس لاهبة. وتتصاعد الروائح النتنة من أكوام القاذورات الهائلة كغيمة غاز سام. لن يطول الزمن حتى نشهد انتشار وباءٍ، قال الطبيب ثانيةً، وباء لن ينجو منه أحد، فلم تتبقَ لدينا دفاعات ذاتية. إذا لم يأت المطر، جاءت العواصف، قالت زوجته. حتى أن الأمر ليس كذلك، فلو جاء

المطر، على الأقل، يطفئ ظمأنا، والريح تذهب بالروائح النتنة بعيداً. كان كلب الدموع يتشمم المكان من حولهم بقلق، توقف يستطلع كومة قاذورات معيّنة. ربما يوجد تحتها طعام شهي نادر لن يجدد بعد الآن، لو كان الأمر له وحده فلن ينتقل خطوة واحدة من هذا المكان، غير أن المرأة التي بكت، قد انطلقت الآن، ومن واجبه أن يلحق بها الآن، فلا أحد يعرف متى يضطر إلى تجفيف الدموع. السير شاقٌ جداً في بعض الشوارع، المنحدرة منها على وجه الخصوص، فقد حوّلتها سيول المطر إلى مقلب سيارات، فقذفت بعضها فوق بعض، أو على جدران الأبنية، أو داخل أبواب وواجهات الحوانيت، فتغطّت الأرض بطبقة كثيفة من الزجاج المحطم. كانت هناك جثة رجل متعفّنة محشورة بين سيارتين، أشاحت زوجة الطبيب بصرها بعيداً. تقدّم كلب الدموع أكثر، إلاّ أن الموت أخافه، مع ذلك خطا خطوتين إلى الأمام، فجأة انتصب شعر فرائه، وندَّ عن حنجرته عويل حاد.. إنّ مشكلة هذا الكلب هي في أنه اقترب كثيراً من الكائنات البشرية، ولسوف يعاني مثلها. اجتازوا ساحة حيث كانت مجموعة عميان تتسلى بالاستماع إلى خطابات عميان آخرين. للوهلة الأولى لا تخال الجميع عمياناً، فالمتكلمون يديرون وجوههم صوب المستمعين، والمستمعون يشرئبون بأعناقهم إلى المتكلمين. كانوا يمجّدون فضائل المبادئ الأساسية للأنظمة عظيمة التنظيم، الملكية الخاصة، السوق النقدية الحرّة، اقتصاد السوق، تبادل المواد الخام، ويبجّلون فرض الضرائب، الفائدة، التجريد من الملكية الخاصة، التخصيص، الإنتاج، التوزيع، الاستهلاك، العرض والطلب، الفقر والثروة، الاتصالات، القمع والجنوح، قانون السير، القواميس، إدارة الهاتف، شبكات البغاء، مصانع السلاح، القوات المسلّحة، المدافن، الشرطة، التهريب، المخدرات، ترخيص التجارة غير

المشروعة، البحوث الصيدلانية، المقامرة، أسعار القساوسة والجنازات، الحكومات، الأفكار المحدّبة، المتكهفة، الأفقية، العمودية، المائلة، المكثّفة، المشتتة، أو الرشيقة، اهتراء الحبال الصوتية، موت الكلمة. إنهم يتكلمون عن التنظيم هنا، قالت زوجة الطبيب. لاحظت ذلك، قال ولم يزد في الردّ. تابعا سيرهما. توجّهت زوجة الطبيب إلى ناصية شارع لتتفحص خارطة طرق، مثل تقاطع أرصفة قديمة توضّح لها طريقها. إننا قريبان جداً من السوبرماركت. في هذا المكان انهارت وبكت يوم تاهت، وكانت مثقلة على نحو غريب بأكياس بلاستيكية كانت طافحة، لحسن الحظ، واضطرت في كربها ذاك وارتباكها إلى الاعتماد على مواساة كلب الدموع، الكلبُ نفسه الذي يزمجر الآن على رهط كلاب أخرى تقترب منهم، كأنه يقول لها، لا تخدعيني، ابقي بعيدة عن هنا. شارع إلى اليسار، وآخر إلى اليمين ويبلغان المدخل إلى السوبر ماركت، بابها فقط، ها هوذا باب السوبر ماركت، ها هي ذي البناية كلها التي يقع فيها السوبر ماركت، لكن ما لا يمكن رؤيته هو الناس الذين يدخلون ويخرجون منه، ناس كطابور النمل، نراهم في كل ساعة في هذه الحوانيت المستمدة وجودها من دخول الحشود إليها وخروجهم منها. خشيت زوجة الطبيب من الأسوأ فقالت لزوجها، لقد وصلنا متأخرين جداً، فلن نجد كسرة طعام في هذا المكان. لماذا تقولين هذا الكلام. إني لا أرى أحداً يدخل أو يخرج. ربما لم يكتشفوا المخزن بعد. هذا ما آمل فيه. كانا واقفين على الرصيف المقابل لمدخل السوبر ماركت عندما نطقا بهذه الكلمات. كان ثلاثة عميان يقفون على مقربة منهما، كأنهم ينتظرون إضاءة شارة المرور الخضراء. لم تلاحظ زوجة الطبيب تعابير وجوههم، تعبير دهشة مربكة، نوعاً من خوف مشوّش. لم ترَ أن أحدهم قد فتح فمه ليقول شيئاً ما ثم أغلقه

ثانية. لم ترَ هزَّة أكتافه المفاجئة. ستكتشفين ذلك، هذا ما نفترض أن الأعمى قد فكّر فيه. لم يستطع الطبيب وزوجته أن يسمعا وهما يعبران الشارع، تعليق الأعمى الثاني الذي تساءل، لماذا قالت إنها لم ترَ شيئاً. إنها لا ترى أحداً يدخل أو يخرج. أجابه الثالث، إنها طريقةٌ في الكلام وحسب، فمنذ لحظة عندما تعثّرتُ قلت لي لأنظر أين أضع قدمي، إنه الأمر نفسه، مازلنا نحتفظ بعادة الرؤية. أوه يا إلهي، كم مرّة سمعت ذلك من قبل، تعجّب الأعمى الأول.

كان نور النهار يضيء الصالة الكبيرة في السوبرماركت. الرفوف كلها مقلوبة، تقريباً، لا شيء سوى الزبالة، أغلفة فارغة. شيء غريب، قالت زوجة الطبيب، لا أستطيع أن أفهم عدم وجود أحد هنا، حتى لو لم يتبق طعام. أنت محقة، قال الطبيب، يبدو الأمر غير عادي. صدر عن كلب الدموع أنينٌ رقيقٌ، وانتصب شعر فروته ثانية. قالت زوجة الطبيب، توجد هنا رائحة كريهة. توجد رائحة كريهة في كل مكان، قال زوجها. هذه مختلفة، ليست كتلك الروائح، إنها رائحة تفسّخ. لا بدّ من وجود جثة في مكان ما. لا أرى أي شيء. في هذه الحالة لا بدّ أنكِ تتخيلين ذلك، عاد الكلب يئنّ من جديد. ماذا به الكلب، سأل الطبيب. إنه عصبي. ماذا سنفعل. دعنا نرى، إن كانت هناك جثة فسوف نبقى بعيدين عنها، فلم يعد الموتى يخيفوننا الآن. الأمر أسهل بالنسبة إليّ لأني لا أستطيع رؤيتها. اجتازا صالة السوبر ماركت حتى بلغا باب الكوريدور المفضي إلى المخزن. كان كلب الدموع يتبعهم، لكنه يتوقف بين الفينة والأخرى، ويعوي لهما، بعدئذٍ ألزمه واجبه باللحاق بهما. ازدادت رائحة النتن إلى حد بعيد عندما فتحت زوجة الطبيب الباب رائحة فظيعة، قال زوجها. ابقَ هنا سأعود حالاً. دلفت إلى الكوريدور الذي كانت عتمته تزداد مع كل خطوة تخطوها، وتبعها كلب الدموع

وكأن شيئاً ما يجرّه وراءها. بدا الهواء المشبع برائحة التعفن، شديد الكثافة. تقيّأت المرأة في منتصف الطريق، ما الذي يمكن أن يكون قد حدث هنا، فكّرت وسط محاولاتها للتقيّؤ، ورددت هذه العبارة مراراً وتكراراً حتى بلغت الباب المعدني الذي ينفتح عن الدرج النازل إلى المخزن. لم تلاحظ من قبل، بسبب الغثيان الذي شوّشها، وجود ضوء شحيح ينبعث من تحت الباب. لقد عرفت ماهيته الآن. ألسنة لهب صغيرة تتراقص من تحت البابين، باب المصعد، وباب المخزن. تقلصت معدتها في نوبة إقياء شديدة هذه المرّة بحيث لفتت انتباه الكلب. عوى كلب الدموع عواءً طويلاً، أطلق عويلاً بدا أنه لن ينتهي أبداً، نواحاً ترجّع صداه في الكوريدور، بدا كصوت أخير لأولئك الأموات في الأسفل. سمع الطبيب جلبة التقيؤ، التشجنات، والسعال، فركض بكل ما أوتي من قوة، تعثر ووقع، نهض ووقع ثانية، أخيراً وصل إلى زوجته وحضنها بذراعيه. ماذا جرى، سألها. ردّت بصوت مرتجف، أخرجني من هنا، أرجوك، أخرجني من هنا. وللمرة الأولى منذ عَميَ يقود الطبيب زوجته، قادها لا يعرف إلى أين، إلى أي مكان بعيد عن هذه الأبواب، ألسنة اللهب هذه التي لم يستطع أن يراها. انهارت أعصابها فجأة عندما خرجا من الكوريدور، أصبح بكاؤها تشنجياً. لا وجود لدموع جافة كهذه، دموع وحدهما الزمن والإرهاق كفيلان بتجفيفها، لذلك لم يقترب كلب الدموع هذه المرّة، إنما اكتفى بالبحث عن يد يلحسها. ماذا جرى، سأل الطبيب ثانية. ماذا شاهدتِ. إنهم أموات، استطاعت نطق هاتين الكلمتين من خلال غصّاتها. من الذي مات. إنهم، ولم تستطع أن تكمل عبارتها. اهدئي، وأخبريني عندما تستطيعين. بعد بضع دقائق قالت، لقد ماتوا. هل رأيت شيئاً، هل فتحت الباب، سألها زوجها. كلا، لكني رأيت وهجاً أزرق من تحت أسفل البابين، لقد علقوا

في الداخل ولم يستطيعوا الخروج، أظن أنّ ما رأيته هو الهيدروجين المتفسفر الناتج عن تفسّخ الجثث. ماذا يمكن أن يكون قد جرى. لا بدّ أنهم اكتشفوا وجود المخزن، اندفعوا نازلين الأدراجَ كالمجانين. بحثاً عن الطعام. أذكر كيف يمكن أن ينزلق المرء بسهولة فوق تلك الأدراج، وإن سقط واحد فسوف يسقط الجميع، وربما لم يصلوا البتة إلى غايتهم، وإن وصلوا فلم يستطيعوا العودة بسبب انسداد الأدراج. لكنك قلت إن الباب موصد. الأرجح أن عمياناً آخرين أغلقوه محيلين المخزن إلى قبر هائل، وأنا الملومة على ما جرى، فلا بد أنهم ارتابوا في الأمر، عندما خرجت أركض من هذا المكان بالأكياس الملأى، ارتابوا بوجود طعام ما وبدأوا يبحثون عنه. وبطريقة ما فإن كل ما أكلناه مسروق من أفواه الآخرين، وإن كنّا سلبناهم الكثير، فنحن مسؤولون عن موتهم، إننا قتلة بطريقة أو بأخرى. هذه مواساة صغيرة، لا أريدكِ أن تثقلي روحك بعبء إثم متخيَّل، في حين لا يزال أمامك وقت عصيب تثقلين فيه كاهلك بمسؤولية ستة أفواه عديمة الفائدة. سوف تعيشين لتساعدي الأفواه الخمسة المتبقية هناك. لن يدوم ذلك فترةً طويلة، فعندما ينفد كل شيء سنهيم في الحقول بحثاً عن طعام، سنقطف الثمار عن الأشجار، سنقتل كل القطط والكلاب التي تطولها أيدينا، هذا إن لم تبدأ في الوقت نفسه الكلاب والقطط بتمزيقنا. لم يبد كلب الدموع ردة فعل، فهذا الأمر لا يعنيه، فإن تحوّله الأخير إلى كلب دموع لم يكن عبثياً.

بصعوبة بالغة استطاعت زوجة الطبيب أن تجرجر جسدها، فقد سلبتها الصدمة كل قواها. عندما خرجا من السوبر ماركت داخت هي، وهو أعمى، كلاهما كان عاجزاً عن القول من منهما يساعد الآخر. ربما دوّختها كثافة ضوء النهار الباهر، شعرت أنها تفقد بصرها، بيد أنها لم تكن خائفة. كانت تلك مجرّد نوبة إغماء. لم تسقط أرضاً، حتى أنها

لم تفقد وعيها. كانت بحاجة لأن تتمدد، تغمض عينيها، تستعيد انتظام تنفّسها. إنها واثقة من استعادة قواها ثانيةً، إن استطاعت أن تستريح بضع دقائق، يجب أن تستريح. لا تزال أكياسها البلاستيكية فارغة. لم تشأ أن تتمدد وسط القاذورات التي تغطي الشارع، أو أن تعود إلى السوبر ماركت، ولا أن تموت أيضاً. نظرت حولها، على الجانب الآخر من الشارع، على مبعدة منهما، توجد كنيسة... سيكون داخلها ناس، ككل الأمكنة، لكنها مكان مناسب لتستريح فيه، ولطالما كانت الكنيسة، على الأقل، مكاناً جيداً للراحة. خذني إلى هناك. هناك أين. آسفة، احتملني قليلاً، سوف أرشدك. ما هو ذاك المكان. إنه كنيسة، وإن استطعت أن أستريح قليلاً، فسوف أستعيد عافيتي. لنذهب. يجب صعود ست درجات لدخول الكنيسة. صعدتها زوجة الطبيب بصعوبة بالغة، لا سيما أنها كانت مضطرة لإرشاد زوجها أيضاً. أبواب الكنيسة مفتوحة على مصراعيها، وهذا أمر جيد، إلا أنّ هناك أيضاً باباً دوّاراً، رغم أنه من أبسط النماذج، سوف يكون عقبة كأداء في طريقها. تردّد كلب الدموع على العتبة. رغم حرية الحركة التي تمتعت بها الكلاب في الأشهر الأخيرة، يبدو أنها جميعاً قد برمجت وراثياً، في عقولها، المحظورات المفروضة على الأنواع منذ زمن طويل، ومنها حظر دخولها الكنائس، وربما بسبب تلك الشيفرة الوراثية التي تلزمها بعدم تجاوز حدودها أنّى ذهبت. لقد قدّم أسلاف كلب الدموع هذا خدمات جليلةً وصادقةً، عندما كانوا يلحسون دمامل القديسين قبل أن يُرسموا قديسين، مع ذلك فهذه حنوّ وغيرية صرف، لأنه كما نعرف جيداً، فليس بوسع أي متسوّل أن يصبح قديساً، مهما كثرت الجروح التي يحملها في جسده، وفي روحه التي لا تستطيع أن تصلها ألسنة الكلاب. امتلك كلب الدموع الشجاعة الآن ليدخل المكان المقدّس، كان الباب مفتوحاً، ولا

وجود لحارس، والدافع الأقوى إلى ذلك هو أن المرأة التي جفف دموعها يوماً، قد دخلت المكان. لا أعرف كيف استطاعت جرّ جسدها إلى الداخل، إنما كانت تدمدم لزوجها بكلمة واحدة، امسكني. الكنيسة مكتظة بالناس، ومن المستحيل إيجاد موضع قدم فيها، بوسعنا القول حرفياً إنه لا توجد بلاطة واحدة يمكن للمرء أن يريح رأسه عليها. أثبت كلب الدموع فائدته، ثانية، فبنبحتين وهجومين من دون مكر، فتح في الحشد ثغرة تركت زوجة الطبيب جسدها يسقط فيها مستسلمة للدوخة، مغمضة عينيها، أخيراً، وبقوّة. جسّ زوجها نبضها، إنه منتظم وقوي، فالأمر مجرّد إغماءة بسيطة، فحاول عندئذٍ رفعها قليلاً، لم تكن في وضعية جيدة، من المهم إرغام الدم على العودة إلى الدماغ كي يزيد في تروية القشرة الدماغية، وأفضل ما يفعله هو أن يجلسها ويضع رأسها بين ركبتيها ويترك للطبيعة والجاذبية أن يفعلا فعلهما. نجح أخيراً بعد عدّة محاولات فاشلة. بعد بضع دقائق زفرت زوجة الطبيب زفرة عميقة، وتحركت، حركة لا تكاد تلحظ، وبدأت تستعيد وعيها. لا تنهضي الآن، قال لها زوجها، أبقي رأسك خفيضاً لفترة أطول. غير أنها شعرت بتحسنٍ، فقد اختفت علائم الدوخة، استطاعت عيناها أن تميّزا جيّداً بلاط الأرض الذي نظفه كلب الدموع جيداً قبل أن يتمدد فوقه، فالشكر كله لبحشه القوي. رفعت رأسها عالياً إلى الأعمدة الاسطوانية الشكل، إلى القناطر العالية، لتعزز أمان واستقرار دورتها الدموية، بعدئذٍ قالت، أشعر أني على ما يرام، بيد أنها في تلك اللحظة اعتقدت أنها قد جُنَّت أو أن الصحوة من الدوخة قد سببت لها هذياناً. إن ما تراه عيناها لا يمكن أن يكون صحيحاً، فذلك المُسمَّر على الصليب تغطي عينيه لصاقة بيضاء، وبقربه إمرأة يخترق قلبها سبعة سيوفٍ، وغطيت عيناها بلصاقة بيضاء، ولم يكن الرجل والمرأة وحدهما في هذه الحالة، فكل

الصور في الكنيسة قد غُطِّيت أعينها أيضاً بلصاقات بيض، وعصبت أعين التماثيل بقماشة بيضاء ربطت حول رؤوسها، أما الرسومات فقد طليت أعين من فيها بطلاء أبيض، وكانت هناك صورة لامرأة تعلم طفلتها القراءة وكلتاهما غُطيت عيناها أيضاً، ورجل في يده كتاب مفتوح يجلس عليه طفلٌ صغيرٌ، كلاهما أيضاً غُطيت عيناه، وصورة رجل بجروح ظاهرة على يديه وقدميه وصدره وقد غُطِّيت عيناه أيضاً، ورجل آخر برفقة أسد وكلاهما غُطِّيت عيناه، ورجل آخر مع نسر وكلاهما غُطِّيت عيناه، ورجل آخر يحمل رمحاً وهو يقف فوق آخر مُلقى أرضاً له قرنان وأظلاف وكلاهما، غُطِّيت عيناه، ورجل آخر يحمل مجموعة موازين وقد غُطِّيت عيناه، ورجل أصلع يحمل في يده زنبقاً أبيض، وقد غُطِّيت عيناه، وعجوز آخر يتكئ على سيف مسلول وقد غُطِّيت عيناه، وامرأة معها حمامة وكلتاهما غُطِّيت عيناها، رجل ومعه غرابان وقد غُطِّيت أعين الثلاثة. كان هناك إمرأة واحدة فقط لم يوضع على عينيها لصاقة بيضاء لأنها كانت تحمل عينيها المقلوعتين على طبق من فضة. لن تصدقني إن أخبرتك بما أراه. قالت زوجة الطبيب لزوجها، فكل الصور في هذه الكنيسة قد غُطِّيت أعينها. هذا غريب جداً، وأعجب لماذا. كيف لي أن أعرف، ربما كان ذلك من فعل شخص ما تزعزع إيمانه على نحو سيّئ وعندما أدرك أنه سيعمى كالآخرين، وربما كان أيضاً قس الكنيسة هو من فعل ذلك، ربما اعتقد أنه ما دام العميان لا يستطيعون رؤية الصور فيجب ألا تكون الصور قادرة على رؤية العميان بالمقابل. إن الصور لا ترى. أنت مخطئ، إن الصور ترى بأعين من ينظرون إليها، المشكلة الآن أن العمى قد طال الجميع. أنت لا تزالين مبصرة. إن بصري يتناقص مع مرور الزمن، على رغم أني قد لا أفقد بصري بيد أني سأزداد عمى لأنه ليس هناك من

ينظر إليّ ويراني. إن كان القس هو من غطى أعين الصور. هذا رأيي، وهو الافتراض الوحيد المعقول، إنها الفكرة الوحيدة التي قد تضفي بعض النبل على معاناتنا. إني أتخيّل ذلك الشخص يدخل إلى هنا من عالم العميان، ذلك العالم الذي إذا ما عاد إليه فسوف يعمى. أتخيّل الأبواب المغلقة، الكنيسة المقفرة، الصمت. أتخيّل التماثيل، الرسومات، إني أراه يتنقّل من واحدة إلى الأخرى، يصعد المذابح، يربط العصابة البيضاء ويعقدها عقدتين كي لا تنفك أو تنزلق، يضع فوق أعين الرسومات طبقتين من الطلاء الأبيض كي يجعل الليل الأبيض الذي يغرقون فيه كثيفاً، لا بد أن ذلك القس قد اقترف أسوأ تدنيس للمقدّسات في كل العصور والأديان، إنه الإنسان الأكثر عدلاً وتطرفاً، يدخل إلى هنا ليعلن أن الله الكلّي القدرة ليس جديراً بأن يرى. لم يُتَح لزوجة الطبيب أن ترّد، فقد سبقها إلى الكلام شخص ما بجانبها. ما هذا الكلام الذي أسمع، من أنتِ؟، عمياء مثلك، قالت. لكني سمعتك تقولين إنك تستطيعين أن تري. هذه مجرّد طريقة في الكلام من الصعب التخلي عنها، كم مرّة سأردد هذا القول. وما هذا الكلام عن عًصابات فوق أعين الصور. هذه هي الحقيقة. وكيف عرفتِ ذلك ما دمت عمياء. ستعرفه أنت أيضاً إذا ما فعلت كما فعلت أنا، فإذهب إليها والمسها بيديك. فاليدان هما عينا الأعمى. ولماذا فعلتِ ذلك. لأني اعتقدت أنه كي نصل إلى ما وصلنا إليه فلا بد من وجود شخص ما آخر أعمى. وتلك القصة عن قس الأبرشية الذي عَصَبَ أعين الصور، إني أعرفه جيداً، فهو لن يقوى على فعل شيء كهذا. أقول لك مقدماً أنتَ لا تعرف ما يستطيعه الناس، عليك بالانتظار، أن تمنحهم الوقت، فالزمن هو الذي يحكم، الزمن هو المقامر الآخر قبالتنا على الجانب الآخر من الطاولة، وفي يده كل أوراق اللعب، وعلينا نحن أن نحزر الأوراق الرابحة في الحياة،

حيواتنا. إن الكلام عن المقامرة في الكنيسة إثم. انهض، استخدم يديك، إن كنت تشك في كلامي. أتقسمين أن قصة العصابات على أعين الصور حقيقية. بماذا تريد أن أقسم أقسمي بعينيك. اقسم بالعينين مرتين، بعينيكَ وبعينيَ، إن ما قلته صحيح. كان العميان الواقفون بقربهما يسمعون الحوار. وبوسعنا القول إنه لم تكن هناك حاجة إلى انتظار التحقق بالقَسَم، حتى بدأت الأفواه تتناقل الخبر. همساً في البدء حتى تقترب نبرته في ما بعد، إلى لهجة عدم التصديق أولاً، ثم لهجة هلع، وتعود لجهة عدم التصديق من جديد. لسوء الحظ كان في الكنيسة كثير من ذوي التفكير الخرافي التخييلي، من بين رعايا الكنيسة. وفجأة بدت فكرة عمى الصور المقدّسة، وأن أعينها الحانية أو المتأسيّة إنما تنظر إلى عماها هي، بدت غير محتملة ومساوية لإخبارهم بأنهم محوطون بالأحياء الموتى. صرخة واحدة تكفي، ثم صرخة أخرى وأخرى، ثم دفع الخوف كل رعايا الكنيسة إلى النهوض، وقادهم الهلع إلى الأبواب، وهنا تكرر المحتوم نفسه، بما أن الهلع أسرع من الأقدام التي تحمله، فقد تعثّرت الأقدام الهاربة بهربها، ثم أن الأمر يزداد سوءاً عندما يكون المرء أعمى. تراه جالساً على الأرض، وإذ يقول له الهلع إنهض، اركض، سيقتلونك جميعاً، فتراه يتمنى لو يقوم، بيد أن الآخرين قد ركضوا وسقطوا أيضاً. يجب أن تكون راجح العقل كي لا تنفجر ضاحكاً من خليط الأجساد هذه وهي تبحث عن يد لتحرر نفسها وعن قدم لتهرب. إن الدرجات الست أمام الكنيسة ستكون كالهاوية. لكن في نهاية المطاف، لن يكون السقوط خطيراً، إذ إن عادة السقوط تقوّي الجسد، ثم أن بلوغ الأرض هو بحد ذاته أمر مريح. في الحالات القاتلة تكون الفكرة الأولى، إني باقٍ هنا حيث أنا، وأحياناً أخرى تكون الأخيرة، والشيء الذي لا يتغيّر أيضاً هو أن البعض يستفيد من سوء حظ البعض

الآخر كما هو معروف جيداً، منذ بدء الخليقة، الورثة وورثة الورثة. إن قرار البشر اليائسين هذا جعلهم يتركون ممتلكاتهم خلفهم، وعندما تهزم الضرورة الخوف، سيعودون إليها، عندئذٍ ستكون المشكلة الصعبة في الفصل بطريقة مقنعة بين ما هو لي وما هو لك. وسوف ترى أن ذلك المقدار الضئيل الذي كان بحوزتنا قد اختفى. ربما كانت هذه خدعة كلبية من قبل المرأة التي قالت إن الصور معصوبة الأعين. سيبلغ بعض الناس تلك الأعماق، يخترعون قصصاً طويلة كهذه كي يسلبوا الفقراء فتات الطعام المتبقي لديهم. كانت غلطة الكلب الآن، فعندما خلا المكان مضى يبحث عن طعام. كافأ نفسه بشكل عادل وطبيعي، وقد بيّن لزوجة الطبيب، بشكل ما، المدخل إلى المنجم، وهذا يعني أنها غادرت وزوجها الكنيسة بلا ندم على ما سرقاه، وأكياسهما نصف ملأى، وسيكونان راضيين جداً إن استطاعا الاستفادة من نصف ما حصلا عليه، وفي ما خص النصف الآخر فسوف يقولان، لا أعرف كيف يستطيع الناس أكل هذا، رغم أن البلاء عامٌ على الجميع، فهناك دائماً من يعيش زمناً أسوأ من زمن الآخرين.

إن وصف كلٍّ من هذه الأحداث، جعل أفراد المجموعة يُذعرون ويتشوّشون، ويجب الإشارة إلى أن زوجة الطبيب، ربما لأن الكلمات لم تسعفها، لم تحاول أن تنقل لهم مشاعر الرعب المطبق التي اعترتها أمام باب المخزن، مربع الأضواء الباهتة المتراقصة الذي يسد ناصية الأدراج النازلة إلى العالم الآخر. لقد تركت قصة الأعين المعصوبة انطباعاً قوياً في مخيلاتهم، حتى إن كان بطريقة مختلفة تماماً. فالأعمى الأوّل وزوجته تضايقا إلى حدٍّ بعيد، فقد عدّا الأمر كلّه قلة احترام لا تغتفر. فأن يكون البشر كلهم عمياناً فهذه حقيقة فاجعة لا تقع مسؤوليتها عليهما، هذه بلايا لا يستطيع أحد تجنّبها، غَيْرَ أن

تغطية أعين الصور المقدسة لهذا السبب فقط وقعت عليهما كإساءة لا تغتفر، والأسوأ في الأمر أن يكون راعي الأبرشية هو مَنْ فعلها. كان رد فعل الكهل ذي العين المعصوبة مختلفاً تماماً فقال، أستطيع أن أتخيل صدمتكم، أتخيل متحفاً كل التماثيل فيه معصوبة الأعين، ليس لأن النحات لا يريد أن ينحت التماثيل حتى يبلغ الأعين، إنما غطّاها، كما قلت، بعصابات، وكأن عمى واحداً لم يكن كافياً، غريب أن عصابة كالتي فوق عيني لا تخلق التأثير نفسه، حتى أنها تترك انطباعاً رومانسياً عند الناس، وضحك مما قاله ومن نفسه أيضاً. اكتفت الفتاة ذات النظارة السوداء بقول، إنها تأمل ألا ترى هذا المعرض الملعون في أحلامها، فقد عاشت كوابيس كافية. أكلوا الطعام المتوفّر كريه الرائحة، وكان أفضل ما لديهم. قالت زوجة الطبيب، إن إيجاد الطعام يزداد صعوبة، وربما عليهم أن يغادروا المدينة ويذهبوا إلى الريف، فهناك على الأقل سيجدون طعاماً صحياً أكثر. ولا بد أن يوجد هناك خراف وأبقار شاردة، يمكننا أن نحلبها، سنشرب الحليب، ونستخرج الماء من الآبار، بوسعنا طهو ما نشاء، ويبقى علينا إيجاد المأوى المناسب. بعدئذٍ أدلى الجميع بآرائهم كان بعضهم متحمساً أكثر من البعض الآخر، لكن كان واضحاً لدى الجميع أن القرار ضاغطٌ وعاجل. عبّر الطفل الأحول عن قبوله بدون أي تحفظات، ربما لأنه استعاد ذكريات أيام عطله السعيدة. تمدّدوا قليلاً بعد الطعام، طلباً للنوم. إنهم يفعلون ذلك دائماً، حتى أثناء وجودهم في المحجر، عندما علمتهم التجربة أن الجسد الذي يقيّل يستطيع احتمال الجوع أكثر. لم يأكلوا في تلك الليلة باستثناء الطفل الأحول الذي أعطي ما يُسكت تذمّره ويخفّف جوعه. جلس الآخرون للاستماع إلى القراءة، فعلى الأقل سيشغل الإصغاء عقولهم عن التذمّر من نقص الطعام، والمشكلة أن ضعف

الجسد يقود أحياناً إلى انعدام الانتباه، فلم يكن الأمر بسبب انعدام الاهتمام الفكري، كلا، فما حدث هو أن العقل قد انزلق إلى منتصف النوم، كحيوان استسلم لحالة السبات، وداعاً أيها العالم، لذلك لم يكن نافلاً إن أسبل المستمعون أجفانهم بلطف مجبرين أنفسهم على متابعة تقلّبات الحبكة بعيني الروح حتى انتزعتهم صفحة، أكثر جلبة في انقلابها، من سباتهم، ولم تكن جلبة إغلاق الكتاب، لأن زوجة الطبيب لم تشأ أن تشعرهم بأنها عرفت أن الحالم كان ينساق مستسلماً للنوم.

بدا أن الأعمى الأول قد دخل حالة الوسن هذه، بيد أن الأمر لم يكن كذلك. صحيح أن عينيه مغمضتان، وكان يبدي انتباهاً ضئيلاً إلى القراءة، غير أن فكرة ذهابهم جميعاً إلى الريف حالت دون سقوطه في وهدة النوم، بدا له أن ابتعاده عن منزله خطأ فادح، فمهما كان الكاتب لطيفاً، يبقى من الأفضل أن يتفقّد بيته من حين إلى آخر. بناء عليه فقد كان الأعمى الأول مستيقظاً تماماً، ودليل ذلك هو البياض الباهر الذي يراه أمام عينيه، ربما النوم وحده سيحيله إلى عتمة، لكن ليس بمقدور أحد أن يتأكد من ذلك، بما أنه لا أحد يمكن أن يكون نائماً ومستيقظاً في آنٍ معاً. اعتقد الأعمى الأول أن شكّه قد انجلى أخيراً عندما أعتمت عيناه المغمضتان، لقد نمْتُ، فكر لنفسه. لكن لا، لم ينم، فقد استمر يسمع صوت زوجة الطبيب، سعال الطفل الأحول، عندئذٍ امتلأت روحه بخوف هائل، ظن أنه انتقل من عمى إلى عمى آخر، فبدلاً من العيش في عمى أبيض، سينتقل الآن إلى عمى أسود، جعله الخوف يرتجف. ماذا بك، سألته زوجته. أنا أعمى، أجابها بغباء من غير أن يفتح عينيه، وكأنه يبلغها خبراً ما. احتضنته بين ذراعيها بحنان وقالت، لا تقلق، جميعنا عميان، وليس بوسعنا فعل شيء حيال ذلك. إني أرى كل شيء أسود، اعتقدت أني قد نمت، غير أني لم أنم، فأنا مستيقظ. هذا ما يجب أن تفعله،

نم ولا تفكِّر في الأمر. أغاظته تلك النصيحة. ها هوذا رجل في محنة هائلة، وزوجته عاجزة عن قول أي شيء سوى أنه يجب أن ينام. لقد استُفِزّ وأوشك أن ينطق بردّ فظ، فتح عينيه ورأى. رأى وصرخ. أنا أرى. كانت صيحته الأولى صيحة عدم التصديق، لكن مع الصيحة الثانية والثالثة وغيرها كثيرٌ، أصبح الدليل أقوى. أستطيع أن أرى، أستطيع أن أرى. احتضن زوجته بجنون، ثم ركض واحتضن زوجة الطبيب أيضاً، وكانت هذه أوّل مرّة يراها فيها، إلا أنه عرفها، ثم احتضن الطبيب، الفتاة ذات النظارة السوداء، الكهل ذا العين المعصوبة وهذا صعب جداً أن يخطئه، والطفل الأحول. كانت زوجته في إثره، لم تشأ أن تتركه يذهب، فأوقف احتضاناته ليعود ويحتضنها من جديد. أستطيع أن أرى، أستطيع أن أرى، يا دكتور، خاطبه الآن بهذا اللقب، وهذا ما لم يفعلوه منذ زمن طويل. سأله الطبيب، أتستطيع أن ترى بوضوح، كما في السابق، ولا أثر للبياض. لا شيء على الإطلاق، حتى أني أعتقد بأني أرى بوضوح أكثر مما في الماضي، وهذا ليس بالأمر القليل، فلم أكن ألبس نظارة من قبل. بعدئذٍ نطق الطبيب بما كانوا يفكرون فيه جميعاً، من غير أن يجرؤوا على البوح به. من الممكن أننا وصلنا إلى نهاية هذا العمى، يمكن أن نستعيد بصرنا، جميعاً. بدأت زوجة الطبيب تبكي لدى سماعها هذه الكلمات، مع أنها يجب أن تكون سعيدة، إلا أنها راحت تبكي. كم هي غريبة ردود فعل البشر. كانت سعيدة بالطبع، يا إلهي من السهل فهم الأمر، فقد بكت لأن مقاومتها العقلية قد انهارت فجأة، كانت كوليد جديد وكان بكاؤها هذا صوتها الأول غير الواعي أيضاً. سار كلب الدموع نحوها، إنه يعرف دائماً وقت الحاجة إليه، وهذا سبب تعلّق زوجة الطبيب به، وليس لأنها لم تعد تحب زوجها، وليس لأنها لا تتمنى الخير لهم جميعاً، بل لأن شعورها بالوحدة في تلك اللحظة كان

على درجة من الكثافة لا تحتمل البتة، فبدا لها أنه لا يمكن أن يبرئها منه سوى ذلك الظمأ الغريب الذي شرب فيه الكلب دموعها.

انقلب الفرح العارم إلى عصبية. والآن، ماذا سنفعل، سألت الفتاة ذات النظارة السوداء، فلن أستطيع النوم بعد كل ما جرى. لا أحد سينام، قال الكهل ذو العين المعصوبة، أعتقد أننا يجب أن نبقى هنا، نطق هذه الكلمات بغتة وكأنّ الشكوك ما زالت تساوره ثم أضاف، ننتظر. انتظروا. كانت شعلات القنديل الثلاث تضيء الوجوه المتحلّقة حوله. في البدء تكلموا بحيوية، أرادوا أن يعرفوا ما جرى بدقّة، إن كان التغيّر الذي قد حدث في العينين وحدهما أو أنه قد شعر بشيء ما في عقله، بعدئذٍ، وبالتدريج، راحت كلماتهم تطفح بالقنوط. خطر للأعمى الأول، في لحظة معيّنة، أن يقول لزوجته إنهما يجب أن يذهبا إلى بيتهما غداً لكني ما زلت عمياء، ردّت عليه. سوف أرشدك. فقط أولئك الحاضرون سمعوا بآذانهم واستطاعوا أن يفهموا كيف يمكن لكلمات بسيطة كهذه أن تحمل مشاعر مختلفة كهذه مثل الحماية، الفخر، السلطة. في الهزيع الأخير من تلك الليلة عندما كان زيت القنديل ينفد وألسنته تتراقص كانت الفتاة ذات النظارة السوداء ثاني فردّي المجموعة اللذين استعادا بصرهما. كانت قد أبقت عينيها مفتوحتين وكأن البصر سيدخلهما من الخارج ولن يعاود اشتعاله من الداخل. قالت فجأة أعتقد أني أستطيع أن أرى. وكان من الأفضل أن تقولها بتعقّل، فليست كل الحالات متشابهة، حتى أنه يقال عادة إنه لا وجود لشيء مثل العمى إلا للناس العميان فقط، حيث لم تعلّمنا تجربة الزمن إلا أنه لا وجود للعميان بل للعمى فقط. ها هنا ثلاثة مبصرين، مبصر آخر ويصبحون أكثرية، لكن رغم ذلك ففي غمرة السعادة بالرؤية من جديد قد نتجاهل الآخرين، ستصبح حياتهم أكثر سهولة، لن تبقى تلك الحياة المكربة، التي كانتها

حتى هذا اليوم. انظروا إلى تلك المرأة، إنها كحبل انقطع، كنبع لم يعد يحتمل الضغط الذي كان خاضعاً له باستمرار، ربما لهذا السبب تحديداً توجّهت إليها الفتاة ذات النظارة السوداء واحتضنتها، ولم يعد كلب الدموع يعرف دموع مَنْ منهما سيشرب أولاً. ذرفتا دموعاً غزيرة. كان الكهل ذو العين المعصوبة ثاني شخص تحتضنه، وسنعرف الآن ما هي القيمة الحقيقية للكلمات، ففيما مضى تأثّرنا كثيراً بحوارهما الذي انتهى إلى التعهد الرائع من قبل الاثنين للعيش معاً، بيد أن الحال قد تغيّرت، فالفتاة ذات النظارة السوداء ترى أمامها كهلاً من لحم ودم، أمّا المثاليات العاطفية، الانسجامات الزائفة فهي في جزيرة نائية، انتهت. فالتجاعيد تجاعيد، الصلع صلع، ولا فرق بين عين معصوبة وأخرى عمياء، هذا هو الأمر. بكلمة أخرى، سيقول لها، انظري إلي، أنا هو الرجل الذي قلت إنك ستعيشين معه، وستردّ عليه، أعرفك، إنك الرجل الذي أعيش معه. في نهاية المطاف هذه هي الكلمات القيّمة أكثر من تلك التي أرادت أن تطفو إلى السطح، وهذا الاحتضان لا يقلّ عنها قيمة. كان الطبيب ثالث من استعاد بصره في فجر اليوم التالي. الآن لم يعد هناك شك في أن استعاده الآخرين لبصرهم إنما هي مسألة وقت. لندع جانباً تلك التعليقات الطبيعية والتنبّئية المسهبة وقد سمعنا منها ما يكفي منذ قليل، ولا داعي لتكرارها الآن، حتى في ما يتعلق بشخصيات هذا السرد الرئيسية. سأل الطبيب ذلك السؤال الذي كان يرفرف فوق رؤوس الجميع، ما الذي يجري في الخارج. جاء الرد سريعاً، من داخل البناية نفسها، ففي الطابق تحتهم كان هناك شخص على ناصية الدرج يصيح، أستطيع أن أرى، أستطيع أن أرى. بدا كأن الشمس ستشرق فوق المدينة في احتفال.

تحوّلت وجبة الطعام في اليوم التالي إلى وليمة، ماذا أكلوا، كما

حدث في كل لحظات الفرح، حلّت قوّة المشاعر مكان الجوع وكانت فرحتهم هي الغذاء الأفضل، لم يشتكِ أحد، حتى من لا يزالون عمياناً ضحكوا وكأن الأعين التي استعادت البصر هي أعينهم. قالت الفتاة ذات النظارة السوداء بعد أن فرغوا من طعامهم، لدي فكرة، ما رأيكم أن أذهب الآن إلى باب شقتنا، أضع عليه قصاصة ورق تقول إني هنا، تُعلِمُ والديّ حينما يعودان أين يمكن أن يجداني. دعيني أرافقك قال الكهل ذو العين المعصوبة، أريد أن أعرف ماذا يجري هناك في الخارج. ونحن سنخرج أيضاً، قال من كان أول من عَمَي لزوجته، فربما يكون الكاتب قد استعاد بصره ويفكّر في العودة إلى بيته وسأحاول في الطريق أن أجد شيئاً ما آكله. سأفعل الشيء نفسه قالت الفتاة ذات النظارة السوداء. بعد دقائق كان الطبيب يجلس بجانب زوجته وحيدين، والطفل الأحول يغفو في زاوية الأريكة، وكلب الدموع متمدد على الأرض وخطمه فوق قائمتيه الأماميتين، يفتح عينيه ويغمضهما من حين إلى آخر، ليظهر أنه لا يزال يقظاً. عبر النافذة المفتوحة ورغم علو شقّتهم كان بوسعهما سماع أصوات هائجة. لا بدّ أن الشوارع مليئة بالناس، والحشد يصرخ بثلاث كلمات، أستطيع أن أرى. هذا ما كان يقوله أولئك الذين استعادوا بصرهم والذين يستعيدونه في اللحظة نفسها، أستطيع أن أرى، أستطيع أن أرى. والقصة التي قال فيها الناس، أنا أعمى، بدت في الواقع تنتمي إلى عالم آخر. دمدم الطفل الأحول، لا بدّ أنه يحلم، ربما كان يرى أمه في الحلم، وكان يسألها، أتستطيعين أن تريني، أتستطيعين أن تريني. وماذا عن الآخرين، سألت زوجة الطبيب، يحتمل أن يستعيد بصره عندما يستيقظ. والشيء نفسه يصح على الآخرين، فالأرجح أنهم يستعيدون بصرهم في هذه اللحظة. وصديقنا ذو العين المعصوبة تنتظره صدمة. لماذا؟ لأن السواد، بعد كل هذا الزمن منذ فحصته في

العيادة، سيكون قد اكتمل. هل سيبقى أعمى. كلا، فعندما تعود الحياة إلى مجراها الطبيعي، وتنتظم كل الأمور ثانيةً، سوف أجري له العملية، إنها مسألة وقت، عدة أسابيع. لا أعرف لماذا عمينا، فربما نكتشف الجواب ذات يوم. أتريد أن أخبرك برأيي. نعم، أخبريني. لا أعتقد أننا عمينا، بل أعتقد أننا عميان، عميان يرَون، بشرٌ عميان يستطيعون أن يروا، لكنهم لا يرَون.

نهضت زوجة الطبيب واتجهت إلى النافذة. نظرت إلى الشارع في الأسفل، المليء بالقاذورات، إلى الناس الذين يصرخون، يغنّون. بعدئذٍ رفعت بصرها إلى السماء فرأت كل شيءٍ أبيض. إنه دوري، فكّرت لنفسها. جعلها الخوف تخفض بصرها بسرعة، فرأت المدينة لا تزال في مكانها.

انتهت